JN111890

一発合格！ここが出る！

食生活アドバイザー®検定3級テキスト＆問題集

第4版

NPO法人みんなの食育代表理事
食生活アドバイザー®公認講師
竹森美佐子 監修・著

ナツメ社

ビジュアル徹底図解

日本全国の主な郷土料理

中国地方

鳥取
アゴのやき、カニ汁
島根
割子そば、めのは寿司
岡山
ままかり酢漬け、ばら寿司
広島
牡蠣料理、アナゴ飯
山口
岩国寿司、フグ料理

近畿地方

滋賀
フナ寿司、赤こんにゃく煮
京都
おばんざい、サバの棒寿司
大阪
箱寿司、たこ焼き
兵庫
イカナゴ釘煮、ぼたん鍋
奈良
柿の葉寿司、茶飯
和歌山
めはり寿司、鯨料理

九州・沖縄地方

福岡
がめ煮、おきゅうと
佐賀
だぶ、白魚の踊り食い
長崎
ちゃんぽん、卓袱料理
熊本
辛子レンコン、馬肉料理
大分
ブリの温飯、手延べ団子汁
宮崎
冷や汁、かっぽ鶏
鹿児島
がね、キビナゴ料理
沖縄
ゴーヤチャンプルー、
ソーキそば

四国地方

徳島
そば米雑炊、でこまわし
香川
讃岐うどん、あん餅雑煮
愛媛
鯛そうめん、ジャコ天
高知
カツオのたたき、皿鉢料理

ゴーヤチャンプルー

北陸地方

新潟

のっぺい汁、笹寿司

富山

マス寿司、イカの黒作り

石川

かぶら寿司、治部煮

福井

越前そば、鯖のへしこ

北海道

石狩鍋、ジンギスカン

東北地方

青森

いちご煮、せんべい汁

岩手

わんこそば、ひっつみ

宮城

ずんだ餅、笹かまぼこ

秋田

きりたんぽ、いぶりがっこ

山形

芋煮、どんがら汁

福島

こづゆ、棒鱈の煮物

ジンギスカン

石狩鍋

きりたんぽ

わんこそば

のっぺい汁

葉味噌

つとっこ

ほうとう

そぼろ納豆

関東地方

茨城

アンコウ料理、そぼろ納豆

栃木

しもつかれ、ちたけそば

群馬

おきりこみ、こんにゃく料理

埼玉

つとっこ、冷や汁うどん

千葉

なめろう、太巻き寿司

東京

深川飯、ドジョウ鍋

神奈川

へらへら団子、アジ寿司

中部・東海地方

山梨

ほうとう、煮貝

長野

おやき、鯉料理

岐阜

朴葉味噌、栗きんとん

静岡

とろろ汁、桜エビ料理

愛知

ひつまぶし、きしめん

三重

手こね寿司、豆腐田楽

四季折々の家庭料理

春

◆タケノコご飯
◆山菜の天ぷら（エビ・フキノトウ・タラの芽）
◆浅葱（あさつき）とホタルイカの酢味噌（みそ）和え
◆菜の花のおひたし
◆アサリのお吸い物

夏

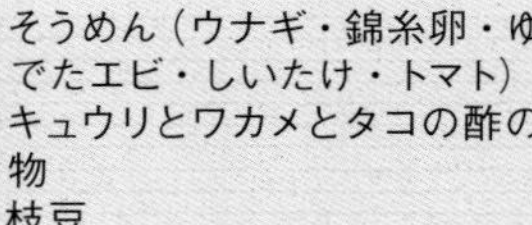

◆そうめん（ウナギ・錦糸卵・ゆでたエビ・しいたけ・トマト）
◆キュウリとワカメとタコの酢の物
◆枝豆

秋

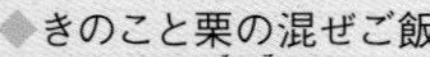

◆きのこと栗の混ぜご飯
◆鮭の西京味噌（みそ）焼き
◆きんぴらゴボウ
◆ホウレンソウとえのきのおひたし
◆豚汁

冬

◆タラちり鍋（タラ・白菜・ニンジン・しいたけなど）
◆ぽん酢醤油（しょうゆ）
◆うどん

日本の主な年中行事と料理

時　期	行事名／行事内容・行事食	時　期	行事名／行事内容・行事食
1月 1～3日	正月 門松 おせち料理 雑煮	7月7日	七夕(たなばた)の節句 短冊 天の川 そうめん
1月7日	人日(じんじつ)の節句 七草粥(ななくさがゆ) 春の七草	9月9日	重陽(ちょうよう)の節句 菊酒(きくざけ) 菊寿司 栗飯(くりめし)
1月11日	鏡開き 鏡餅(かがみもち) お汁粉	秋分の日を中日とした前後3日間	彼岸（秋彼岸） 精進料理 おはぎ 彼岸団子
2月3日 または4日	節分 柊鰯(ひいらぎいわし) 煎(い)り豆 恵方(えほう)巻き	旧暦 8月15日	十五夜（月見） 中秋の名月 月見団子 きぬかつぎ
3月3日	上巳(じょうし)の節句 雛祭り ちらし寿司 ひなあられ	11月15日	七五三 お宮参り 千歳飴(ちとせあめ)
春分の日を中日とした前後3日間	彼岸（春彼岸） 精進(しょうじん)料理 ぼた餅	12月22日 または23日	冬至 ゆず湯 カボチャ料理 冬至粥
5月5日	端午(たんご)の節句 鯉(こい)のぼり ちまき 柏餅(かしわもち) 菖蒲湯(しょうぶゆ)	12月31日	大晦日(おおみそか) 除夜の鐘 年越しそば

食材の主な切り方

●野菜の切り方

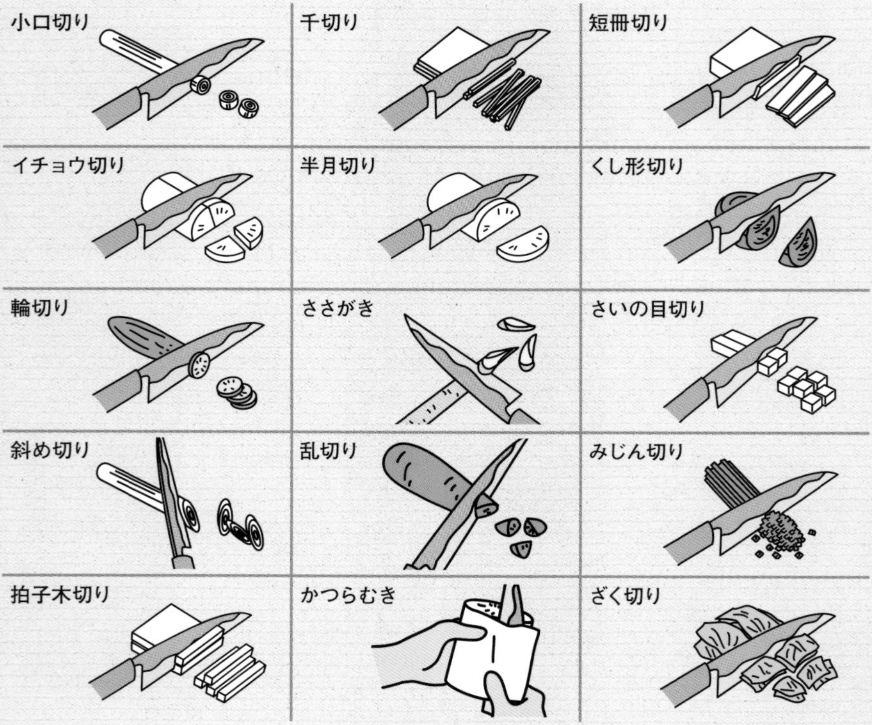
小口切り
千切り
短冊切り
イチョウ切り
半月切り
くし形切り
輪切り
ささがき
さいの目切り
斜め切り
乱切り
みじん切り
拍子木切り
かつらむき
ざく切り

●肉の切り方

厚切り
薄切り
ミンチ切り（ひき肉）

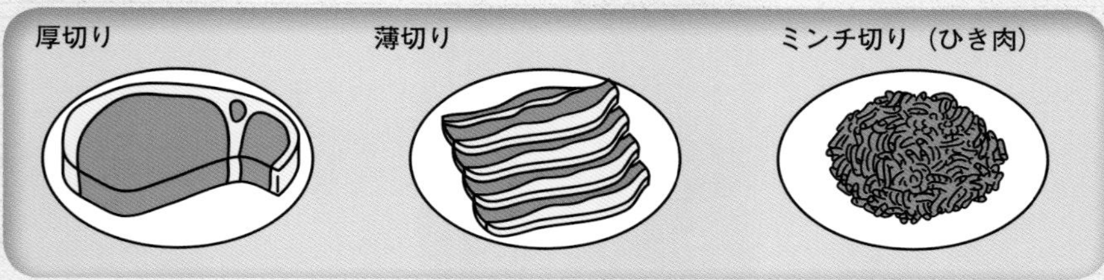

●魚の切り方

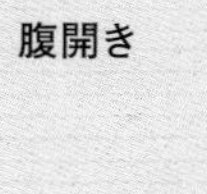

腹開き

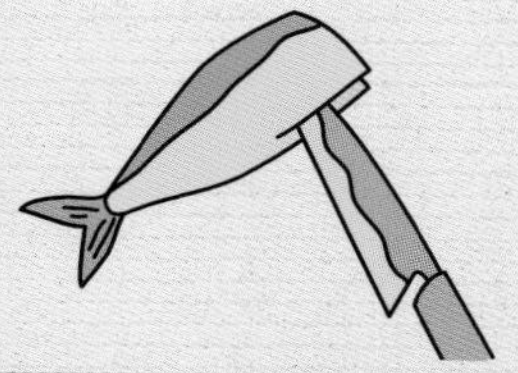

背開き

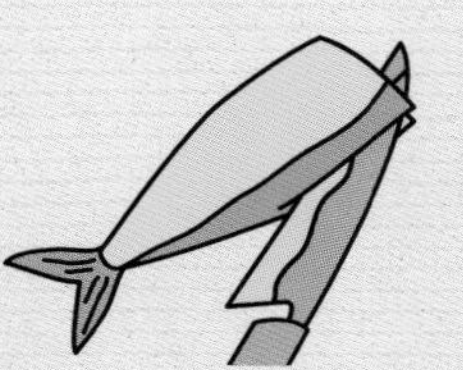

そぎ切り

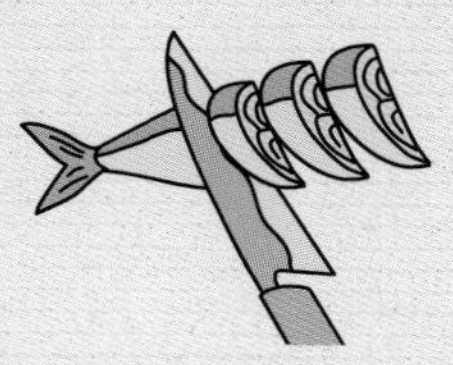

たたき

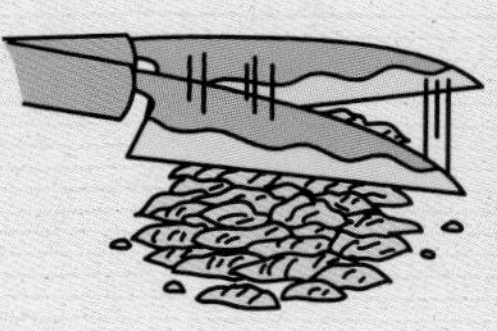

●魚の二枚おろしと三枚おろし

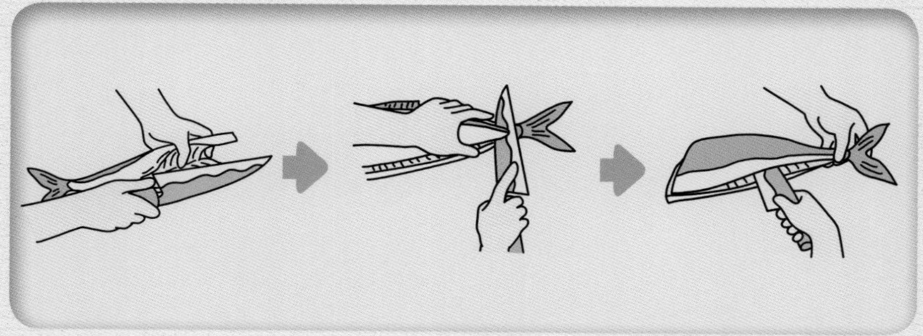

●刺身のあしらい(添え物)

つま
大葉、芽じそ、穂じそなど

けん
大根などの千切り

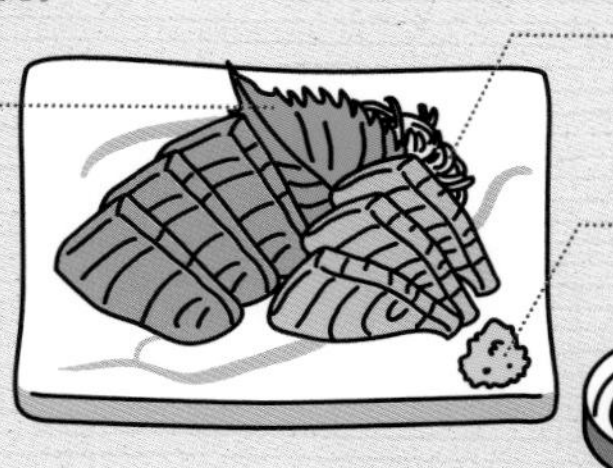

辛味
わさび、しょうがなど

ビジュアル 徹底図解

食事バランスガイド

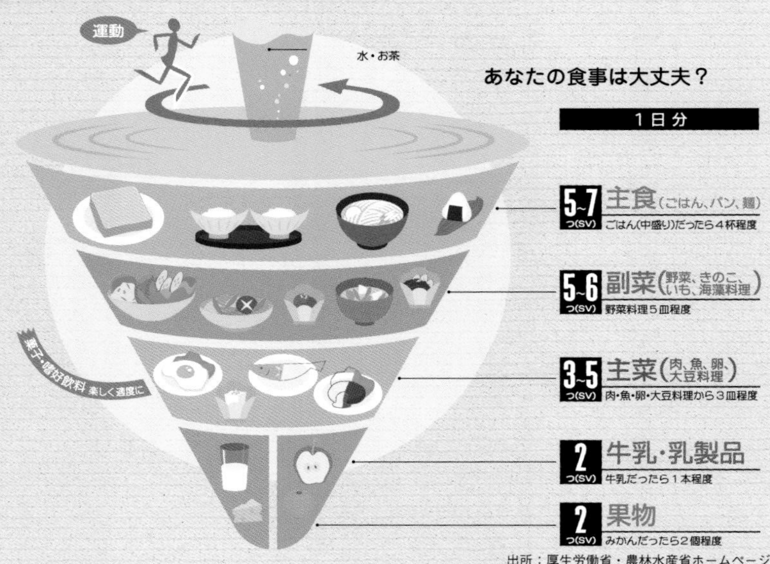

出所：厚生労働省・農林水産省ホームページ

6つの基礎食品群

はじめに

食生活アドバイザー®検定の誕生から20年以上が経ちました。検定立ち上げのきっかけは、以前私が管理栄養士として勤務していた心療内科クリニックに持ち込まれた、ある相談でした。

ダイエットを繰り返し、食べては吐くという食生活を続けていた30代の女性会社員。「朝食って、何を食べればいいの？」。有名大学卒業、一流商社勤務の彼女が、健康の源である食に対してあまりにも無知であることに愕然としました。

また、日本は世界一の長寿国ですが、７～８年の寝たきり期間があり、一方では不健康な子どもが増え、若者や働き盛りの世代がうつや自殺などで心身を蝕まれていたりする現状もあります。

豊かで便利な暮らしの中で、不規則な食事が増え、食材そのものを知ることも困難な時代になっています。

このようなとき、医療機関でできることは多くありません。食に関する知識と技術を習得して、まず身近なところから食生活全般を見つめ直し、アドバイスできる人材を育てることが必要なのだと思います。そして、その人材こそが食生活アドバイザー®であり、今後も活躍の場は増えることでしょう。

情報の氾濫に惑わされることなく、食生活全般にわたる正しい理解を身につけた食生活アドバイザー®によって、一人でも多くの人が健康な生活を送れることを心から願っています。

竹森 美佐子

本書の使い方

本書は、一般社団法人FLAネットワーク®協会が年２回行う「食生活アドバイザー®検定３級試験」に合格するためのテキスト＆問題集です。

受験のために必要となる知識をカラーイラストや図解で楽しく理解し、節や章ごとの練習問題や、２回分の模擬試験を解くことで理解度を確認できます。

本冊

重要キーワード
学習するうえで特に大事なキーワードを集めました。

「重要！」マーク
試験によく出る内容に「重要！」マークを付けました。重点的に学習しましょう。

表
暗記する内容を整理して、表にまとめています。

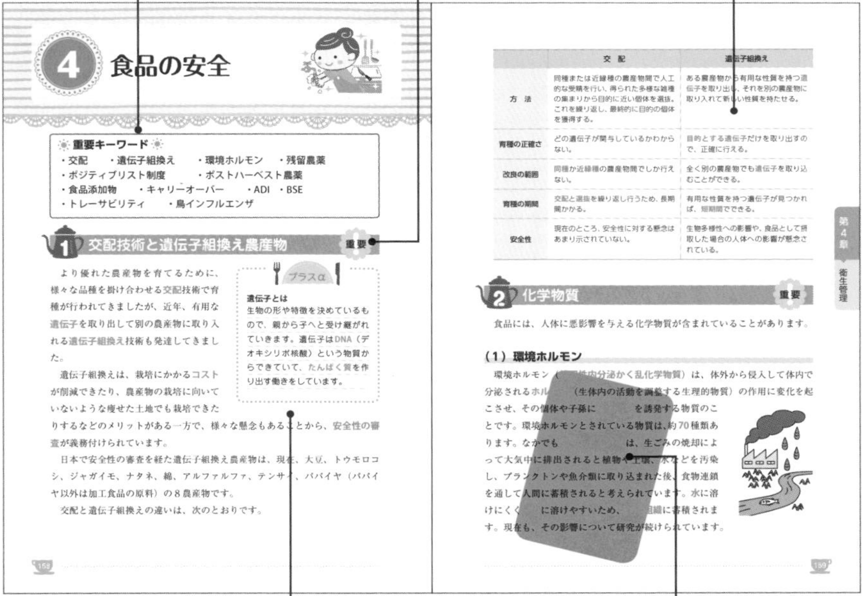

4 食品の安全

重要キーワード
・交配　・遺伝子組換え　・環境ホルモン　・残留農薬
・ポジティブリスト制度　・ポストハーベスト農薬
・食品添加物　・キャリーオーバー　・ADI　・BSE
・トレーサビリティ　・鳥インフルエンザ

1 交配技術と遺伝子組換え農産物　重要

より優れた農産物を育てるために、様々な品種を掛け合わせる交配技術で育種が行われてきましたが、近年、有用な遺伝子を取り出して別の農産物に取り入れる遺伝子組換え技術も発達してきました。

遺伝子組換えは、栽培にかかるコストが削減できたり、農産物の栽培に向いていないような痩せた土地でも栽培できたりするなどのメリットがある一方で、様々な懸念もあることから、安全性の審査が義務付けられています。

日本で安全性の審査を経た遺伝子組換え農産物は、現在、大豆、トウモロコシ、ジャガイモ、ナタネ、綿、アルファルファ、テンサイ、パパイヤ（パパイヤ以外は加工食品の原料）の８農産物です。

交配と遺伝子組換えの違いは、次のとおりです。

プラスα
遺伝子とは
生物の形や特徴を決めているもので、親から子へと受け継がれていきます。遺伝子はDNA（デオキシリボ核酸）という物質からできていて、たんぱく質を作り出す働きをしています。

158

	交配	遺伝子組換え
方法	同種または近縁種の農産物間で人工的な受精を行い、得られた多様な雑種の集まりから目的に近い個体を選抜。これを繰り返し、最終的に目的の個体を獲得する。	ある農産物から有用な性質を持つ遺伝子を取り出し、それを別の農産物に取り入れて新しい性質を持たせる。
育種の正確さ	どの遺伝子が関与しているかわからない。	目的とする遺伝子だけを取り出すので、正確に行える。
改良の範囲	同種か近縁種の農産物間でしか行えない。	全く別の農産物でも遺伝子を取り込むことができる。
育種の期間	交配と選抜を繰り返し行うため、長期間かかる。	有用な性質を持つ遺伝子が見つかれば、短期間でできる。
安全性	現在のところ、安全性に対する懸念はあまり示されていない。	生物多様性への影響や、食品として摂取した場合の人体への影響が懸念されている。

2 化学物質　重要

食品には、人体に悪影響を与える化学物質が含まれていることがあります。

(1) 環境ホルモン

環境ホルモン（　性内分泌かく乱化学物質）は、体外から侵入して体内で分泌されるホル　（生体内の活動を調整する生理的物質）の作用に変化を起こさせ、その個体や子孫に　を誘発する物質のことです。環境ホルモンとされている物質は、約70種類あります。なかでも　は、生ごみの焼却によって大気中に排出されると植物や土壌、水などを汚染し、プランクトンや魚介類に取り込まれた後、食物連鎖を通して人間に蓄積されると考えられています。水に溶けにくく　に溶けやすいため、　組織に蓄積されます。現在も、その影響について研究が続けられています。

159

第4章　衛生管理

プラスα
本文の説明に付随して覚えておくとよいポイントを随所に載せています。

赤シート
重要な用語は、赤い文字になっています。付属の赤シートで文字が隠れますので、復習に役立てることができます。

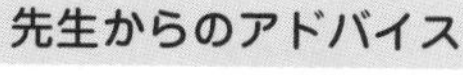

先生からのアドバイス

覚え方のコツや、知るとさらに理解が深まる先生からのアドバイスです。

お役立ちコラム

学習の合間にほっと一息つける、生活お役立ちコラムです。食生活の豆知識として読んでみましょう。

確認テスト

本試験と同じ五肢択一の問題を、節の最後に解いてみましょう。

本節のまとめ

本節を復習する際のポイントがまとめてあります。

イラスト＆図解

見てすぐに理解できるようなイラストと図解を、たくさん盛り込みました。

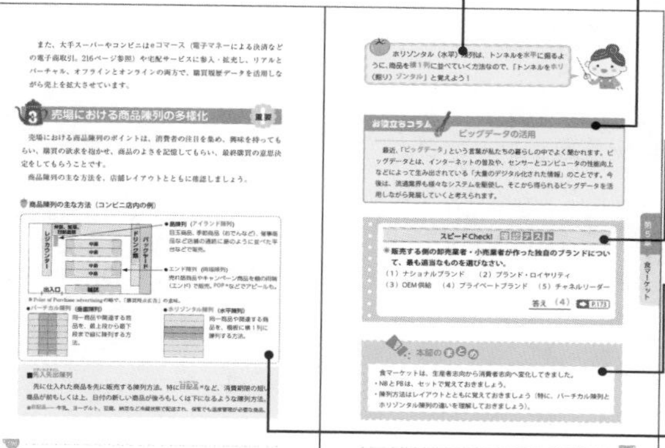

演習問題

各章末に学習内容を確認できる演習問題を用意しました。解答解説欄には、参照ページも記載していますので、間違えた問題は本文に戻って確認しましょう。

模擬試験（2回分）

本試験と同じ五肢択一・50問の模擬試験を、2回分収録しました。コピーして使える解答用紙も付いていますので、合格ラインに届くまで繰り返し挑戦しましょう。

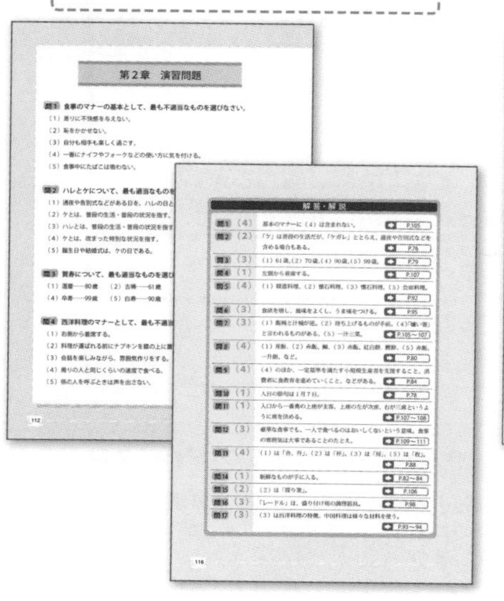

模擬試験 問題

栄養と健康

模擬試験 解答・解説

栄養と健康

別冊

試験前の効率的な学習に役立つよう、重要用語と、試験によく出る項目をBEST10のランキング形式でコンパクトにまとめました。各項目に予想問題が付いていますので、解いて本試験に備えましょう！

重要用語集

効率的な学習に役立つ重要用語を、章ごとにまとめています。

出る順ランキング

本試験に頻出する内容を監修者が10項目厳選し、出る順にランキングしました。確実に得点できるよう、本冊で学んだ内容をNo.1から順番に復習していきましょう。

よく出る項目

試験によく出る項目をまとめています。本冊のどこに掲載されている内容かがわかるよう、参照ページも記載しています。

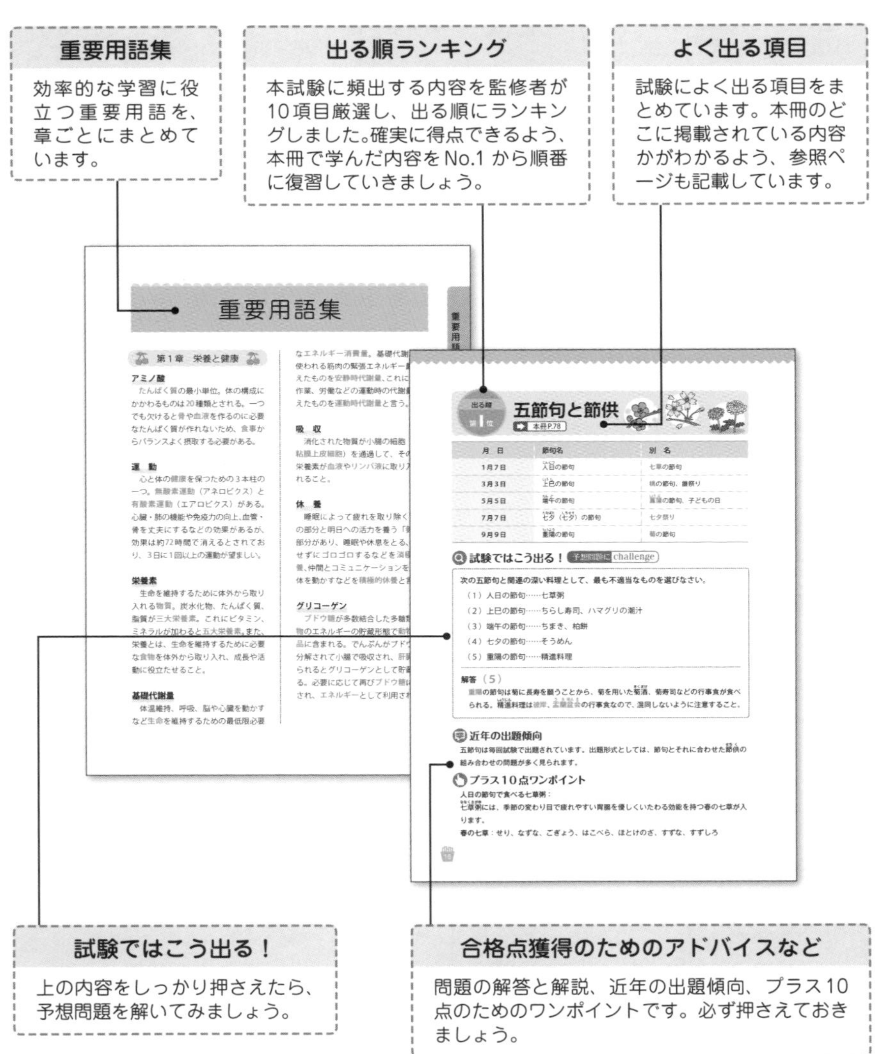

試験ではこう出る！

上の内容をしっかり押さえたら、予想問題を解いてみましょう。

合格点獲得のためのアドバイスなど

問題の解答と解説、近年の出題傾向、プラス10点のためのワンポイントです。必ず押さえておきましょう。

どんな資格？

食生活アドバイザー®

食生活アドバイザー®はこんな人材

食品表示の問題、食生活の乱れからくる肥満や健康障害――。近年、流通やサービスの形態が変化し続けていることにより、食品や食生活に様々な問題が起きています。食生活アドバイザー®は、このような問題と食生活をトータルにとらえ、健康な生活を送るために「生き方」「考え方」「生活そのもの」についてアドバイスできる人材と言えます。

また、2005（平成17）年施行の「食育基本法」には食育についての基本理念がうたわれており、食生活アドバイザー®はそれらを実践するための食生活改善の提案を行います。

活躍の場

食生活の知識を身につけることで、様々なシーンでの提案、アドバイスにつなげることができます。

◆教育の現場

栄養、マナー、行事食などの知識を身につけることで、子どもたちへの食文化の継承に役立てることができます。

◆家　庭

食品選択のポイントなどを学ぶことで、家族の健康管理の担い手となり、より豊かな食生活を送ることができます。

◆生産の現場

食のマーケットについて学ぶことで、商品の開発や提供方法の提案につながります。

◆流通の現場

商品の温度管理など物流の基本を習得することで、安心・安全な流通体制についてアドバイスをすることができます。

◆販売の現場

栄養素や味覚などの知識を身につけることで、お客様への商品説明、おいしく食べるための提案につなげることができます。

◆飲食の現場

メニューやレシピ、衛生管理、店舗運営の助言などに、知識を役立てることができます。

◆医療・福祉・介護の現場

病気と食生活の関係などを学ぶことで、症状別の食事や健康管理のアドバイスに役立てることができます。

仕事の幅を広げるダブルライセンス

食や健康にかかわる資格にプラスして食生活アドバイザー®資格を取得すれば、活躍の場はさらに広がります。

◆栄養士＆食生活アドバイザー®

栄養バランスに加え、環境、経済などの面からもアドバイスが可能に。

◆販売士＆食生活アドバイザー®

食マーケットでの消費者の好み、食の安全性までもアドバイスが可能に。

◆アスレチックトレーナー＆食生活アドバイザー®

栄養、運動、休養など食生活全般についてのアドバイスが可能に。

食生活アドバイザー®検定３級試験について

受験資格

特に制限はなく、食生活に興味のある人は誰でも受験できます。

試験日

６月下旬、11月下旬の年２回。

検定申し込みから受験までの流れ

食生活アドバイザー®検定３級試験は、次の要領で行われます。

	6月試験	11月試験
願書請求期間 ↓	1月下旬～5月上旬	7月中旬～9月下旬
願書受付期間 ↓	3月上旬～5月中旬	9月上旬～10月中旬
試　験 ↓	6月下旬	11月下旬
合否通知発送	7月中旬	12月下旬

受験会場（予定）

札幌、仙台、さいたま、千葉、東京、横浜、新潟、金沢、静岡、名古屋、大阪、神戸、広島、福岡。

※団体受験もあります。

受験料（各税込）

３級：5,000円　２級：7,500円　３・２級併願：12,500円

受験科目

①栄養と健康

（栄養、病気予防、ダイエット、運動、休養など）

②食文化と食習慣

（行事食、旬、マナー、配膳、調理、献立など）

③食品学

（生鮮食品、加工食品、食品表示、食品添加物など）

④衛生管理

（食中毒、食品衛生、予防、食品化学、安全性など）

⑤食マーケット

（流通、外食、中食、メニューメイキング、食品販売など）

⑥社会生活

（消費経済、生活環境、消費者問題、IT社会、関連法規など）

出題形式、合格基準

五肢択一式・マークシート、50問。試験時間は90分。

合計点数の60％以上の得点で合格。

合格率

約65％

※実施回により多少異なります。

試験申し込み・問い合わせ

一般社団法人FLAネットワーク®協会

食生活アドバイザー®検定事務局

〒160-0023　東京都新宿区西新宿7-15-10　大山ビル２F

TEL　03-3371-3593

フリーダイヤル　0120-86-3593（月～金曜日　10～16時）

ホームページ　http://www.flanet.jp

CONTENTS

巻頭フルカラー ビジュアル徹底図解

第1章 栄養と健康

第2章 食文化と食習慣

第5章 食マーケット

第6章 社会生活

模擬試験

【別 冊】

第1章
栄養と健康

演習問題

I 食生活（栄養と栄養素）

重要キーワード

・栄養　・栄養素　・孤食　・個食　・濃食　・粉食
・小食　・食生活指針　・三大栄養素　・五大栄養素

1 食生活と栄養　重要

食生活と言うと、食物や食物に含まれる栄養素、栄養のバランスを考えがちですが、それは食生活の一部で、すべてではありません。食生活を考えるときは、**栄養**面だけではなく、**心理**面、**文化**、**社会生活**といった要素も大切です。

2 栄養と栄養素の違い

栄養とは、「生命を維持するために必要な**食物**を体外から取り入れ、**成長**や**活動**に役立たせること」を言います。一方、栄養素とは「生命を維持するために体外から取り入れる**物質**のこと」を言います。どうしても栄養素に目がいってしまいがちですが、その栄養素がどのように体で働いているか、その結果どのようなことが体で起こっているか、ということにも注目してみましょう。

3 心と体の栄養　重要

体のための栄養だけを考えると、心理的な負担やおいしくないと感じることがあります。反対に、心を満たすだけの食事をしていると体調を崩すことがあります。**心**にも**体**にもおいしい食事が健康的な食事と言えます。

心の栄養には、彩りや盛り付けなどの**見た目**、**環境**、**嗜好**（しこう）が大切であるとともに、「食事の時間を重視する」「食事を楽しむ」といった**心構え**も必要です。孤食など心の栄養に影響を与える問題のリスクを考えることも大切です。

孤食	部屋に引きこもって食事をしたり、家族が不在のため一人で食事をしなければならなかったりする**孤独**な食事。
個食	家族が一緒に食べていても、それぞれが**別々**の料理を食べる個別の食事。
濃食	**濃い味付け**のものが多い食事。
粉食	パンや麺類など、**粉が材料**のものが多い食事。
小食	ダイエットなどのために食事量を**制限**すること。
固食	**同じもの**ばかり食べること。
子食	**子ども**だけで食事をすること。

食事をとらないこと、食事を抜くことを**欠食**といいます。近年、「朝起きられない」「食欲がない」などの理由で朝食を食べない人も増えています。親が朝食を食べない習慣から、子どもにも食べさせていないケースもあるようです。朝食をきちんと食べると、体内時計がリセットでき、1日を気持ちよく始められます。特に**朝食**は、睡眠中に下がった体温や血糖値を上げ、神経、脳、内臓の働きを促します。生活習慣病予防のために厚生労働省、農林水産省、文部科学省が共同で策定した次の「**食生活指針**」10項目も押さえておきましょう。

①食事を楽しみましょう。
②1日の食事のリズムから、健やかな生活リズムを。
③適度な運動とバランスのよい食事で、適正体重の維持を。
④主食、主菜、副菜を基本に、食事のバランスを。
⑤ご飯などの穀類をしっかりと。
⑥野菜・果物、牛乳・乳製品、豆類、魚なども組み合わせて。
⑦食塩は控えめに。脂肪は質と量を考えて。
⑧日本の食文化や地域の産物を活かし、郷土の味の継承を。
⑨食料資源を大切に、無駄や廃棄の少ない食生活を。
⑩「食」に関する理解を深め、食生活を見直してみましょう。

4 栄養素の種類と役割（五大栄養素）

栄養素の役割は「エネルギーを生む」「体を作る」「体の調子を整える」の３つに分けられます。栄養素の中でも、エネルギーを生む役割を持つ炭水化物、たんぱく質、脂質の３つを**三大栄養素**と言い、最も大量に摂取します。

また、三大栄養素がスムーズに働くために必要となるビタミンとミネラルを加えて**五大栄養素**と言います。

五大栄養素とその働き

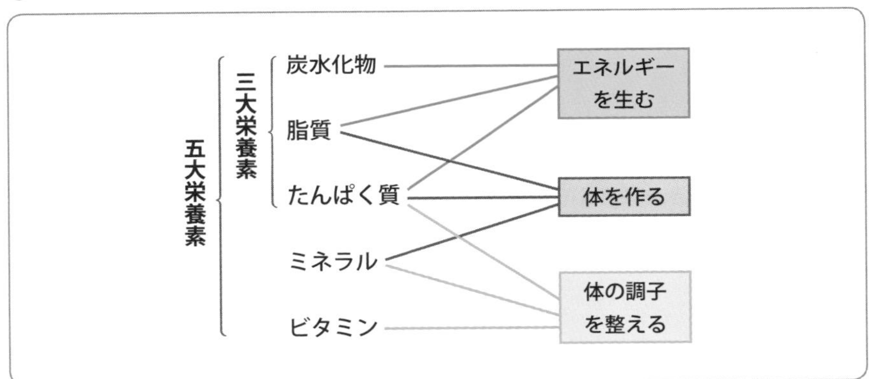

お役立ちコラム

具だくさん味噌(みそ)汁は万能のおかず

具をたくさん入れた味噌汁は、それだけで立派なおかずです。豆腐や麸(ふ)、貝類、肉類などでたんぱく質、ニンジン、大根、ゴボウなどの根菜類とホウレンソウ、小松菜などの青菜、きのこ類、海藻類でビタミン、ミネラル、食物繊維と様々な栄養素がとれます。味噌も発酵食品で栄養満点です。

スピードCheck! 確認テスト

食生活と栄養について、最も不適当なものを選びなさい。

（1）栄養とは、生命を維持するために必要な食物を体外から取り入れ、成長や活動に役立たせることを言う。
（2）食生活には栄養面、心理面、文化、社会生活など様々な要素がある。
（3）心の栄養には見た目、環境、嗜好、心構えが大切である。
（4）栄養素とは、生命を維持するために体外から取り入れる物質を言う。
（5）体のための栄養だけを考えることが、健康的な食事である。

答え （5） 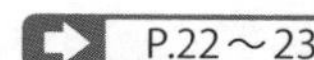
P.22～23

食事についての記述で、最も不適当なものを選びなさい。

（1）個食……家族が一緒の食卓を囲んでも、食べているものがそれぞれ違う。
（2）濃食……濃い味付けのものばかり食べている。
（3）粉食……パンや麺類など、粉ものばかり食べる。
（4）孤食……両親がいるのに、子どもだけで食べる。
（5）小食……ダイエットのために、食事量を制限する。

答え （4） 
P.23

本節のまとめ

現代人の食生活で問題になっている孤食や個食、濃食、粉食などのキーワード、10項目の食生活指針を確認しておきましょう。

三大栄養素
(炭水化物・たんぱく質・脂質)

重要キーワード

・糖質　・たんぱく質　・脂質　・炭水化物　・ブドウ糖
・アミノ酸　・飽和脂肪酸　・不飽和脂肪酸　・コレステロール

1 三大栄養素とは

体内で熱やエネルギーとなる炭水化物・たんぱく質・脂質を、三大栄養素と言います。炭水化物は消化吸収後にエネルギーになる糖質と、体内で消化されない食物繊維に分けられます。糖質とたんぱく質は1g当たり4kcal、脂質は9kcalのエネルギーを持ちます。主に糖質と脂質がエネルギーとして使われ、たんぱく質は通常、骨や筋肉などの体の組織を作ることに優先して使われます。

2 糖　質

重要

糖質は、人間が生きていくうえで最も大切な栄養素です。日本人は、全エネルギーの約**60%弱**を糖質から摂取しています。

1g当たり**4**kcalのエネルギーを持ち、**単糖類**、**二糖類**、**少糖類**、**多糖類**に分類できます。

(1) 糖質の分類

■単糖類

糖質の最小単位で、ブドウ糖、果糖、ガラクトースなどがあります。

ブドウ糖（グルコース）	ショ糖、乳糖、麦芽糖、でんぷん、グリコーゲンなどを構成する糖で、脳のエネルギーになる。
果　糖（フルクトース）	果実やはちみつなどに含まれ、甘味が強い糖。体内で中性脂肪に変わりやすく、とりすぎると肥満の原因になる。
ガラクトース	乳糖を構成している糖で、母乳や牛乳に多く存在している。海藻やサトイモの粘り成分の一つでもある。

■二糖類

少糖類のうち、単糖が２つ結合したもので、ショ糖、乳糖、麦芽糖などがあります。

ショ糖（スクロース）	ブドウ糖＋果糖。通常、砂糖と言われるもので、水溶性。とりすぎると肥満の原因になる。
乳　糖（ラクトース）	ブドウ糖＋ガラクトース。母乳や牛乳に含まれる特有の成分。牛乳を飲むと下痢を起こすことがあるが、これは「乳糖不耐症」という乳糖分解酵素の分泌が不十分なために起こる、東洋民族に多い症状。
麦芽糖（マルトース）	ブドウ糖＋ブドウ糖。甘味度はショ糖の約３分の１程度とされ、水飴（みずあめ）や麦芽飴の主成分。でんぷんの分解物でもある。

■少糖類

単糖が３～９個程度結合したもので、オリゴ糖などがあります。

オリゴ糖	乳脂肪にも存在し、若干水に溶ける性質を持つ。トウモロコシやテンサイ（砂糖大根）などに含まれ、カロリーはショ糖の半分。人間の腸では消化・吸収されないため、ダイエットに向いている。善玉菌（乳酸菌やビフィズス菌）を増やして腸内環境を改善する作用もある。

一般的に栄養学では上記解説となるが、「食生活アドバイザー２級公式テキスト」では、糖質の最小単位は、単糖、２個結合したものを二糖、３～９個結合したものを少糖（オリゴ糖）、10個以上の多数が結合したものを多糖としており、試験ではそのように出題される。

■多糖類

単糖が10個以上結合したもので、でんぷん、グリコーゲンなどがあります。

でんぷん	ブドウ糖が多数結合したもの。植物のエネルギーの貯蔵形態で、米、小麦、トウモロコシに多く含まれている。
グリコーゲン	ブドウ糖が多数結合したもの。動物のエネルギーの貯蔵形態で、肉類、魚介類などの動物性食品に含まれている。

（2）糖質の消化・吸収

食物に含まれるでんぷんは、口に入ってから小腸で吸収されるまでに消化酵素で分解されて**ブドウ糖**になり、毛細血管に入ります。そこから肝臓に送られると、ほとんどが**グリコーゲン**になって貯蔵されます。

グリコーゲンにならずに肝臓を通過したものは、**血液**を通って脳や筋肉などの各組織に運ばれ、**エネルギー**として利用されます。貯蔵されたグリコーゲンは必要に応じて再び**ブドウ糖**に変換され、**エネルギー**として利用されます。

糖質の代謝

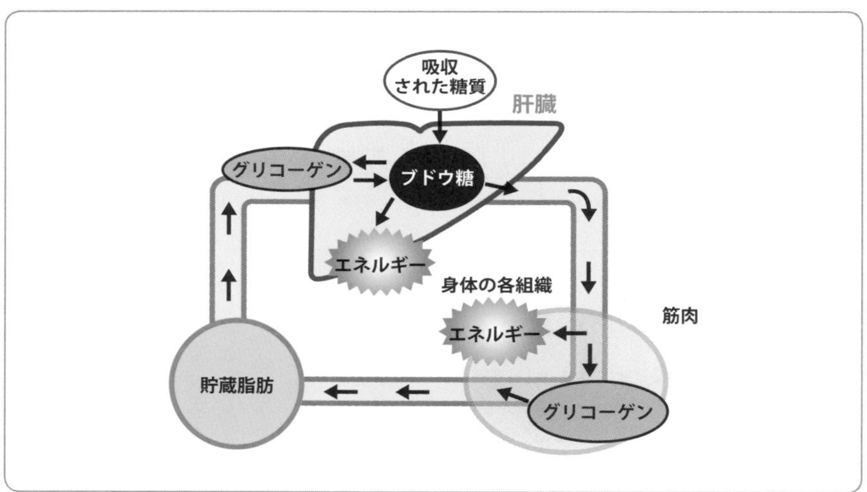

過剰摂取された糖質は肝臓や筋肉にグリコーゲンとして蓄えられ、必要に応じて消費されるけど、さらに余ると**体脂肪**として蓄えられることを覚えておこう！

（3）糖質の栄養

■エネルギー源

エネルギーは糖質、たんぱく質、脂質によって供給されていますが、その中の約**60%弱**を糖質から摂取しています。糖質を多くとりすぎると**脂肪**として貯蔵されやすくなり肥満を誘発しますが、糖質が不足するとビタミンやミネラルが不足しやすくなりエネルギーの利用効率が**悪く**なります。

■糖質とビタミン

ビタミンB群は糖質の代謝と関係が深く、グリコーゲンから効率よくエネルギーを作り出すために欠かせません。**ビタミンB_1**が不足すると食欲減退、疲労感・倦怠感、筋肉痛が出てきますが、これはグリコーゲンを分解してできたブドウ糖が、エネルギーを発生するときにビタミンB_1を必要とするためです。

（4）糖質を含む主な食品

・**穀類**（米・小麦・トウモロコシなど）
・**豆類**、**果物類**、**甘味料**（砂糖・はちみつなど）
・**いも類**（ジャガイモ・サツマイモ・サトイモなど）

3 たんぱく質

たんぱく質は、骨や筋肉、血液、酵素、ホルモン、免疫抗体などになる栄養素です。1g当たり**4**kcalのエネルギーを持ち、結合するアミノ酸の種類や組み合わせなどで単純たんぱく質、複合たんぱく質、誘導たんぱく質に分類できます。

（1）たんぱく質の分類

■単純たんぱく質：アミノ酸だけで構成されるたんぱく質

含有（がんゆう）される主なもの	主なもの
血　液	血清アルブミン、血清グロブリン
卵　白	オボアルブミン、リゾチーム
爪、毛髪	ケラチン
骨、歯、皮膚	コラーゲン

■複合たんぱく質：単純たんぱく質に糖質や脂質などが結合したもの

種　類	ほかの成分	主なたんぱく質（含有されるもの）
糖たんぱく質	糖　質	ムチン（唾液）、オボムコイド（卵）
リポたんぱく質	脂　質	リポたんぱく質（血漿）、リポビテリン（卵黄）
リンたんぱく質	リ　ン	カゼイン（牛乳）、レシチン（卵黄）
核たんぱく質	核　酸	ヌクレイン（細胞核）
色素たんぱく質	色　素	ヘモグロビン（血液）、ミオグロビン（筋肉）

■誘導たんぱく質：熱や酵素などの作用により変化して生じたもの

コラーゲンを熱水で抽出し変性させた「ゼラチン」などがあります。

■アミノ酸：たんぱく質の最小単位

体の構成にかかわるものは20種類とされています。そのうちの９種類は、体内で作ることができない**必須アミノ酸**です。残りの11種類は、ほかのアミノ酸から合成することができるので、**非必須アミノ酸**と言います。

20種類のアミノ酸の一つでも欠けると、骨や血液を作るのに必要なたんぱく質を作ることができないため、食事でバランスよく摂取する必要があります。

必須アミノ酸 （９種類）	バリン、ロイシン、イソロイシン、リジン、ヒスチジン、メチオニン、フェニルアラニン、トリプトファン、スレオニン
非必須アミノ酸 （11種類）	グリシン、アラニン、アスパラギン酸、アスパラギン、グルタミン酸、グルタミン、チロシン、セリン、アルギニン、システイン、プロリン

（2）たんぱく質の消化・吸収

たんぱく質は、まず胃液中のたんぱく質分解酵素で小さな分子に分解され、十二指腸に運ばれます。十二指腸では、膵液に含まれる分解酵素でペプチドに分解されます。小腸に入ると、粘膜から出される膜消化酵素で**アミノ酸**に分解されます。

アミノ酸は**小腸**で吸収されて肝臓に送られ、肝臓から血液で筋肉など体の各組織に運ばれ、たんぱく質に再合成されます。それ以外のアミノ酸はエネルギーを発生するのに使われた後、尿素に変えられて**尿**として排泄(はいせつ)されます。

(3) たんぱく質の栄養

たんぱく質の栄養価は、たんぱく質を構成するアミノ酸の種類と量によって決まり、主に**アミノ酸スコア**で表されます。

一般的にアミノ酸スコアは、植物性たんぱく質より動物性たんぱく質のほうが高くなっていますが、動物性たんぱく質のとりすぎは動物性脂質のとりすぎにもつながるため、動物性たんぱく質は総たんぱく質の**40～50%**を摂取するのが理想的です。

アミノ酸スコア
人間に理想的なアミノ酸組成を100とし、食品に含まれる9種類の必須アミノ酸の含有率を比較したときの、第1制限アミノ酸（最も不足しているアミノ酸）の割合。

(4) たんぱく質を多く含む主な食品

動物性たんぱく質：肉類、魚類、卵、牛乳、乳製品
植物性たんぱく質：大豆、大豆の加工品（豆腐、納豆など）

4 脂質

脂質は、生物の体内に存在し、水に溶けずエーテルやクロロホルムなどの有機溶媒に溶ける性質を持つ物質の総称です。1g当たり**9**kcalのエネルギーを持ちます。

(1) 脂質の分類

脂質は、その働きや構造などから、単純脂質、複合脂質、誘導脂質の3つに分類できます。

■単純脂質

脂肪酸とアルコールが結合したもので、水に溶けにくい性質があります。１つのグリセロールに３つの脂肪酸が結合したものを**中性脂肪**と言います。

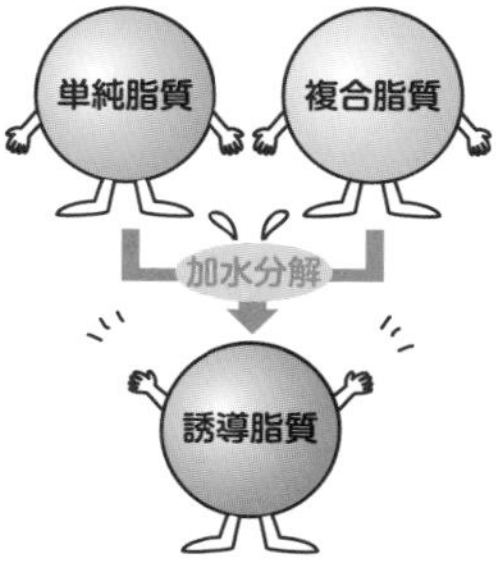

単純脂質
複合脂質
加水分解
誘導脂質

■複合脂質

水に溶けにくい単純脂質に、水に溶けやすい性質のリン酸や糖が結合したもので、リン脂質と糖脂質があります。

■誘導脂質

単純脂質や複合脂質を加水分解してできるもので、脂肪酸とステロール類があります。脂肪酸は炭素数や二重結合の数の違いによって、次のように分類されます。

〈炭素の数による分類〉

炭素数の違いで、短鎖脂肪酸、中鎖脂肪酸、長鎖脂肪酸に分けられます。これらは体内での消化吸収の過程が異なり、栄養的な役割に違いがあります。

〈二重結合の数による分類〉

化学的構造で見ると、二重結合を持たない**飽和脂肪酸**と二重結合を持つ**不飽和脂肪酸**があります。

飽和脂肪酸と不飽和脂肪酸の特徴

飽和脂肪酸	常温で固体。酸化しにくい性質を持つ。バターやラードなどの動物性油脂やパーム油、ヤシ油に多く含まれる。
不飽和脂肪酸	常温で液体。飽和脂肪酸に比べて不安定で酸化されやすい性質を持つ。植物性油脂や魚油に多く含まれる。

ステロール類には動物性の**コレステロール**、植物性のエルゴステロールなどがあります。コレステロールは、生命を維持するためになくてはならないものです。体に必要なコレステロールの70％は肝臓で合成され、残りの20～30％は**食品**から摂取しています。

〈コレステロールの主な役割〉

・**細胞膜**の材料となる。
・**性ホルモン**や**副腎皮質ホルモン**の材料となる。
・脂肪の消化に必要な胆汁酸の材料となる。
・カルシウムの吸収率を上げるビタミンDの材料となる。

【多く含む食品】
牛肉や豚肉のレバー、イクラ、スジコ、タラコ、卵黄など

LDLコレステロール
悪玉コレステロールとも言われ、肝臓から全身にコレステロールを運搬、分配します。多すぎると血管壁に付着し、動脈硬化を促します。

HDLコレステロール
善玉コレステロールとも言われ、末梢組織で不要になったコレステロールを回収します。

（2）脂質の消化・吸収

脂質の多い食品は、糖質やたんぱく質の多い食品に比べて消化の始まりが遅く、吸収には食後**3～4**時間かかります。

食品中の脂質は、十二指腸で脂質分解酵素により分解されます。その後小腸で吸収され、再び脂肪に合成されてリンパ管に吸収され、最終的に**血液**に入ります。

余分な脂質は、**中性脂肪**に再合成されて体内に貯蔵されます。この貯蔵脂肪は毎日一定の量が**分解**されて、新しいものと入れ替わります。

食品中の脂質は大部分が中性脂肪（一般に脂肪）と呼ばれる単純脂質で、主にエネルギー源として利用されるよ。中性脂肪は皮下脂肪として体内に蓄えられ（貯蔵脂肪）、体温保持や臓器を外の力から保護するクッションのような役割を果たすの。

（3）脂質の栄養

■効率のよいエネルギー源

脂質は１g当たり９kcalのエネルギーを持つため、糖質やたんぱく質と比べて少量でエネルギーが摂取できる効率のよい**エネルギー源**です。日本人の食事摂取基準では、摂取エネルギーのうち**20～30％**を脂質からとるとよいとされています。

■必須脂肪酸

脂肪酸の多くは体内で合成できますが、合成できないか合成量が足りないため食物から摂取しなければならないものもあり、これを**必須脂肪酸**と言います。サフラワー油やナタネ油に多いリノール酸、アラキドン酸、γ-リノレン酸などのn-６系の脂肪酸と、魚の油に多く含まれるα-リノレン酸、イコサペンタエン酸（IPA）、ドコサヘキサエン酸（DHA）などのn-３系の脂肪酸があります。

■脂質とビタミン

脂質の代謝には、水溶性ビタミンの**ビタミンB群**が不可欠です。また、脂溶性の**ビタミンA・D・E・K**を多く含む食品は油脂とともに摂取することで、吸収率を高めることができます。

（4）脂質を多く含む主な食品

動物性脂質：ラード、牛脂、バター

植物性脂質：大豆油、米油、ゴマ油、オリーブ油、サフラワー油（紅花油）など

お役立ちコラム

脳のエネルギー源

脳のエネルギー源となるブドウ糖。その供給源となるのはご飯やパン、麺類などに含まれるでんぷんやショ糖（砂糖）です。ショ糖はすぐに消化・吸収されるため、急激に血糖値を上げて消費されてしまいます。一方、でんぷんはゆっくりと消化・吸収され、緩やかに血糖値を上げて長時間維持します。でんぷんは、脳にとって非常に安定したブドウ糖の供給源です。

スピードCheck! 確認テスト

☀糖質の特徴についての記述で、最も不適当なものを選びなさい。

（1）日本人は、全エネルギーの60%弱を糖質から摂取している。
（2）糖質は、大腸から出る消化酵素によって分解される。
（3）摂取された糖質は、ブドウ糖が多数結合したグリコーゲンとして貯蔵される。
（4）とりすぎた糖質は、体内に脂肪として貯蔵される。
（5）糖質は、米、パン、果物などに多く含まれる。

答え （2）
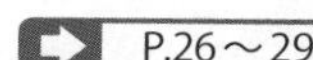
P.26～29

☀消化・吸収について、最も不適当なものを選びなさい。

（1）脂質は、十二指腸で脂質分解酵素によって分解される。
（2）たんぱく質は、膜消化酵素によりアミノ酸に分解される。
（3）糖質は、消化酵素により最終的にでんぷんとなり、吸収される。
（4）アミノ酸は、各組織でたんぱく質に再合成される。
（5）グリコーゲンにならずに肝臓を通過したブドウ糖は、エネルギーとして利用される。

答え （3）
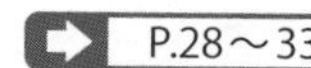
P.28～33

本節のまとめ

糖質、脂質、たんぱく質の三大栄養素が体の中でどのように使われ、どのような役割があるのかを学びましょう。

3 ビタミンとミネラルの働き

重要キーワード
・脂溶性ビタミン　・水溶性ビタミン　・カルシウム
・マグネシウム　・カリウム　・ナトリウム　・鉄　・亜鉛

1 ビタミン　重要

三大栄養素が体内でスムーズに働くために不可欠なのが、ビタミンです。現在、発見されているビタミンは**13**種類あります。必要量はごく微量ですが、体内ではほとんど作ることができません。

ビタミンには、油脂やアルコールに溶けやすい**脂溶性ビタミン**と水に溶けやすい**水溶性ビタミン**があります。

（1）脂溶性ビタミン

脂溶性ビタミンは体内の脂肪組織に貯蔵されやすく、過剰症を引き起こすことがあります。

■ビタミンA

成長の促進と皮膚や目、鼻、喉、肺、胃腸などの粘膜を正常に保ち、免疫力を高める働きをするビタミンです。**油**と一緒に摂取すると吸収率が上昇します。

過剰症……頭痛、発疹、疲労感など。
欠乏症……目の乾燥、**夜盲症**、肌荒れ、風邪、発育不全。

【多く含む主な食品】
例：レバー、ウナギ、アンコウの肝、モロヘイヤ、ニンジン、西洋カボチャ、バター、卵

■ビタミンD

カルシウムやリンの働きを助けて**骨や歯の形成**を促進させる、血液中の**カルシウム濃度**を一定に保つなどの働きがあります。

過剰症……喉の渇き、かゆみなど。
欠乏症……くる病、歯や骨の発育不全、骨密度の減少。

【多く含む主な食品】

例：アンコウの肝、鮭、サンマ、干ししいたけ、キクラゲ

■ビタミンE

強い**抗酸化作用**があり、体の老化を防ぐ、血管を強化するなどの働きがあります。**ビタミンC**と一緒に摂取することで、抗酸化作用はさらにアップします。

欠乏症……溶血性貧血、冷え性、肩こり、不妊など。

【多く含む主な食品】

例：アーモンド、クルミ、ゴマ、ヒマワリ油、胚芽

■ビタミンK

血液の**凝固**にかかわり、腸内細菌によって体内で多く合成されます。ビタミンDとともに**骨の形成**をする作用があり、**骨粗鬆症**（こつそしょうしょう）予防にも重要です。

過剰症……溶血性貧血。
欠乏症……頭蓋内出血（ずがいない）、血が止まりにくくなる。

【多く含む主な食品】例：納豆、ヒジキ、緑黄色野菜、チーズ

（2）水溶性ビタミン

水溶性ビタミンは、体内にとどまらずに排泄（はいせつ）されるため、毎日摂取しなければなりません。

■ビタミンB_1

成長の促進、心臓や**脳神経**、**手足の神経**の働きを正常に保つ役割があります。**糖質**はビタミンB_1を合わせて摂取すると、効率よくエネルギーに変わります。

欠乏症……倦怠感、食欲減退、手足のしびれ、**脚気**（かっけ）、神経障害など。

【多く含む主な食品】
例：豚ヒレ肉、豚モモ肉、ウナギ、ソラマメ、玄米

■ビタミンB_2

糖質、脂質、たんぱく質の代謝にかかわるビタミンで、細胞の再生や成長を促進する、動脈硬化を予防する、粘膜を保護するなどの役割があります。

欠乏症……口内炎、口角炎、口唇炎、目の充血、皮膚炎、子どもの成長障害など。

【多く含む主な食品】
例：レバー、ウナギ、卵、牛乳、アーモンド

■ビタミンB_6

たんぱく質の代謝に深くかかわるビタミンで、皮膚や歯を作り、成長を促進する働きがあります。腸内細菌によって合成されます。

欠乏症……口内炎、皮膚炎、手足のしびれ、成長障害、貧血など。

【多く含む主な食品】
例：マグロ、鮭、鶏肉、卵、玄米、ニンニク、キャベツ

■ビタミンB_{12}

成長の促進、赤血球の生成を助ける、神経機能の維持などの役割があります。また、アミノ酸の代謝や核酸の合成にも関係しています。

欠乏症……悪性貧血、手足のしびれ、神経症など。

【多く含む主な食品】
例：アサリ、牡蠣（かき）、レバー、サンマ

■ナイアシン

糖質、脂質、たんぱく質の代謝を助ける、血行をよくするなどの働きがあります。体内で必須アミノ酸のトリプトファンから合成されます。

過剰症……手足のほてり、かゆみ、下痢など。
欠乏症……食欲不振、口内炎、ペラグラ（日光皮膚炎）、神経障害など。

【多く含む主な食品】

例：酵母、マグロ、カツオ、レバー、豆類、緑黄色野菜

■葉　酸

赤血球の生成、新しい細胞の生成、胎児の**先天異常**の防止など、核酸の合成やアミノ酸の代謝に関係しています。

欠乏症……**巨赤芽球**、口内炎、食欲不振など。

【多く含む主な食品】

例：大豆、レバー、肉類、卵黄、緑黄色野菜

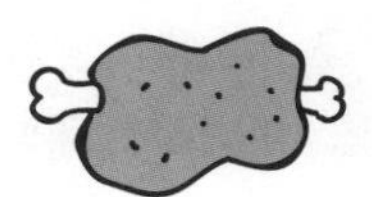

■ビオチン

脂肪酸の合成や**エネルギー代謝**にかかわっています。**髪**や**皮膚**を健やかに保つ役割もあります。腸内細菌によって合成され、食品に広く含まれています。

欠乏症……皮膚炎、食欲不振、白髪、脱毛など。

【多く含む主な食品】

例：レバー、卵黄、イワシ、クルミ、大豆、牛乳、玄米

■パントテン酸

糖質、**脂質**、**たんぱく質**の代謝にかかわる、**HDLコレステロール**を増やすなどの働きがあります。多種の食品に含まれており、体内でも合成されます。

欠乏症……手足の知覚異常、血圧低下、副腎機能低下、成長障害、腰痛など。

【多く含む主な食品】

例：レバー、子持ちガレイ、ニジマス、納豆、落花生、玄米

■ビタミンC（アスコルビン酸）

強力な**抗酸化作用**があり、**メラニン色素**の合成を抑える、**免疫力**を高める、**コラーゲン**の生成にかかわる、血中コレステロール値を下げる、腸内での**鉄**の吸収を促すなどの働きがあります。体内で合成することができないので、食物から摂取する必要があります。

欠乏症……壊血病、歯ぐきや皮下の出血、疲労感、免疫力低下、色素沈着など。

【多く含む主な食品】

例：柑橘(かんきつ)類、キウイフルーツ、緑黄色野菜、サツマイモ

2 ミネラル　重要

人体を構成する元素は約60種類とされています。そのうち、酸素、炭素、水素、窒素が約96％を占めており、この４つを除いた残りの元素を**ミネラル**（**無機質**）と言います。なかでも健康を保つために不可欠な16種類のミネラルを**必須ミネラル**と呼び、**主要ミネラル**と**微量ミネラル**に分類できます。

（1）ミネラルの機能

ミネラルは、体内では「骨や歯の構成成分、筋肉や細胞膜、血液などの成分としての機能」「体液のpH(ペーハー)や浸透圧を正常に維持する、神経や筋肉の働きを正常に保つ、体液の酸とアルカリのバランスを中性に保つなど生理作用を調整する機能」を持ちます。

pH （水素イオン濃度指数）	物質の酸性度、アルカリ性度を示す。pH7が中性で、小さくなるほど酸性、大きくなるほどアルカリ性が強い。
浸透圧	2種類の溶液が半透膜で隔てられたときに生じる圧力。濃度の低い溶液から高い溶液に溶媒（溶液で溶質を溶かす物質）が移動するように働く。

（2）主要ミネラル

■カルシウム（Ca）

骨や歯の構成成分として体を支える、**精神**を安定させる、血を固めて出血を防ぐ、筋肉運動などに重要な働きをしています。

含まれている食品によって**吸収率**が異なり、乳製品は約**40〜50％**、小魚は約**30％**、大豆・大豆製品は約**20％**、青菜・海藻類は約**18％**です。**ビタミンD**や**クエン酸**と一緒に摂取すると、吸収率が高まります。

過剰症……マグネシウム・鉄・亜鉛などの吸収抑制の原因となるなど。
欠乏症……**骨軟化症**、**骨粗鬆症**などの骨疾患、不整脈、イライラなど。

【多く含む主な食品】
例：チリメンジャコ、チーズ、牛乳、シシャモ、海藻、木綿豆腐

■リン（P）

骨や歯、リン脂質、核酸などを構成する、糖質、たんぱく質、脂質の代謝や体液の浸透圧の調節などに関与しています。

過剰症……骨の**カルシウム**の減少、腎機能低下など。
欠乏症……骨折しやすくなる、歯槽膿漏、食欲不振、発育不全など。

【多く含む主な食品】
例：ワカサギ、シシャモ、チーズ、ヨーグルト、加工食品

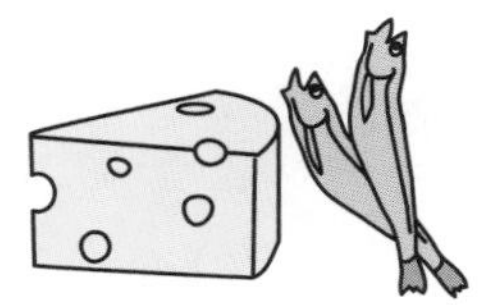

血液中のリンが多くなると、骨からカルシウムが溶け出て骨が弱くなります。カルシウム：リン＝１：２の摂取バランスがよいとされています。

■マグネシウム（Mg）

多くは骨に貯蔵され、種々の酵素反応に関与し、たんぱく質や核酸の合成、糖代謝などに関係するほか、**筋肉収縮**、**神経伝達**、**精神安定**においても重要です。

過剰症……軟便、下痢など。
欠乏症……**イライラ**、集中力低下、不整脈、**骨粗鬆症**、心臓発作など。

【多く含む主な食品】
例：ナッツ類、そば、大豆、落花生、納豆、干しヒジキ、玄米

カルシウムを摂取するほどマグネシウムの排泄量が増えるため、マグネシウム：カルシウム＝１：２の摂取バランスがよいとされています。

■カリウム（K）

細胞外液の**ナトリウム**とバランスを保って、体液の**浸透圧**を調節する、**血圧の上昇**を抑える、酸やアルカリのバランスを調節するなどの役割があります。

過剰症……高カリウム血症。
欠乏症……**血圧上昇**、食欲不振、**不整脈**、心臓病、脳血管障害、夏ばてなど。

【多く含む主な食品】

例：昆布、ホウレンソウ、干し柿、インゲン、枝豆、バナナ

■ナトリウム（Na）

細胞内液の**カリウム**とバランスを保って、体液の**浸透圧**の調節や**水分量**の調整、神経に刺激を伝達、筋肉の**収縮**にかかわるなどの役割があります。

過剰症……**血圧上昇**、胃がん。
欠乏症……**脱水症状**、**倦怠感**、めまい、腎臓が弱る、食欲減退、熱中症、血圧低下など。

【多く含む主な食品】

例：カップ麺、味噌（みそ）、梅干し、食塩、醤油（しょうゆ）、漬物

■その他の主要ミネラル

イオウ（S）	たんぱく質の構成元素として皮膚や髪、爪を作る。不足すると爪がもろくなったり皮膚炎を引き起こしたりするが、チーズや卵など動物性たんぱく質を含む食品に多く含まれているので、欠乏症になることは少ない。
塩素（Cl）	胃液の成分として、たんぱく質の消化を助ける。

（3）微量ミネラル

■鉄（Fe）

赤血球の**ヘモグロビン**の構成成分として、**酸素**を体内の各組織へ運ぶ、筋肉の**ミオグロビン**の構成成分として疲労を防ぐなどの役割があります。肉やレバー、魚などの**動物性食品**に多い**ヘム鉄**の吸収率は約**15～25**％、野菜や穀類などの**植物性食品**に多い**非ヘム鉄**の吸収率は約**2～5**％ですが、**ビタミンC**と一緒に摂取すると吸収率が高まります。

過剰症……鉄沈着症、幼児は急性中毒。
欠乏症……**鉄欠乏性貧血**、疲労倦怠感、集中力や思考力の低下など。

【多く含む主な食品】

例：レバー、アサリ、カツオ、納豆、ホウレンソウ、小松菜

■亜鉛（Zn）

酵素の活性化、糖質の代謝やインスリンの合成、コラーゲンの合成、**味蕾（みらい）細胞**の生成にかかわっています。

過剰症……急性中毒、膵臓（すいぞう）機能の異常。
欠乏症……**味覚異常**、情緒不安定、子どもは成長障害、男性は性機能低下、妊婦は胎児の成長不良など。

【多く含む主な食品】

例：牡蠣（かき）、牛肉、ラム肉、豚レバー、ホタテ貝

加工食品やインスタント食品の過剰摂取、過度の飲酒で亜鉛不足になりやすくなります。また、食物繊維や鉄、銅などの過剰摂取は亜鉛の吸収を阻害します。

■マンガン（Mn）

骨の形成や糖質、脂質、たんぱく質の代謝で多くの**酵素**の働きを活性化します。疲労回復効果や血糖値を下げる作用もあります。

欠乏症……疲れやすい、平衡感覚の低下など。

【多く含む主な食品】

例：玄米、大豆、アーモンド

■ヨウ素（I）

甲状腺ホルモンを作る、成長を促進するなどの働きがあります。

過剰症……甲状腺肥大。
欠乏症……**甲状腺腫**、疲れやすい、機敏さを欠くなど。

【多く含む主な食品】

例：昆布、ワカメ、海苔（のり）、ヒジキ

■その他の微量ミネラル

銅（Cu）	赤血球のヘモグロビンの生成を助ける、多くの酵素の成分となる、骨や血管を強化するコラーゲンを生成するなどの働きをする。
セレン（Se）	胃や肝臓などに存在。膵臓（すいぞう）から分泌される酵素の成分にも含まれており、抗酸化作用、がん予防に効果がある。
クロム（Cr）	尿や毛髪に含まれる。インスリンの働きを助けて血糖値をコントロールし、糖質の代謝、脂質の代謝などにかかわる。
コバルト（Co）	ビタミンB_{12}の構成成分として造血作用、神経の機能を正常に保つなどの働きをする。
モリブデン（Mo）	酵素の働きを助けて、糖質や脂質の代謝や尿酸を生成する代謝にかかわる。鉄の利用率を高めて、貧血を予防する働きなどがある。

スピードCheck! 確認テスト

ミネラルとその欠乏症の組み合わせで、最も不適当なものを選びなさい。

（1）カルシウム — 骨粗鬆症
（2）マグネシウム — イライラ
（3）ナトリウム — 脱水症状
（4）鉄 — 甲状腺腫
（5）亜鉛 — 味覚異常

答え （4）

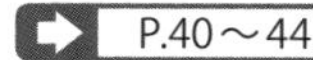
P.40～44

体の中で必要な量は微量ですが、人間には欠かせない栄養素であるビタミンやミネラルの過剰症・欠乏症を押さえておきましょう。

4 食物繊維と水

重要キーワード
・第６の栄養素　　・水溶性食物繊維
・不溶性食物繊維　・整腸作用

1 食物繊維とは

人の消化液では消化できない**難消化性成分**の総称を食物繊維と言い、「**第６の栄養素**」として重視されています。現代の食生活では不足しがちなため、１日の目標摂取量は**17～20**g以上です。多量に摂取しすぎると、カルシウムや鉄などの重要な栄養素の吸収が妨げられたり下痢などを引き起こしたりする問題も起きてきます。

（1）食物繊維の分類と役割

食物繊維は、大きく分類すると水溶性と不溶性の２つになります。

■水溶性食物繊維

水に溶ける性質を持ち、ペクチン質、植物グアガム、マンナン、アルギン酸、ラミナリン、フコイダン、イヌリンなどがあります。

〈主な役割〉

・糖質の消化吸収を**遅らせて**、糖尿病の発症を予防する。
・**ナトリウム**の吸収を抑制して、血圧上昇を抑制する。
・**腸内細菌**による発酵を促す。
・**コレステロール**などの吸収を抑制し、血中コレステロール値を正常化する。

■不溶性食物繊維

水に溶けない性質を持ち、セルロース、ヘミセルロース、ペクチン質、リグニン、β（ベータ）-グルカン、キチン、キトサンなどがあります。

〈主な役割〉

・大腸内で**水分**を保持し、排便を促進する。
・**発がん性物質**を吸着させ、大腸がん発生を抑制する。
・腸内細菌の増殖を助けるので、**整腸作用**がある。
・生体に**有害な物質**を、便とともに排泄（はいせつ）する。

（2）食物繊維を多く含む主な食品

ゴボウ、タケノコ、枝豆、ブロッコリー、サツマイモ、こんにゃく、切り干し大根、穀類、豆類、果実類、海藻類、きのこ類、ココア、エビ・カニの殻など。

2 水の役割

水は、成人の体重の約60％を占めます。水の役割は**栄養素の運搬**、**老廃物の排泄**、**体温調節**などで、体内の水の10％を失うと健康が脅かされ、20％を失うと生命に危険が生じます。尿や糞便（ふんべん）、皮膚からの蒸発、汗などで失われた水分を補給するため、飲料水や食品から１日**２～３ℓ**の水分をとる必要があります。

3 便秘予防

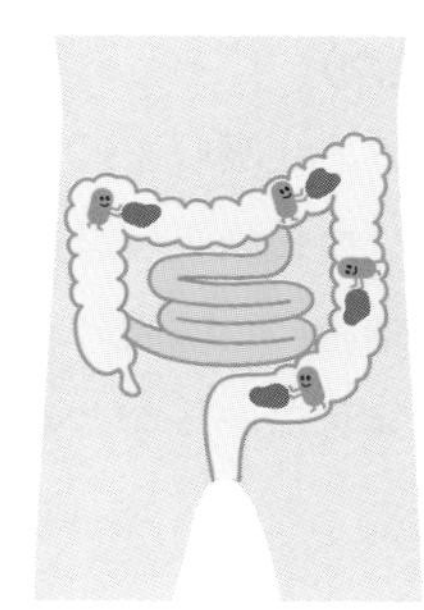

便秘は、腸に便が滞って排泄できない症状です。便秘の原因は、胃腸の筋肉の衰え、排便を我慢する、水分不足、食事の欧米化による食物繊維不足などが挙げられます。便秘により、肌荒れ、肩こり、腰痛、頭痛、イライラ、気力の低下などにつながります。また、大腸がんになるリスクもあるといわれてい

ます。食物繊維が多い米や雑穀、野菜、きのこ、豆類、海藻、果実類などを食事に取り入れましょう。腸内環境を整えるためにビフィズス菌や乳酸菌を摂取することも大切です。

お役立ちコラム

雑穀は栄養たっぷり

現代の食生活で不足しがちなビタミンやミネラル、食物繊維は、粟(あわ)やキビ、稗(ひえ)、アマランサスなどの雑穀に多く含まれています。白米だけのご飯よりも、白米に雑穀を少し混ぜて炊くと、簡単にビタミン、ミネラル、食物繊維が補給できます。

スピードCheck! 確認テスト

食物繊維の特徴についての記述で、最も不適当なものを選びなさい。

（1） 人間の消化液では消化されない難消化性の成分である。
（2） 糖質の吸収を遅らせたり、コレステロールの排出を促進したりする。
（3） 水溶性食物繊維は血中コレステロール値を低下させる。
（4） 不溶性食物繊維を多く含む食品は魚、肉、卵などである。
（5） 食物繊維は便通をよくし、発がん性物質の力をやわらげる働きもある。

答え （4）  P.45～46

本節のまとめ

以前はかすと思われていた食物繊維も水も、人間の体には必要不可欠です。食物繊維の役割と多く含む食品、水の役割を押さえておきましょう。

5 消化・吸収・代謝

重要キーワード

・消化管　・消化器官　・物理的消化　・化学的消化
・生物的消化　・代謝　・基礎代謝量　・特異動的作用

1 栄養素の消化・吸収

摂取した食物の成分を、吸収されやすい最小単位の栄養素にするために消化管内で起こる反応を**消化**と言います。また、消化された物質が小腸の細胞を通過して、血液やリンパ液に取り入れられることを**吸収**と言います。

口、**食道**、**胃**、**小腸**、**大腸**、**肛門**までの食物の通路で約９ｍの長い１本の管である消化管と、消化液を分泌する**肝臓**、**膵臓**（すいぞう）、**胆のう**の付属器官を合わせて消化器官と言います。

人間の消化器官

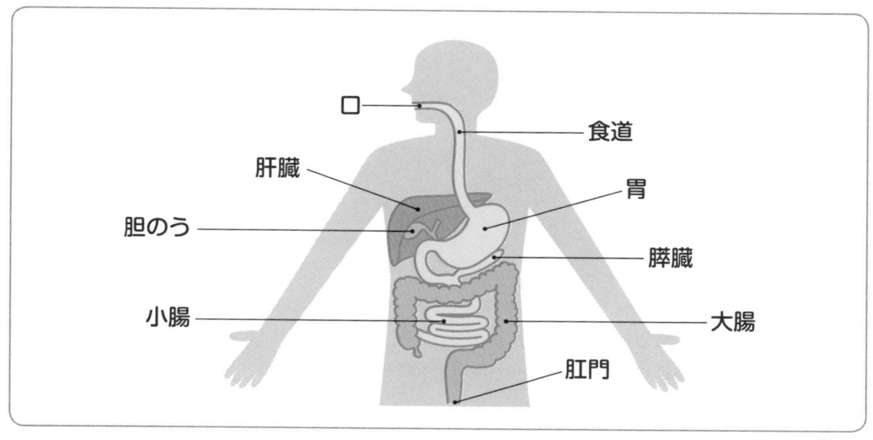

2 消化・吸収から代謝・排泄

食物は、まず口で細かく粉砕され、胃や膵臓、肝臓から分泌される**消化酵素**によって分解されます。そして、次第に栄養素が吸収できる大きさにまで分解されて、主に小腸の壁から血液やリンパ液の中に入って体内に吸収されます。

小腸で吸収された栄養素は、その多くが**肝臓**を通って全身をめぐり、エネルギー源や体の構成成分となって必要な部位で利用されます。これを**代謝**と言います。最後に、残りかすが**便**となって排泄（はいせつ）されます。

3 各消化器官の働き 重要

(1) 口

口に入った食物を歯で細かく噛み砕き、舌で唾液と混ぜ合わせて、飲み込みやすい形や大きさにして食道に送ります。この一連の作用を**咀嚼**（そしゃく）と言います。食物が粉砕されて表面積が大きくなることで、**消化作用**を受けやすくなります。

消化酵素の**唾液アミラーゼ**は耳下腺（じかせん）から分泌され、でんぷんをデキストリンと麦芽糖に分解します。また、固形物が多くなると粘りのある**ムチン**が舌下腺（ぜっかせん）や顎下腺（がっかせん）から分泌され、唾液と食物を混ぜやすくします。口の奥の咽喉（いんこう）（のど）から咀嚼した食物を嚥下（えんげ）運動（飲み込むこと）で食道へ送り込みます。

咀嚼

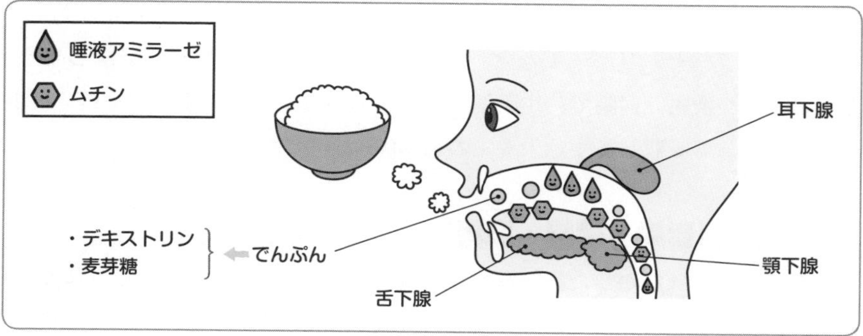

(2) 食　道

食道は、口から送られてきた食物を**蠕動運動**で胃に送ります。

(3) 胃

胃は、食道を通ってきた食物を一時的にためておき、蠕動運動によって**胃酸**と混ぜ合わせて粥状にし、次の消化器官である**十二指腸**に一定量ずつ送り込みます。食道を通り胃に送られてきた食物のかたまりが胃壁に触れると胃液の分泌が**促進**され、胃の**蠕動運動**を活発にさせて食物のかたまりと胃液を混ぜ合わせます。胃液にはペプシンという消化酵素が含まれ、たんぱく質を分解します。

胃での停滞時間は摂取した栄養素により異なります。たんぱく質は糖質に比べて**長く**、脂質は胃液の分泌を抑制するため消化時間が**長く**なります。

胃の蠕動運動

(4) 小腸 (十二指腸・空腸・回腸)

食物が十二指腸に送られると**膵液**と**胆汁**が加わり、多数の消化酵素（トリプシン、アミラーゼ、リパーゼなど）でたんぱく質や糖質、脂質を**分解**します。さらに、続く空腸、回腸で、小腸壁のヒダにある絨毛表面の**膜消化酵素**で最小分子に分解して吸収します。栄養素の約**90%**は小腸で吸収されます。

(5) 大腸 (盲腸・結腸・直腸)

小腸で吸収されなかった**食物繊維**など食物の残りかすが、大腸へ送られます。大腸では**腸内細菌**の酵素の働きにより、食物繊維が発酵し、たんぱく質や脂質は腸内細菌に分解されて腐敗し、様々な臭(にお)い成分を生成して糞便(ふんべん)特有の強い臭いを発生させます。

大腸を通る間に**水分**が吸収されて便を形成し、**排泄**(はいせつ)が行われます。大腸に吸収される水分は1日に約**1.3ℓ**ですが、便の水分が吸収されすぎると硬くなり**便秘**になります。食物を口から摂取してから大腸に到達するのにかかる時間は**12～24**時間、大腸の最後の直腸に達するのは**25～30**時間後とされています。

小腸と大腸の働き

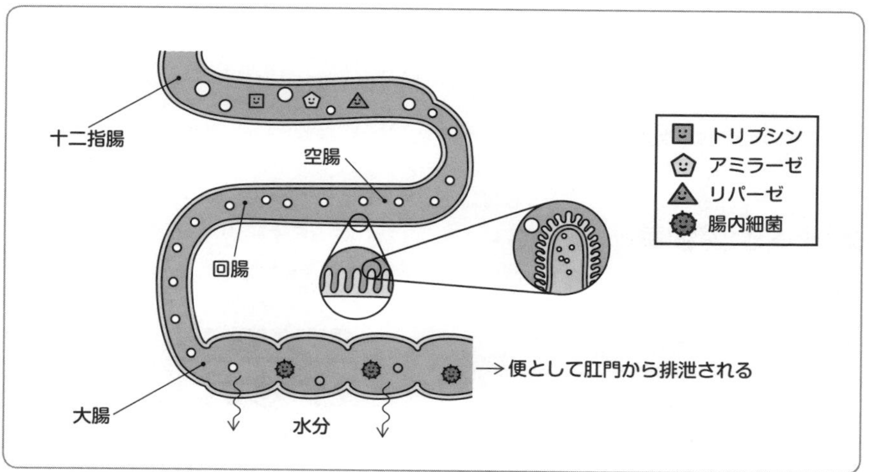

(6) 肝 臓

肝臓は、消化を助けるための**胆汁**を作ったり、糖質からグリコーゲンを**合成・貯蔵**したり、**脂質**や**たんぱく質**の代謝を行ったりします。また、体内に入った有害物質などの毒物を分解し、きれいな血液にするといった**解毒(げどく)作用**も担っています。

(7) 胆のう

胆のうは、肝臓で作られた胆汁を濃縮し、ためておく**袋状**の臓器です。胆汁を十二指腸に注いで脂質を乳化し、脂質消化酵素のリパーゼの働きを助けます。

（8）膵　臓

膵臓は、胃の後ろにある臓器で、**膵液**を作って十二指腸に注ぎます。

4 消化の種類と作用

重要

（1）物理的消化（機械的運動）

舌や歯による咀嚼や胃腸の蠕動運動、腸の分節運動などの機械的な運動で消化されることを**物理的消化**と言い、次の役割を果たします。

舌や歯による咀嚼	食物を細かく砕いて唾液と混合する。
胃腸の蠕動運動	食物を次の消化管まで運搬する。
胃腸の蠕動運動・腸の分節運動	攪拌、混合して粥状、液状にし、消化を促進する。

蠕動運動と分節運動

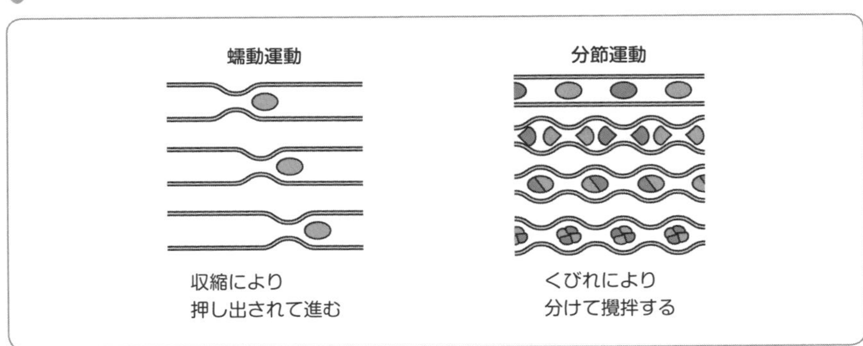

（2）化学的消化（消化酵素による消化）

唾液・胃液・膵液・腸液の消化酵素で栄養素を分解することを**化学的消化**と言います。消化酵素ではありませんが、胆汁による**脂肪の乳化**もその一つです。

（3）生物的消化（腸内細菌による分解）

主に大腸の腸内細菌で未消化物や未吸収成分の分解を促進し、腐敗、発酵などを起こすことを**生物的消化**と言います。

5 消化管の運動

食物は消化管の蠕動運動と分節運動によって運ばれ、もまれることによって消化が促進されます。各運動の特徴と働きは次のとおりです。

胃の蠕動運動	胃周辺の筋肉の収縮によって生じたくびれが、波のように胃の上部から下部へ徐々に伝わっていく運動。粥状にした食物を十二指腸へ運ぶ。
小腸の蠕動運動	小腸の筋肉の収縮によって生じたくびれが、波のように胃側から大腸側へ徐々に伝わっていく運動。胃から運ばれてきた食物を消化しながら、十二指腸から空腸、回腸、大腸へと運ぶ。
小腸の分節運動	小腸の筋肉が一定の間隔で収縮してくびれ、多数の分節に分けて食物を撹拌する運動。腸内容物と消化液とを混合する。

6 エネルギー代謝

（1）食物に含まれるエネルギー

エネルギー（熱量）の単位には**kcal**を使います。エネルギー自体をカロリーと言うこともあります。食物のエネルギーは各1g当たりで糖質が**4**kcal、たんぱく質が**4**kcal、脂質が**9**kcalなので、次の式で算出されます。

糖質×4＋たんぱく質×4＋脂質×9

ただし、食品ごとの吸収率は異なるので、実際にエネルギーを求める場合には文部科学省の**日本食品標準成分表**を利用したほうがよいでしょう。

（2）エネルギー代謝の種類

食物から摂取されたエネルギーは、体温保持に使われる**熱エネルギー**、活動に使われる**仕事エネルギー**、余った分を体内に蓄える**貯蔵エネルギー**になります。これらのエネルギーを利用するしくみを、**エネルギー代謝**と言います。

■基礎代謝量

体温維持、呼吸、脳や心臓を動かすなど、生命維持に最低限必要なエネルギー消費量を**基礎代謝量**と言います。寝ている状態に近いエネルギー消費量です。

基礎代謝量の高いほうを覚えよう！

体の表面積：大きい＞小さい　　**筋肉量**：多い＞少ない

性別：男性＞女性　　**年齢**：若者＞高齢者　　**季節**：冬＞夏

基礎代謝量の平均：【女性】約1,100～1,200kcal

（20代）　　　【男性】約1,300～1,600kcal

■安静時代謝量

座って安静にしている状態で消費されるエネルギー量のことを**安静時代謝量**と言います。基礎代謝量に、使われる筋肉の緊張エネルギー量を加えたものです。

■運動時代謝量

運動、作業、労働などのために消費されるエネルギー量のことを**運動時代謝量**と言います。安静時代謝量に、それぞれの運動時の代謝量を加えたものです。

■特異動的作用（食事誘導性熱代謝）

食物を摂取することによって消化機能が活発に働き、それによりエネルギー生産が高まります。これを、**特異動的作用**または**食事誘導性熱代謝**と言います。

7 肥満とダイエット

肥満は、高カロリー、高脂肪、高たんぱくの食事や運動不足が主な原因です。肥満になると脂質異常症、高血圧、動脈硬化、糖尿病、心筋梗塞（しんきんこうそく）、脳梗塞（のうこうそく）などを発症する危険性が高まります。一方で、間違ったダイエットで痩せることも問題です。

（1）肥満の判定方法

見た目には太っていなかったり、BMIが25未満であったりしても体脂肪率が基準値を超えていると隠れ肥満です。体脂肪率の適正値は次のとおりです。

	年　齢	適正値の範囲	肥　満
男　性	30歳未満	14～20%	25%～
	30歳以上	17～23%	
女　性	30歳未満	17～24%	30%～
	30歳以上	20～27%	

BMIは国際的な体格指数で、**25**以上になると高血圧、脂質異常症、糖尿病などにかかりやすくなるとされているの。数値は「体重（kg）÷身長（m）²」で求めるよ。

（2）肥満の予防・改善の食事とダイエット

食事制限のみのダイエットはリバウンドを起こしやすいので、ダイエットをするときには次のことに注意しましょう。また、欠食する、食事の量をやみくもに減らす、単一の食品のみを食べる、サプリメントに頼るなど、過度のダイエットを行うと栄養素の過不足を起こし、体や心の健康を損なうおそれがあります。

- １日の**摂取エネルギー**を守る……体格、消費エネルギー量などによるが、まずは1,600kcalから。
- **和食**にする……洋食は高カロリー、高脂肪、たんぱく質過剰。
- **早食い**をせずによく**噛む**……１口20～30回、ゆっくり噛み満腹感を得る。
- **食物繊維**をたっぷりとる……食物繊維の多い野菜やきのこ、海藻を十分に。
- **食事時間**を決め、**朝食**を確実に食べる……食事量を把握し、コントロールを。
- **大皿**料理はやめる……食べる分だけ個々の皿に取り分ける。
- 夜**20**時以降の食事は野菜中心に……20時以降は、糖質が脂肪になりやすい。
- 適度な**運動**を……筋肉がつき基礎代謝量が増え、体脂肪が燃えやすくなる。

お役立ちコラム　ダイエットとカロリー

理論的には、エネルギー量を7,200kcal減らすと体脂肪が1kg落ちます。食事で1日100kcalを減らすと72日かかりますが、ウォーキングを1日30分（約140kcal）すると食事と運動で合わせて240kcalとなり、30日で体脂肪を1kg落とすことができる計算になります。

スピードCheck! 確認テスト

消化管についての記述で、最も不適当なものを選びなさい。

（1）咽喉……咀嚼した食物を口から食道へ送り込む輸送運動を行う。
（2）食道……食物を蠕動運動によって、口から胃までスムーズに送る働きをする。
（3）胃………食物を胃液と混ぜ合わせ、粥状になるまで消化し、栄養素が一部吸収される。
（4）十二指腸……胃で粥状にされた食物は、十二指腸で本格的に消化される。
（5）大腸……栄養素の大部分は、大腸で吸収される。

答え　（5）

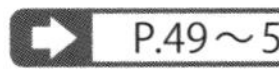
P.49～53

本節のまとめ

体内に入ってきた食べ物の成分を、各消化器官はどのように消化し、吸収しているのか、また、体内に取り込まれたエネルギーは何に変化しているのかを確認しておきましょう。

6 病気と食事の関係

重要キーワード

・生活習慣病　・メタボリックシンドローム　・内臓脂肪型肥満
・高血圧　・糖尿病　・脂質異常症　・動脈硬化　・貧血

1 メタボリックシンドローム（内臓脂肪症候群）

よくない生活習慣の積み重ねによって引き起こされるのが、**生活習慣病**です。**心臓病**、**脳血管障害**、**高血圧症**、**糖尿病**、**脂質異常症**などがあります。

メタボリックシンドローム（内臓脂肪症候群）とは、**内臓脂肪型肥満**に**高血糖**、**高血圧**、**脂質異常症**のうち２つ以上を合併した状態です。通称「**メタボ**」と呼ばれています。内臓脂肪は**腹囲**（へその高さで測るウエスト周囲）と比例するため、まず腹囲を測定することで内臓脂肪型肥満の判定が行われます。基準は次のとおりです。

腹囲の基準　男性…85 cm 以上　女性…90 cm 以上

この基準に加え、次の３項目のうち２項目以上にあてはまると、**メタボリックシンドローム**と判定されます。メタボリックシンドロームの予防・改善には、適切な食事と適度な運動、禁煙などを複合的に行って、習慣化させることが大切です。

血　圧	最高（収縮期）血圧130mmHg以上、最低（拡張期）血圧85mmHg以上のいずれかまたは両方。
脂質異常	中性脂肪150mg/dℓ以上、HDLコレステロール40mg/dℓ未満のいずれかまたは両方。
血糖値	空腹時血糖110mg/dℓ以上。

2 高血圧

重要

厚生労働省の試算では、血圧が平均２mmHg下がれば、脳卒中による死亡者は約１万人減り､循環器疾患全体で２万人の死亡者が減ると見込まれています。

（1）診断基準

高血圧の診断基準は次のとおりで、正常高値血圧からは注意が必要です。

診察室血圧	最高血圧		最低血圧
正常血圧	120mmHg未満	かつ	80mmHg未満
正常高値血圧	120～129 mmHg	かつ	80 mmHg未満
高値血圧	130～139 mmHg	かつ／または	80～89 mmHg
Ⅰ度高血圧	140～159 mmHg	かつ／または	90～99 mmHg
Ⅱ度高血圧	160～179 mmHg	かつ／または	100～109mmHg
Ⅲ度高血圧	180mmHg以上	かつ／または	110mmHg以上

日本高血圧学会「高血圧治療ガイドライン2019」より

（2）症　状

高血圧特有の自覚症状はほとんどありませんが、頭痛、肩こり、めまい、耳鳴り、手足のしびれなどがある場合があります。

（3）原　因

直接の原因は特定できませんが、高血圧の危険因子として、遺伝や**塩分**の高い食事、**喫煙**、**肥満**、**アルコール**、**ストレス**、**運動不足**などがあります。

（4）予防・改善のために気を付けること

・**塩分**を控える。

・漬物、汁物の量を**とりすぎない**。

・**練り製品**、**加工食品**、**酒の肴**には塩分が多く含まれている場合があるので注意する。

・カリウム、カルシウム、食物繊維の豊富な**野菜**や**海藻**をたっぷり添える。
・**食べすぎない**ようにする。

3 糖尿病 重要

膵臓(すいぞう)から出る**インスリン**の量や作用が不十分だと血糖値が高くなり、全身の血管や神経に負担をかけ、全身の細胞の働きが低下します。この状態が続くと**糖尿病**になります。

生活習慣が原因で起こるもの以外に、小児糖尿病や妊娠糖尿病などがあります。

（1）診断基準

糖尿病の診断基準は、次のとおりです。最近では、**HbA 1c（ヘモグロビン・エーワンシー）**の量を測定するようになりました。HbA 1cとは赤血球のたんぱく質であるヘモグロビンとブドウ糖が結合したもので、空腹時血糖**126**mg/dℓ以上でHbA 1c **6.5**%以上の場合、糖尿病型と診断されます。

糖尿病型 **（1つでもあてはまる場合）**	空腹時血糖**126**mg/dℓ以上 ブドウ糖負荷後2時間血糖200mg/dℓ以上 随時血糖200mg/dℓ以上
境界域	どちらにもあてはまらない
正　常 **（両方で）**	空腹時血糖**110**mg/dℓ未満 ブドウ糖負荷後2時間血糖140mg/dℓ未満

日本糖尿病学会「糖尿病診療ガイドライン2019」より

（2）症　状

喉の渇き、水分を多くとる、尿の回数や量が多い、体重の増加または減少、疲れやすい、目のかすみ、皮膚の乾燥やかゆみなどがあります。初期はほとんど自覚症状がありませんが、進行すると脳卒中、心筋梗塞(しんきんこうそく)、感染症など様々な合併症を起こします。**神経障害**、**網膜症**、**腎症**を「**三大合併症**」と呼んでいます。

（3）原　因

遺伝子の異常やほかの病気が原因となる場合もありますが、ほとんどが**食べすぎ**、**飲みすぎ**、**運動不足**などの生活習慣や精神的ストレス、過労や病気からくる身体的ストレスによるものです。

（4）予防・改善のために気を付けること

・**砂糖**を控える。
・ご飯は**玄米**や**胚芽米**に。
・**脂肪分**、**塩分**に気を付ける。
・**食物繊維**をたっぷりとる。
・１日の**摂取エネルギー**を守り、いろいろな食品を**バランス**よく食べる。
・**どか食い**（一度に大量に食べること）、**ながら食い**（何かほかのことをしながら食べること）をしない。

4 脂質異常症　重要

血液中に含まれている脂質の量が多かったり少なかったりすると、血管が硬くなったり、血液がドロドロしたりしてしまいます。

（1）診断基準

現在、脂質異常症の診断基準は、次の６つがあります。

高LDLコレステロール血症	血中LDLコレステロール**140**mg/dℓ以上
境界域高LDLコレステロール血症	血中LDLコレステロール**120～139**mg/dℓ
低HDLコレステロール血症	血中HDLコレステロール**40**mg/dℓ未満
高中性脂肪血症	血中中性脂肪**150**mg/dℓ以上
高non-HDLコレステロール血症	血中Non-HDLコレステロール**170**mg/dℓ以上
境界域高non-HDLコレステロール血症	血中Non-HDLコレステロール**150～169**mg/dℓ

日本動脈硬化学会「動脈硬化性疾患予防ガイドライン2017」より

（2）症　状

脂質異常症は自覚症状がありません。検査して初めてわかるということが多いので、定期的に検査を受けましょう。

（3）原　因

ほとんどが**過食**、**動物性脂肪**や**コレステロール**の高い食品、**アルコール**、**糖質**の過剰摂取、**運動不足**、**肥満**などの生活習慣に関連した原因が重なって発症します。

（4）予防・改善のために気を付けること

・コレステロールを多く含む食品、増やす食品を**控える**。
・コレステロールを下げる食品を**増やす**。
・禁煙する。
・**動物性食品**を控える。
・**水溶性食物繊維**を増やす。
・外食は定食スタイルの**和食**に、中食はおむすびやインスタントの味噌汁に。
・**摂取エネルギー**を抑えて、適正な体重を保つ。

5 動脈硬化

動脈の壁に**脂質**が付くことで厚く硬くなり、血管の内側が狭くなることによって血液の循環が悪くなります。

（1）診断基準

動脈硬化の明確な診断基準はありませんが、脂質異常症の診断基準の血中LDLコレステロール140mg/dℓ以上を目安にしています。

（2）症　状

脳梗塞、**狭心症**、**心筋梗塞**、**大動脈瘤**など、表面的な自覚症状はなくても放置すると生死に直結する病気に結び付きます。

（3）原　因

高血圧、脂質異常症、肥満、痛風、遺伝、ストレス、喫煙などが、主な原因です。

（4）予防・改善のために気を付けること

・塩分を控える。
・脂肪やコレステロールの多い食品を控える。
・内臓類、甘いもの、アルコールを控える。
・摂取エネルギーを抑え、適正体重を保つ。
・規則正しく、ゆとりのある生活を。

6 胆石症

胆石症は、肝臓から分泌される胆汁の成分が固まって胆のう内・胆管内に石のようにたまったものです。中年の女性や肥満者、高コレステロール血症の人に多く見られます。

（1）診断基準

腹部超音波検査や腹部CT検査で、胆石の有無やその状態を検査します。内視鏡を口から入れ、胆管の状態を直接調べる内視鏡的逆行性膵胆管（すいたんかん）造影（ERCP）を行うこともあります。

（2）症　状

食後30分から1時間ほどで、みぞおちから右の肋骨（ろっこつ）下あたりから右肩、背中までに激痛が生じます。しかし無症状の場合もあり、これを「サイレントストーン」と呼んで、胆石を持つ人の60～70％が該当すると言われています。

（3）原　因

脂肪やコレステロールのとりすぎが原因です。

(4) 予防・改善のために気を付けること

・規則正しい食生活を送り、**肥満**に注意する。
・**脂肪**や**コレステロール**の多い食品は控える。
・**食物繊維**を十分にとる。
・**アルコール**、コーヒー、炭酸飲料、香辛料などは制限する。

7 貧 血

貧血とは、**赤血球**の数が減少したり、赤血球に含まれる**ヘモグロビン**の量が少なくなったりした状態を言います。ヘモグロビンは体内に酸素を運ぶ働きをするため、貧血になると各臓器に酸素が不足し、様々な症状を引き起こします。

若年層では極端なダイエットや、偏った食事を原因とする貧血が多く、高齢者では消化管出血を原因とする貧血やほかの疾患に伴う二次性貧血などがあります。

貧血の大部分は、ヘモグロビンの材料である鉄が不足する**鉄欠乏性貧血**です。

(1) 診断基準

ヘモグロビン濃度で判定し、次の場合に貧血と診断されます。このほかに、赤血球数や血液中の赤血球の割合であるヘマトクリットなども貧血と診断する場合の目安になります。

男 性	14g/dℓ未満	女 性	12g/dℓ未満
高齢者	11g/dℓ未満	妊娠中	11g/dℓ未満

(2) 症 状

各臓器の酸素不足のため頭痛、めまい、疲労感、動悸(どうき)、息切れ、肩こり、消化不良、顔色が悪い、寒気、イライラなどが起こります。

(3) 原 因

鉄の**吸収障害**、食物からの鉄不足、体内の鉄需要の増大、胃の切除、欠食、**偏食**、間違った**ダイエット**、**食生活**の乱れなどが原因となります。

（4）予防・改善のために気を付けること

・**鉄**の豊富な食品をとる。

・鉄＋**ビタミンC**・**たんぱく質**で吸収率を上げる。

・造血作用のある**ビタミン**B_6、B_{12}、**葉酸**などを含む食品をとる。

・食後すぐに、鉄の吸収を妨げるタンニンを含む**緑茶**、**紅茶**、**コーヒー**を飲まない。

「食事バランスガイドと６つの基礎食品群」

食事バランスガイドは、１日に「何を」「どれだけ」食べたらよいかをコマをイメージしたイラストで示したものなのよ。コマは主食、副菜、主菜、牛乳・乳製品、果物の５つの料理グループからなり、どれかが足りないとコマが倒れてしまうの。

６つの基礎食品群は、似たような栄養素を持つ食品を６つのグループに分けたものだよ（巻頭カラー８ページ参照）。

スピードCheck!　確認テスト

糖尿病の「三大合併症」で、最も適当なものを選びなさい。

（1）高血圧症　（2）脳梗塞　（3）神経障害

（4）脂肪肝　（5）脂質異常症

答え　（3）

P.59～60

生活習慣病は、食事と密接につながっています。本節では、食事による予防や改善のために気を付けることを押さえておきましょう。

健　康
(運動と休養)

重要キーワード
・健康　・栄養　・運動　・休養　・無酸素運動
・有酸素運動　・積極的休養　・消極的休養

1 健康の３本柱

心と体の健康を保つための３本柱は、バランスのとれた「**栄養**」、適度な「**運動**」、心身の疲労回復と充実した人生を目指す「**休養**」です。

食事を通して病気にかかりにくい体質を作ったり、自然治癒力を高めたりすることは可能ですが、食事だけで健康維持や病気を治すことはできません。

栄養・運動・休養をバランスよく、その人に合った方法で実行、改善していくことが大切です。

世界保健機関（WHO）の憲章では、「健康とは完全な肉体的・精神的・社会的福祉の状態であり、単に疾病（しっぺい）または病弱の存在しないことではない」とされているわ。

2 栄養から考える健康

栄養は様々な栄養素が相互に働きかけながら身体の中に取り入れられ、適正な状態を保ちます。１つの栄養素や食物に注目するのではなく、食べ方や時間なども含めて食事全体を見直していくことが大切です。

また、肥満、高血圧症、糖尿病、脂質異常症などの生活習慣病にかかってしまうと、食事だけで治すことはできません。医学的な処置と適切な栄養・運動・

休養の組み合わせによる治療が必要となります。悪化させると、一生その病気と付き合わなくてはなりません。

普段から健康に注意を払い、病気を予防することが大切です。自分の健康は自分で責任をもって守るという意識が非常に重要になります。

3 運動から考える健康 重要

運動をすると次のような変化が起き、体にとってよい効果をもたらします。生活が楽しくなれば、ホルモンの分泌がよくなり、免疫力が向上します。

・脂肪を減らし、筋肉を増やす。
・皮膚、筋肉、骨などを活性化させる。
・ストレスを発散させる。
・健康になり、生活が楽しめる。

（1）運動の種類

運動するとグリコーゲンやブドウ糖が使われ、筋肉には乳酸という物質が発生します。運動には大きく分けると、次の２つがあります。

■無酸素運動（アネロビクス）

無酸素運動とは、**呼吸をほとんど止めた状態で行う激しい運動**のことで、主に消費するエネルギーは**糖質**です。

無酸素運動は酸素が取り込まれず、乳酸が分解されません。筋肉に乳酸が多量に蓄積してphバランスが酸性に傾くことや、糖質（グリコーゲン）の蓄えが少なくなること、また、エネルギー物質が分解されて筋収縮が行いにくくなることなどから筋肉が疲労します。そのため、無酸素運動の継続時間は**2、3**分です。代表的な運動としては**筋肉トレーニング**が挙げられます。

〈無酸素運動の主な効果〉

・エネルギー（グリコーゲン）を筋肉に取り込む能力が**高まり**、筋持久力が向上する。
・筋肉量を増やすことで、**基礎代謝量**が向上する。

■有酸素運動（エアロビクス）

有酸素運動とは、**呼吸により得た酸素を筋肉に送り込みながら行う軽めの**

運動のことで、主に消費するエネルギーは**脂質**です。

筋肉内には無酸素運動と同様に乳酸が発生しますが、酸素によって乳酸を分解しながら運動します。そのため、有酸素運動は**長時間継続**できます。代表的な運動として、**ウォーキング**や**マラソン**などが挙げられます。

〈有酸素運動の主な効果〉

・**脂肪燃焼**を促進し、**代謝**を活発にする。
・心肺機能が向上する。
・全身持久力を改善し、**体脂肪率**を改善する。

（2）運動の効果

運動による効果には、次のようなものがあります。

■心臓や肺の機能が向上する

・心臓から送る1回の**血液量**が増える。
・呼吸筋が強くなり、**呼吸能力**が向上する。
・**酸素**を肺から血液中に送り込む能力が向上する。

■血管を丈夫にする

・血圧を正常に保つ。
・血管の内壁がきれいになって、**弾力性**が増し、輸送能力が向上する。
・血液中の**糖**を取り込む能力が向上する。
・毛細血管が活性化され、**血行**がよくなる。

■免疫力が向上する

・**HDLコレステロール**（**善玉コレステロール**）が増加する。

■骨を丈夫にする

・運動で圧力が加わることにより、**骨の形成**を促進する。

ただし、運動の効果は約**72**時間で消えるとされているので、**3**日に1回以上は運動することが望ましいと考えられます。一度効果が消えると運動前の状態に戻ってしまいますが、無理をして続けられなくなるよりは、自分のペースに合わせて運動するのがよいでしょう。

無酸素運動も有酸素運動も、ストレッチで事前に体を柔らかくしておくことが大切です。これは、筋肉や関節などの緊張を取り除き、筋肉の収縮時間を短くする効果があります。ストレッチの基本的な組み合わせは、運動をする前の**準備運動（ウォーミングアップ）**と運動後の**整理運動（クールダウン）**です。

4 休養から考える健康 重要

休養には、睡眠によって疲れを取り除く「**休**」の部分と、明日への活力を養う「**養**」の部分があります。休養には次の2つがあります。消極的休養は休養の基本ですが、一定の消極的休養をとった後は、外に出かけて少しでも体を動かし、積極的休養も行いましょう。

消極的休養	睡眠や休息をとる、家で何もせずにゴロゴロするなど。リラックス。
積極的休養	仲間とコミュニケーションをとる、体を動かす、外出する、レクリエーションを行うなど。リフレッシュ。

また、疲労には次の2つがあります。どちらの場合も十分に休養をとらないと、疲労が蓄積され、慢性疲労になります。積み重なると、体も精神面においても病的な兆候が現れるので注意が必要です。疲労は翌日に持ち越さず、その日のうちに休養をとって回復させましょう。

精神的疲労	精神的なストレスが持続することにより感じる疲労。
肉体的疲労	体を動かすことによる生理的な疲労。

〈精神的疲労を回復するには〉

体操、ウォーキング、ジョギングなど体を動かすことがよいとされています。これらを気の合った仲間とコミュニケーションをとりながら行うとよいでしょう。音楽鑑賞や美術鑑賞、アロマテラピーなど五感を働かせる方法も有効です。

〈肉体的疲労を回復するには〉

体を十分に休め、睡眠をとることが一番です。入浴、リラクゼーション、ストレッチ、マッサージなどで老廃物を出し、循環をよくすることも大切です。また、軽いジョギング、体操、ウォーキングなどもよいでしょう。

お役立ちコラム

ストレスを解消して免疫力アップ

ストレスを解消できる運動と休養は、がん細胞を殺すNK細胞（ナチュラルキラー細胞）を活性化させ、免疫力を高めます。この場合の運動としては、激しいものよりも朝晩15分早足で歩く程度がおすすめです。家でゴロゴロするより、子どもとキャッチボールをするほうが免疫力アップになります。

スピードCheck! 確認テスト

運動についての記述で、最も不適当なものを選びなさい。

（1）運動の効果は約48時間で消える。
（2）無酸素運動の継続時間は2、3分である。
（3）運動をすると脂肪が減り、筋肉が増える。
（4）運動をすると心肺機能が向上する。
（5）ウォーキングやマラソンは有酸素運動の代表的なものである。

答え （1）
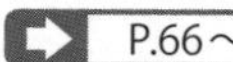
P.66～68

本節のまとめ

健康を保つためには、栄養バランスだけではなく運動と休養も重要です。それぞれの意義や効果を学びましょう。

第１章　演習問題

問１　「食生活指針」の記述と異なるものを選びなさい。

（１）食事を楽しみましょう。

（２）主食、主菜、副菜を基本に、食事のバランスを。

（３）肉や魚、卵などのたんぱく質をしっかりと。

（４）食塩や脂肪は控えめに。

（５）日本の食文化や地域の産物を活かし、郷土の味を継承する。

問２　ビタミンの特徴について、最も適当なものを選びなさい。

（１）吸収されたほかの栄養素の働きの効率を高めたり、体調を整えたりといった、潤滑油のような働きをする。

（２）ビタミンは有機化合物で、すべて体内で合成できる。

（３）現在、発見されているビタミンは15種類ある。

（４）脂溶性ビタミンは脂に溶けやすいもので、ビタミンB_1、ビタミンB_2、ビタミンB_{12}、ナイアシン、葉酸などがある。

（５）水溶性ビタミンは水に溶けやすいもので、ビタミンA、ビタミンD、ビタミンE、ビタミンKの４種類がある。

問３　各栄養素を多く含む食品と欠乏症の組み合わせで、最も適当なものを選びなさい。

（１）ワカサギ、乳製品、煮干し（カルシウム）……歯槽膿漏、骨が弱くなる

（２）玄米、大豆（イオウ）……疲れやすくなる、平衡感覚の低下

（３）干し柿、インゲン、枝豆（カリウム）……血圧の上昇、不整脈

（４）昆布、ワカメ、海苔（ナトリウム）……甲状腺腫

（５）レバー、魚介類、ホウレンソウ（マンガン）……貧血、集中力の低下

問4 **高血圧の食事の留意点について、最も不適当なものを選びなさい。**

（1）カルシウム、鉄を積極的にとる。

（2）食物繊維をとる。

（3）食べすぎないようにする。

（4）塩分の摂取は控えめにする。

（5）たんぱく質を不足させない。

問5 **たんぱく質の特徴について、最も不適当なものを選びなさい。**

（1）アミノ酸が結合した化合物である。

（2）骨格、筋肉、臓器、血液、酵素、ホルモンなどを構成する主要成分である。

（3）体の構成にかかわるアミノ酸は、全部で20種類ある。

（4）体内で合成できないものを必須アミノ酸と言う。

（5）必須アミノ酸は12種類ある。

問6 **食事バランスガイドに関する記述で、最も不適当なものを選びなさい。**

（1）１日に「何を」「どれだけ」食べたらよいかをイメージしたものである。

（2）単位は「つ（SV）」で表す。

（3）それぞれの「つ（SV）」は、グループごとに数える。

（4）水や茶、菓子、嗜好飲料についても考慮されている。

（5）４つの料理グループからコマができている。

問7 **脂質の特徴について、最も適当なものを選びなさい。**

（1）体の中で細胞膜の構成成分や血液成分となる。

（2）脂質の代謝に必要なのはビタミンCである。

（3）脂質は体にとって不必要な栄養素である。

（4）バター、ラードといった植物性脂質と、サフラワー油、オリーブ油といった動物性脂質に多く含まれる。

（5）穀類、牛乳、卵には含まれない。

問8「五大栄養素」の働きについて、最も不適当なものを選びなさい。

（1）たんぱく質……熱やエネルギーになる。（2）脂質……主にエネルギーになる。

（3）糖質……体の構成成分になる。（4）ミネラル……生理作用を調整する。

（5）ビタミン……三大栄養素が体内でスムーズに働くために必要となる。

問9 鉄と吸収についての記述で、最も適当なものを選びなさい。

（1）ヘム鉄………肉、レバー（内臓）、魚などの動物性食品に多く、吸収率は約25～35%。

（2）非ヘム鉄……肉、レバー（内臓）、魚などの動物性食品に多く、吸収率は約10～15%。

（3）ヘム鉄………肉、レバー（内臓）、魚などの動物性食品に多く、吸収率は約15～25%。

（4）非ヘム鉄……野菜、穀類などの植物性食品に多く、吸収率は約12～15%。

（5）ヘム鉄………野菜、穀類などの植物性食品に多く、吸収率は約２～５%。

問10 各ビタミンを多く含む食品と欠乏症の組み合わせで、最も適当なものを選びなさい。

（1）ビタミンA……アーモンド、コーン油、胚芽……溶血性貧血

（2）ビタミンD……鮭、カレイ、キクラゲ……くる病、歯や骨の発育不全

（3）ビタミンE……納豆、ヒジキ、緑黄色野菜……頭蓋内出血、血が止まりにくくなる

（4）ビタミンB_6……ウナギ、レバー……口角炎、口唇炎、口内炎

（5）ビタミンB_{12}……マグロ、サンマ、鮭……皮膚炎、口内炎

問11 休養についての記述で、最も不適当なものを選びなさい。

（1）健康の三本柱の一つである。

（2）消極的休養とは、睡眠や休息をとることである。

（3）消極的休養をとれば、積極的休養はとらなくてもよい。

（4）疲労は持ち越さずに、その日のうちに休養をとって回復させることが大切である。

（5）積極的休養とは、仲間とコミュニケーションをとったり、体を動かしたりすることである。

問12 糖尿病の食事の留意点について、最も適当なものを選びなさい。

（1）砂糖を控えれば、脂肪分、塩分は控えなくてもよい。

（2）高たんぱく・高エネルギー食にする。

（3）食物繊維は控える。

（4）いろいろな食品をバランスよく食べる。

（5）テレビを見ながら食べるとよい。

問13 基礎代謝量について、最も適当なものを選びなさい。

（1）同じ体重なら、筋肉量が少ないほうが高い。

（2）男性より女性のほうが高い。

（3）若者より高齢者のほうが高い。

（4）夏より冬のほうが高い。

（5）起きているときより睡眠中のほうが高い。

問14 カルシウムの吸収率についての記述で、最も適当なものを選びなさい。

（1）乳製品……吸収率は約50～60%

（2）大豆・大豆製品……吸収率は約40%

（3）小魚………吸収率は約30%

（4）海藻類……吸収率は約25%

（5）青菜類……吸収率は約20%

問15 脂質異常症について、最も不適当なものを選びなさい。

（1）自覚症状がなく、検査をして初めてわかる。

（2）原因は過食、アルコールの過剰摂取、運動不足などの生活習慣である。

（3）予防・改善のためには、コレステロールを下げる食品を増やす。

（4）診断基準は血中総コレステロール、血中中性脂肪、血中LDLコレステロールの3つである。

（5）動物性食品は控え、水溶性食物繊維を増やすようにする。

解答・解説

問	解答	解説	参照
問1	（3）	ご飯などの穀物をしっかりと。	P.23
問2	（1）	13種類あるビタミンは、体内では合成できない。	P.24、P.36～40
問3	（3）	（1）イライラ、骨粗鬆症、（2）爪がもろくなる、（4）脱水症状、腎臓機能低下、（5）疲れやすい、などを引き起こす。	P.40～43
問4	（1）	カルシウム、カリウムを積極的にとる。	P.58～59
問5	（5）	必須アミノ酸は9種類ある。	P.29～31
問6	（5）	主食、副菜、主菜、牛乳・乳製品、果物の5つの料理グループが正しい。	P.8、P.64
問7	（1）	体に必要な栄養素だが、とりすぎは肥満を招いたり動脈硬化の原因になったりする。	P.31～34
問8	（3）	熱やエネルギーになる。	P.24
問9	（3）	ヘム鉄は肉、レバー（内臓）、魚などの動物性食品に多く、非ヘム鉄は野菜、穀類などの植物性食品に多い。	P.42～43
問10	（2）	（1）夜盲症、角膜乾燥症、（3）溶血性貧血、不妊、（4）皮膚炎、貧血、（5）悪性貧血、などを引き起こす。	P.36～38
問11	（3）	消極的休養と積極的休養の両方をとることが大切。	P.65、P.68～69
問12	（4）	分量は控えめに、高たんぱく、高エネルギーの食事は控える。糖分、脂肪分、塩分は控えめにする。ドカ食い、ながら食いをしない。	P.60
問13	（4）	筋肉量が多い人、男性、若者のほうが高くなる。また、睡眠中のほうが基礎代謝量は低くなる。	P.54
問14	（3）	（1）約40～50%、（2）約20%、（4）（5）約18%	P.40～41
問15	（4）	血中HDLコレステロールも診断基準。	P.60～61

第2章 食文化と食習慣

演習問題

四季と行事食

重要キーワード

・ハレとケ　・年中行事　・行事食　・五節句　・人日の節句
・上巳の節句　・端午の節句　・七夕の節句　・重陽の節句

1 ハレとケ

昔から日本では、儀礼や祭り、年中行事などの非日常を「**ハレ**」、日常の生活を「**ケ**」と区別していました。正月や節分、雛祭りなどの季節ごとの行事や、誕生日、結婚式、入学式などの特別なイベントの日は「**ハレの日**」で、その季節の食材を使った行事食やご馳走を食べながら祝います。それ以外の普段の日を「**ケの日**」と言い、食事はハレの日のように豪華ではなく、地味で質素なものでした。

ケの日を「ケガレ」ととらえ、普段の日以外に通夜や告別式などの悲しみごとを含める場合もあります。それらケの儀式は「不祝儀（ぶしゅうぎ）の席」とも言います。

2 年中行事　重要

（1）暮らしの中の年中行事

年中行事とは、毎年同じ日や時季に家庭や地域で行われる**儀式**や**催し**を言います。もとは宮中で行われるものを指しましたが、後に民間の行事や祭事のことも言うようになりました。年中行事で食べる行事食には、**季節感**や**地域性**が見られます。

日本人は昔から季節の節目に料理を作って神様やご先祖様にお供えし、豊作や無病息災を願ってきました。年中行事は自然や季節との結び付きが強く、四季の変化に富んだ日本で生活するための知恵が詰まっています。それが行事食にも反映されて食文化となり、無形文化遺産の認定につながっています。年中行事と代表的な行事食は、次のとおりです。

月	時　期	行事名	行事食
1月	1月1～3日	正月	若水、**おせち料理**、**雑煮**、お屠蘇、鏡餅
	1月7日	人日の節句	**七草粥**
	1月11日	鏡開き	お汁粉
	1月15日	小正月	小豆粥
2月	2月3日または4日	節分	**煎り豆**、**恵方巻き**、柊 鰯
	2月の最初の午の日	初午	赤飯、油揚げ
3月	3月3日	上巳の節句 雛祭り	**ちらし寿司**、**ハマグリの潮汁**、白酒、菱餅、草餅、桜餅
	春分の日を中日とした前後3日間	彼岸（春彼岸）	精進料理、**ぼた餅**、彼岸団子
4月	4月8日	灌仏会（花祭り）	甘茶
	桜の咲く頃	花見	花見弁当
5月	5月5日	端午の節句	**ちまき**、**柏餅**
6月	6月30日	夏越の祓	水無月（和菓子）
7月	7月7日	七夕（七夕）の節句	**そうめん**
	7月13～15日	盂蘭盆会	**精進料理**
8月	旧暦7月13～15日	盂蘭盆会（旧盆）	**精進料理**
9月	9月9日	重陽の節句	**菊酒**、**菊寿司**、栗飯
	秋分の日を中日とした前後3日間	彼岸（秋彼岸）	精進料理、**おはぎ**、彼岸団子
	旧暦8月15日	十五夜（月見）	**月見団子**、**きぬかつぎ**
10月	旧暦9月13日	十三夜	**月見団子**、**栗**、**豆**
11月	11月15日	七五三	千歳飴
	11月23日	新嘗祭	新しい穀物で作った餅、赤飯
12月	12月22日または23日	冬至	**カボチャ料理**、冬至粥
	12月25日	クリスマス	クリスマスケーキ
	12月31日	大晦日	**年越しそば**

（2）五節句

節句は季節の**変わり目**を指す言葉で、行事食を食べて節句を祝うことで、次の季節の食べ方に変える意味合いもありました。節句に食べる料理を**節供**（せちく）と言います。なお、五節句は季節や食べ物と結び付いて、次の別名があります。

月　日	節句名	別　名
1月7日	人日（じんじつ）の節句	**七草**の節句
3月3日	上巳（じょうし）の節句	**桃**の節句、雛祭り
5月5日	端午（たんご）の節句	**菖蒲**（しょうぶ）の節句、あやめの節句、子どもの日
7月7日	七夕（たなばた）（七夕（しちせき））の節句	**七夕祭り**、笹の節句
9月9日	重陽（ちょうよう）の節句	**菊**の節句

スピードCheck! 確認テスト

行事と行事食について、最も適当なものを選びなさい。

（1）鏡開き……小豆粥　（2）春彼岸……おはぎ
（3）重陽の節句……菊寿司　（4）秋彼岸……ぼた餅
（5）新嘗祭……収穫したサツマイモ

答え　（3）

P.77

本節のまとめ

季節の変わり目に当たる五節句をはじめ、年中行事と行事食を押さえておきましょう。

通過儀礼

重要キーワード

・還暦　・古稀　・喜寿　・傘寿　・米寿　・卒寿　・帯祝い
・お七夜　・初宮参り　・お食い初め　・七五三　・十三参り

1 様々な通過儀礼の種類　重要

(1) 賀　寿

人生の節目ごとに、家族や親族が揃って祝う習慣があります。長寿の祝いのことを**賀寿**と言い、数え年で、ある一定の年齢に達したときに、そこまで長生きしたことを祝います。代表的な賀寿は、次のとおりです。

還暦	61歳を祝う。60年で十干十二支が一巡するため、人生を再び始める節目の年として祝う。
古稀	70歳を祝う。杜甫の詩「人生七十古来稀」より。
喜寿	77歳を祝う。「喜」の草書体「㐂」は七が重なるため。
傘寿	80歳を祝う。「傘」の俗字が「仐」になるため。
米寿	88歳を祝う。米を分解すると八十八になるため。
卒寿	90歳を祝う。「卒」の俗字が「卆」になるため。
白寿	99歳を祝う。「百」の字から「一」を除くと「白」になるため。
その他	上寿（100歳）、茶寿（108歳）、皇寿（111歳）となる。

（2）誕生に関する祝い事

昔は出産をするにも危険が伴って命懸けだったこと、また、無事に生まれても大人になるまでに命を落とすことが多かったことから、各節目で祝いました。

帯祝い	お産の軽い犬にあやかって安産を願い、妊娠５か月目の戌の日に腹帯を巻く儀式。
お七夜	生後７日目の祝い。この日に命名をする習慣がある。
初宮参り	生後初めて産土神にお参りし、出産の報告と子どもの成長を願う。
お食い初め	生後100～120日頃に、料理を食べさせる（実際にはまね）儀式。
初節句	生後初めて迎える節句。女の子は３月３日、男の子は５月５日に祝う。
七五三	男の子が３歳と５歳、女の子が３歳と７歳に成長を祝い、神社にお参りする。
十三参り	生まれた年の干支が初めて巡ってくる数え年13歳に、子どもの知恵と福寿を祈願し、菩薩に参詣する。
成人式	前年の４月２日からその年の４月１日に成人する人を対象に、各自治体などが行う。元服や裳着に由来する通過儀礼。

（3）その他の祝い事

その他の祝い事として、結婚や学業に関するものなどもあります。

結　婚	婚約、結納、結婚式、結婚記念日、銀婚式（25周年）、金婚式（50周年）
学　業	入園、卒園、入学、進学、卒業、就職

2 祝い事の料理

祝い事の料理には、こうでなければならないという決まりはありませんが、通過儀礼には次のような料理が多く出されます。

誕　生	産飯
お七夜	赤飯、鯛
初宮参り	赤飯、紅白餅、鰹節
お食い初め	お食い初め膳、赤飯、尾頭付きの魚、吸い物
初誕生日	赤飯、力餅、一升餅

お役立ちコラム 料理の紅白の由来

お祝い時には、赤飯、紅白餅、紅白まんじゅうなどが食べられます。赤（紅）には邪気をはらうという意味のほか、出生も意味します。赤（紅）は、死や別れを意味する白とともに、人生の「ハレ」の日に使われるようになったと言われています。また、おせち料理には、紅白かまぼこや紅白なますがありますが、これらの赤（紅）は、めでたさ、よろこび、魔除け、白は、神聖さ、清浄さを表すと言われています。

スピードCheck! 確認テスト

祝い事の説明として、最も不適当なものを選びなさい。

（1）帯祝い……妊娠７か月目の戌の日に、妊婦が腹帯を巻く儀式。
（2）お七夜……生後７日目の祝い。
（3）初節句……生後初めての節句。
（4）十三参り…生まれた年の干支が初めて巡ってくる年に菩薩に参詣し、知恵と福寿を祈願すること。
（5）還暦………人生を再び始める節目の年として祝う。

答え （1）  P.79～80

本節のまとめ

人生の節目ごとに祝う通過儀礼。特に、子どもと高齢者のためのお祝いが多くあります。それらには、昔の人の知恵や思いが詰まっています。それぞれの名称と意味を覚えておきましょう。

郷土料理と地産地消

重要キーワード

・郷土料理　・地産地消　・伝統的食文化　・域内消費
・土産土法　・身土不二　・スローフード　・フードマイレージ

1 郷土料理とは　重要

その地域でとれる食材や調味料、調理法で作られてきた伝統的な料理のことを**郷土料理**と言います。今では特別な行事のときしか作らないものもありますが、先人たちの知恵と工夫によって生まれ、長年にわたり伝承されてきました(巻頭カラー２～３ページ参照)。郷土料理の特徴は、次の４つです。

①その**土地特有**の生活習慣や条件のもとで、生活の知恵や工夫の中から生まれ、**受け継がれてきた**料理。
②土地特有の**食材**を、その土地特有の**方法**で調理した料理。
③**食材**がその土地特有の料理。
④**調理方法**がその土地特有の料理。

2 食に対する考え方や取り組み　重要

(1) 地産地消とは

地産地消とは「地域生産＋地域消費」の略語で、地域で生産された農産物や水産物などをその地域で消費することを表します。

地産地消のメリットは、**新鮮**なものが手に入ること、消費者として**安心感**が得られること、輸送にかかる**エネルギー**や**コスト**が節約できること、**地域経済**

各都道府県の代表的な郷土料理

北海道	石狩鍋、ジンギスカン	青森県	いちご煮、せんべい汁
岩手県	わんこそば、ひっつみ	宮城県	ずんだ餅(もち)、笹かまぼこ
秋田県	きりたんぽ、いぶりがっこ	山形県	芋煮、どんがら汁
福島県	こづゆ、棒鱈(ぼうだら)の煮物	茨城県	アンコウ料理、そぼろ納豆
栃木県	しもつかれ、ちたけそば	群馬県	おきりこみ、こんにゃく料理
埼玉県	つとっこ、冷や汁うどん	千葉県	なめろう、太巻き寿司
東京都	深川飯、ドジョウ鍋	神奈川県	へらへら団子、アジ寿司
新潟県	のっぺい汁、笹寿司	富山県	マス寿司、イカの黒作り
石川県	かぶら寿司、治部煮(じぶに)	福井県	越前そば、鯖(さば)のへしこ
山梨県	ほうとう、煮貝(にがい)	長野県	おやき、鯉(こい)料理
岐阜県	朴葉味噌(ほおばみそ)、栗きんとん	静岡県	とろろ汁、桜エビ料理
愛知県	ひつまぶし、きしめん	三重県	手こね寿司、豆腐田楽
滋賀県	フナ寿司、赤こんにゃく煮	京都府	おばんざい、サバの棒寿司
大阪府	箱寿司、たこ焼き	兵庫県	イカナゴ釘煮(くぎに)、ぼたん鍋
奈良県	柿の葉寿司、茶飯(ちゃめし)	和歌山県	めはり寿司、鯨(くじら)料理
鳥取県	アゴのやき、カニ汁	島根県	割子(わりこ)そば、めのは寿司
岡山県	ままかり酢漬け、ばら寿司	広島県	牡蠣(かき)料理、アナゴ飯(めし)
山口県	岩国寿司、フグ料理	徳島県	そば米(ごめ)雑炊、でこまわし
香川県	讃岐(さぬき)うどん、あん餅(もち)雑煮	愛媛県	鯛(たい)そうめん、ジャコ天
高知県	カツオのたたき、皿鉢(さわち)料理	福岡県	がめ煮、おきゅうと
佐賀県	だぶ、白魚の踊り食い	長崎県	ちゃんぽん、卓袱(しっぽく)料理
熊本県	辛子レンコン、馬肉料理	大分県	ブリの温飯(あつめし)、手延べ団子汁
宮崎県	冷や汁、かっぽ鶏	鹿児島県	がね、キビナゴ料理
沖縄県	ゴーヤチャンプルー、ソーキそば		

の活性化、**伝統的食文化**の継承です。そしてこれらが、**食料自給率**（220ページ参照）の回復につながることが期待されています。地産地消とほぼ同じ意味で、「**域内消費**」という言葉もあります。また、**土産土法**とは、その土地で生産されたものを旬のうちに、その土地特有の方法で調理して食べることです。

身土不二（しんどふじ）と医食同源

身土不二とは、「身体と環境は切り離せない関係である」という意味で、その土地に育った食物を食べることが、その土地に暮らす人間の体に最も合っているということを表しているの。医食同源は「医療と食事は源が同じである」という意味よ。体によい食材は薬にもなるという「薬食同源」がもとになっている言葉なの。

（2）スローフード運動

1986年にイタリアで、食を中心とした地域の伝統的な文化を尊重して生活の質の向上を目指すという世界運動で、ファストフードに対して**スローフード**という言葉が生まれました。スローフード運動では、①希少で消えようとしている食品を保護する、②一定の基準を満たす小規模生産者を直接支援する、③子どもをはじめとする消費者に味などの感覚を通じた食教育を行う、④消費者と生産者を結ぶ――などの活動を行っています。

（3）フードマイレージ運動

生産地から食卓までの距離が短い食料を食べたほうが輸送に伴う環境への負荷が少ないという考え方から、輸入食品が食卓に運ばれてくるまでにかかったエネルギーを数値化したものを**フードマイレージ**と言います。フードマイレージ運動は、イギリスの消費者運動家ティム・ラングが1994年から提唱している概念「Food Miles」に基づいて、できるだけ近くで生産されたものを消費しようとする取り組みです。

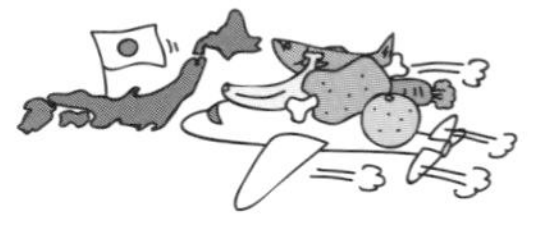

フードマイレージ（t・km）＝
輸入相手国別の食料輸入量（t）× 輸出国から輸入国までの距離（km）

フードファディズム

食品や栄養が健康や病気に与える影響を過大に信じたり評価したりすることで、偏った食行動をとることを「フードファディズム」と言うの。例えば、「○○を食べると痩せる」といった情報を信じ、その食品を過剰に摂取することなどがあるよ。

スピードCheck! 確認テスト

日本全国の主な郷土料理について、最も適当なものを選びなさい。

（1）北海道……ままかり酢漬け、鯛飯
（2）宮城県……ずんだ餅、笹かまぼこ
（3）石川県……イカ飯、石狩鍋
（4）岡山県……ソーキそば、ゴーヤチャンプルー
（5）沖縄県……かぶら寿司、治武煮

答え （2）

P.83

本節のまとめ

南北に細長い日本では、その気候風土に応じた様々な郷土料理が豊富にあります。それぞれの食材や料理を、由来とともに押さえておきましょう。

食材とおいしさ

重要キーワード

・旬の走り　・旬の盛り　・旬の名残　・時知らず　・初物
・旬外れ　・テクスチャー　・対比効果　・抑制効果　・相乗効果

1 旬の食材　重要

旬とは、その食材がほかの時期よりも新鮮でおいしく食べられる出盛りの時期を言います。旬の食材は、その季節に必要な栄養素も豊富です。

	野菜・果物など	魚介類・海藻		野菜・果物など	魚介類・海藻
春	サヤエンドウ、イチゴ、タラの芽 タケノコ、アスパラガス、フキノトウ、キャベツ、ジャガイモ、菜の花、ウド、ワラビ、レモンなど	アサリ、ワカメ サワラ、シジミ、マスなど	秋	サトイモ、ユリネ、ギンナン シイタケ、松茸、サツマイモ、レンコン、ゴボウ、山芋、カブ、米、栗、リンゴ、梨、ブドウ、柿など	サンマ、イカ 鮭、イワシ、サバなど
夏	ニガウリ、冬瓜（とうがん）、スイカ トマト、キュウリ、ナス、ピーマン、トウモロコシ、カボチャ、レタス、シソ、オクラ、枝豆、桃、メロン、ビワなど	ウナギ、ウニ アジ、ハモ、アナゴなど	冬	黒豆、春菊、キンカン 白菜、大根、ネギ、ホウレンソウ、小松菜、ニンジン、ブロッコリー、カリフラワー、温州（うんしゅう）ミカン、ポンカンなど	アンコウ、牡蠣（かき） ブリ、フグ、タラ、マグロ、ヒジキ、昆布など

2 旬に関する言葉

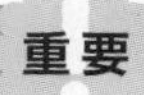

重要

一口に「旬」と言っても２～３か月の幅があるので、時期によって次のような言い方に分けられます。

旬の走り	ある食材の出始めを「**走り**」、その季節に初めて収穫したものを「**初物**（はつもの）」と言う。希少性から高値になることが多いが、季節を先取りでき、昔から「初物を食べると75日寿命が伸びる」として珍重されてきた。
旬の盛り	ある食材の最盛期を「**盛り**」と言う。狭義ではこの期間が「**旬**」。大量に出回るため値が下がり、栄養価が高くておいしい時期。
旬の名残（なごり）	ある食材の終わり、最盛期を過ぎた頃を「**名残**」と言う。旬が過ぎつつある食材の名残を惜しむ、日本人らしい言葉。**旬外れ**とも言う。
時知らず	１年中食べることができ、旬を**感じさせない**食材を指す。

3 食の役割

食べることには、おなかを満たすだけでなく次のような役割もあります。

（1）生理的役割

食べ物に含まれる栄養素を体内に取り込み、生命を維持します。栄養素を消化吸収して体内に取り込み、その栄養素を代謝して身体の構成成分にしたり、エネルギーに変えて活力源にしたりします。

（2）社会的役割

食べるという行為は、個人としては生活活動の基盤となります。また、コミュニケーションの場として、家族や学校、会社など集団生活に欠かせません。

（3）文化的役割

特別な日や季節の行事には、国や地域、家庭によってそれぞれの食事の楽しみ方があります。それぞれの独特な食生活を伝え継いでいく、文化的な役割もあります。

4 食材の数え方

重要

食材には様々な数え方があります。主なものは次のとおりです。

数え方	数えるもの
株（かぶ）	ホウレンソウや小松菜など、根の付いた葉野菜。
切れ（き）	切り身になった魚、一口大の薄い切り身の肉。
個（こ）	リンゴ、柿、ミカンなどの果物、サトイモなどの球形の野菜。
合（ごう）	米、酒。1合は180mℓ。
棹（さお）	羊羹（ようかん）などの細長い菓子。
柵（さく）	刺身用に長方形にさばいた魚。
升（しょう）	米、酒、醤油（しょうゆ）、みりんなどの液体。1升＝10合＝1.8ℓ。10升は1斗。
帖（じょう）	海苔10枚で1帖。
膳（ぜん）	箸、ご飯が盛られている茶碗。
束（たば）	野菜、刈り取った稲、乾麺（かんめん）など束ねられるものすべて。
把（たば）	束ねられる野菜など。
玉（たま）	麺類などの細長い乾物、キャベツやレタスなどの結球する野菜。
丁（ちょう）	豆腐。
粒（つぶ）	穀類、豆類、魚卵（ぎょらん）、イチゴやブドウなどの小さめの球形の果物。
斗（と）	米、酒、醤油、みりん、油などの液体。1斗＝10升＝18ℓ。
杯（はい）	イカ、タコ、飲み物やご飯。
腹（はら）	タラや鮭などの魚卵のかたまり。
尾（び）	尾ひれが付いたままの魚。
匹（ひき）	魚。
房（ふさ）	ブドウやバナナなどの果物の実全体。
本（ほん）	大根やニンジン、ゴボウ、バナナなどの細長い野菜や果物。
枚（まい）	油揚げ、春巻きの皮などの薄いもの、薄切り肉、おろした魚。
羽（わ）	鶏や鴨（かも）などの鳥類、ウサギ。
把（わ）	ホウレンソウや小松菜など根の付いた葉野菜を、売りやすい量にまとめたもの。

5 おいしさの感じ方

おいしさは主観的な感覚ですが、おいしさを感じる要因には次のようなものがあります。

【食べ物の要因】
- 化学的要因……味、香り
- 物理的要因……温度、テクスチャー、外観、音

【人の要因】
- 生理的要因……年齢、性別、体質、健康状態、空腹度
- 心理的要因……感情、不安、緊張、嗜好（しこう）
- 食体験

【環境要因】
- 社会環境………経済状態、宗教、食文化、食習慣、食情報
- 自然環境………気候、地理的環境
- 人工的環境……部屋、照明、室内装飾、食卓構成

（1）味覚の種類

味には**甘味（かんみ）**、**酸味（さんみ）**、**塩味（えんみ）**、**苦味（にがみ）**、**うま味**の五味（ごみ）（基本味（きほんあじ））のほか、辛味、渋味、えぐ味などがあります。舌の表面の**味蕾（みらい）細胞**で感じとり、味覚神経を通じて脳に伝わって、味として感知されます。

「テクスチャーとは」

テクスチャーとは、食品の硬さ、軟らかさ、歯切れ、きめ、舌ざわりなど口の中の感覚を言うよ。日本人はテクスチャーを大事にしていて、軟らかい、喉ごしがよい、ホクホク、ガリガリ、サクサク、とろとろ、ネバネバ、プリプリなど、テクスチャーを表す言葉がたくさんあるの。

（2）味の相互作用

食物は様々な味が複合された形で味わうことが多く、２種類以上の呈味（ていみ）物質（味を感じさせる物質）が混ざると、その感じ方に変化が起こります。

対比効果	異なる味を持つ２つの物質を混ぜたとき、一方の味を強める。	甘味＋塩味（甘味を強める） →スイカに塩をふる 旨味＋塩味（旨味を強める） →すまし汁の塩
抑制効果	異なる味を持つ２つの物質を混ぜたとき、一方の味を弱める。	苦味＋甘味（苦味を弱める） →チョコレート（カカオ＋砂糖） 酸味＋塩味・甘味（酸味を弱める） →酢の物、寿司酢
相乗効果	同系統の味を持つ２つ以上の物質を混ぜたとき、いっそうその味が強調される。	旨味＋旨味（旨味が強くなる） →昆布と鰹節のだし

お役立ちコラム

味覚の発達

人間は最初からすべての味を好むわけではありません。エネルギー源である糖質の味、甘味は赤ちゃんが好きな味です。また、生命の源である海水と同じ塩味や旨味も好みます。一方、苦味は毒の味、酸味は腐敗の味として本能的に苦手としますが、年齢や食経験を経て食べられるようになります。

スピードCheck! 確認テスト

基本味について、最も不適当なものを選びなさい。

（１）甘味　（２）酸味　（３）塩味　（４）辛味　（５）旨味

答え　（４）

春夏秋冬、各季節ごとに旬を迎える食材があります。食材やおいしさにまつわる言葉や、その意味を知っておきましょう。

5 日本料理の特徴と世界の料理

重要キーワード

・五法　・五味　・五色　・五感　・本膳料理　・懐石料理
・会席料理　・精進料理　・西洋料理　・中国料理　・エスニック料理

1 日本料理の特徴　重要

日本料理は**目**で楽しむ料理と言われ、色彩や形が美しく、盛り付け方や外観など**見た目**を重視します。主材料は**魚介類**や**季節の野菜**で、**だし**の味を基本に**淡白で繊細**な味付けをし、素材の味を生かします。

また、日本料理は、**五法**、**五味**(ごみ)、**五色**(ごしき)、**五感**を大切にしています。

■五法

切る（刺身）、**焼く**（焼き物）、**煮る**（煮物）、**蒸す**（蒸し物）、**揚げる**（揚げ物）を「調理の五法」と言います。

■五味

甘味(かんみ)、**酸味**(さんみ)、**塩味**(えんみ)、**苦味**(にがみ)、**うま味**を指し、調味料の「さしすせそ」に通じます。

プラスα

調味料の「さしすせそ」

さ：砂糖(さとう)　し：塩　す：酢
せ：醤油(しょうゆ)　そ：味噌(みそ)
（昔は「せうゆ」と書いた）

■五色

白、**黒**、**黄**、**赤**、**青**（緑）。一食の中に五色が揃うと、栄養素も揃いやすくなります。

■五感

視覚、**聴覚**、**味覚**、**嗅覚**(きゅうかく)、**触覚**を指します。日本料理は、この五感で感じとることが大切な料理と言えます。

2 代表的な日本料理の様式

日本料理には、次のような様式があります。

(1) 本膳料理

日本料理の正式な膳立てで、一人ひとりの正面に膳を配ります（**銘々膳**）。**一汁三菜**を基本に、宴席の規模に応じて二汁五菜、三汁七菜と料理の数を増やします。

膳の数は**本膳**、**二の膳**、**三の膳**が基本ですが、料理の数によって、与の膳、五の膳と増やしていきます。脚付きの**銘々膳**を使い、盛り付けはすべて**銘々盛り**を基本とします。もともとは武家社会の食事様式で、室町時代に確立され、江戸時代に発達し、明治まで続きました。今日ではほとんど見られなくなりましたが、現代の食事の献立構成に受け継がれています。

(2) 懐石料理

茶会などの席で出される**濃茶**をおいしく飲むための軽い食事で、**茶懐石**とも言われます。折敷という一尺四方の脚のない銘々膳を使います。銘々盛りの料理と大皿盛りの料理がありますが、盛り付ける量は**少量**です。向付、汁、飯、椀盛り、焼き物の一汁三菜が基本で、これに箸洗い、八寸、強肴、湯桶、香の物、茶と菓子が出されます。

(3) 会席料理

宴席で**酒**を楽しむための饗応料理です。お品書きに従って、一品ずつ出す場合とすべての料理を一度に配膳する場合があります。前菜、刺身、吸い物、口代わり、焼き物、揚げ物（または煮物）、蒸し物、和え物（または酢の物）、止め椀、香の物、飯、水菓子（果物）という献立構成となります。

(4) 精進料理

仏教における殺生禁断の教えに由来するもので、魚介類や肉類などの**動物**性の材料を一切使用せず、**植物**性の材料のみで作ります。だし汁は昆布やシイタケでとり、たんぱく質は豆腐、湯葉などの豆類や野菜でとります。

精進料理の振る舞い

昔は通夜振る舞い（通夜後の食事会）や精進落とし（告別式・法事後の食事会）では精進料理が振る舞われていたよ。

3 世界の料理

世界各国には次のような様々な料理があり、それぞれ特徴があります。

アメリカ	ハンバーガー、ホットドッグ
イギリス	フィッシュアンドチップス、サンドイッチ、ローストビーフ
イタリア	パスタ、ピザ、リゾット、ジェラート
スペイン	パエリア、ガスパチョ、サングリア
ドイツ	ザワークラウト、ソーセージ、ジャーマンポテト
フランス	フォアグラ、テリーヌ、ミルフィーユ、エスカルゴ、ポトフ
ロシア	ピロシキ、ボルシチ、ビーフストロガノフ
トルコ	ドネルケバブ、ケシュケキ、シシュケバブ
インド	タンドリーチキン、ナン、チャパティー、マサラティー、ラッシー
タ　イ	トムヤムクン、グリーンカレー、バミー
ベトナム	フォー、生春巻き
韓　国	キムチ、プルコギ、ビビンパ、サムゲタン
中　国	北京(ペキン)ダック、麻婆豆腐、八宝菜、小籠包(しょうろんぽう)
メキシコ	タコス、トルティーヤ、ワカモーレ

（1）西洋料理

香りを楽しむ料理と言われ、**香辛料**を用いた加熱料理が中心です。主材料は、牛、豚、鶏などの**肉類**と**乳製品**で、味付けは一般的に**濃厚**です。

フランス料理をはじめとして、イタリア料理、スペイン料理など欧米各国の料理を総称して西洋料理と言います。

（2）中国料理

味を楽しむ料理と言われ、調理法よりも調味中心で**味付け**を重視します。様々な材料が使われ、料理の種類が多いことも特徴です。料理を１つの皿に盛り、取り分けて食べます。中国は国土が広く、地域によって異なる気候・風土に基づいた料理がありますが、大きく分けると北方系の**北京**（ペキン）料理、東方系の**上海**（シャンハイ）料理、西方系の**四川**（シセン）料理、南方系の**広東**（カントン）料理の４つの系統になります。さらに湖南料理を加えると、中国５大料理と呼ばれます。

（3）エスニック料理

タイやベトナム、トルコなどの東南アジアや中近東などの料理のことです。日本でも、日本人向けにアレンジされた料理を出すレストランが増えてきたり、家庭向けに加工された食品も販売されたりしています。

スピードCheck! 確認テスト

五感について、最も不適当なものを選びなさい。

（1）視覚　（2）聴覚　（3）味覚　（4）臭覚　（5）触覚

答え　（4）

日本料理は、調理法、味付け、色彩など様々な趣向を凝らし、食べる人を楽しませてくれます。また、それぞれの様式には、古来の伝統が息づいています。日本の料理、世界の料理を知って幅を広げましょう。

調理の目的と方法

重要キーワード

・煮上げ　・煮切り　・煮こごり　・煮転がし　・煮しめ
・煮付け　・刃元　・刃先　・峰
・小口切り　・さいの目切り　・拍子木切り　・三枚おろし

1 調理の種類　重要

調理には目的があり、またそれに適した調理法があります。

（1）調理の目的

・有害物質や食に適さないものを**排除**し、衛生上の**安全性**を向上させる。
・**消化吸収**しやすいように食べやすくする。
・食欲を増すように**風味**をよくし、うま味を付ける。
・**保存性**を高める。　・**栄養価**を高める。
・**外観**を美しくする。　・心理的な**満足感**を与える。

（2）調理法

■洗う

食品に付いている汚れや有害物質の除去、ぬめり取り、あく抜き、変色防止、吸水などの目的があります。洗浄方法は、食品により異なります。

■浸す

乾燥食品を軟らかくする、旨味成分の抽出、酵素作用の阻止、味の浸透、テクスチャーの向上、微生物繁殖の阻止、不味（ふみ）（味がよくない）成分の除去などの目的があります。

■切る

食べられない部分の**除去**、食べやすい**形**にする、**加熱**しやすくする、**味**を付けやすくする、見た目を**美しく**するなどの目的があります。

■混ぜる・こねる・和える

材料や味を均一にすることが目的です。

■泡立てる

空気を取り込みながらかき混ぜることが目的です。

■おろす・つぶす

食品の細胞や組織を壊すことで食味に変化を与え、風味や香りをよくする、酵素を活性化させるなどの目的があります。

■押す・握る・こす

「押す」「握る」は、食品に外的な圧力を加えて成型する操作です。「こす」は、食品の固形物と液体を分ける操作です。

■冷やす・凍らす

食品の保存、嗜好(しこう)性を向上させる、凝固させるなどの目的があります。

■焼く

串や網を使用し、熱源の放射熱を利用して直接加熱する「**直火(じかび)焼き**」と、鉄板やフライパン、オーブンを使用して熱源の伝導熱、放射熱、対流熱を利用して加熱する「**間接焼き**」があります。

■炒める

熱した鍋、鉄板などに少量の油を使用して食品を混ぜながら調味し、加熱する方法です。加熱時間が**短い**、**油脂**を使用する、栄養素の損失が**少ない**などの特徴があります。

■揚げる

高温の**油**の中で加熱する方法です。**高温短時間**で加熱する、栄養素の損失が**少ない**、**形**や**味**を保つことができるなどの特徴があります。

■ゆでる

多量の**湯**の中で加熱する方法です。食品の**下ごしらえ**に用いることが多く、あく抜き、軟化、発色、煮崩れ防止、吸水、脱水、殺菌、たんぱく質の凝固などの目的があります。

■煮る

調味料液中で加熱する方法で、加熱しながら**調味**できることが特徴です。煮物の種類には、次のようなものがあります。

煮上げ	落とし蓋(ぶた)をして、煮汁が少量になるまで十分に煮ること。
煮切り	酒やみりんを煮立たせて、アルコール分を蒸発させること。または、煮汁がなくなるまで煮詰めること。
煮こごり	ゼラチン質の多い魚や肉の煮汁を冷やして、ゼリー状に固めること。
煮転がし	いも類などを鍋の中で転がしながら、煮汁をからめて煮詰めること。
煮しめ	食材を崩さないように時間をかけて煮ること。醤油(しょうゆ)などの煮汁がよく染み込み、味や色が付く。
煮付け	煮汁の味を染み込ませるように煮ること。煮しめより短時間で煮る。

■蒸す

水蒸気の熱を利用した加熱方法です。煮物に比べて栄養素の流失は**少ない**ですが、調理時間が**かかる**、加熱中に調味が難しいなどの難点もあります。

■炊く

米については、水を含ませて加熱しながら**ゆでる**、**蒸す**、**焼く**という操作を断続的に行うことを言います。また、野菜や魚については、煮汁を含ませて煮汁がなくなるまで加熱することを、「炊く」と言うことがあります。

2 調理器具の種類

調理器具には、調理の前処理用（洗う、切る、混ぜるなど）のものと加熱用のものなどがあります。

（1）前処理用の調理器具

包　丁	鋼製、ステンレス製、セラミック製などがあり、和包丁、洋包丁、中華包丁などがある。食材や料理の用途ごとに使い分けるとよい。
まな板	木製と合成樹脂製があり、野菜と肉・魚は使い分けしたほうがよい。
おろし器	野菜をおろすときに使う。金属製とセラミック製がある。
フード プロセッサー	大量の食材をみじん切りにしたり、すり混ぜたり、攪拌したりするときに使う。
泡立て器	手動のものと電動のもの（ハンドミキサー）があり、メレンゲやホイップクリーム、マヨネーズソースなどを作るときに使う。
こし器 （ストレーナー）	食品をこしたり、ろ過したりするときに使う。用途によって茶こし、味噌こし、油こしなどがある。
すり鉢	すりこぎを使って食品をすりつぶすときに使う。
オープナー	缶詰やびんを開けるときに使う。

（2）加熱用の調理器具

鍋	煮る、蒸す、炒める、揚げるなど幅広い用途に使う。浅鍋、深鍋、丸底鍋、平鍋、両手鍋、片手鍋と形状も様々なので、料理に応じて使い分けるとよい。
フライパン	炒める、焼く、揚げるに使う。鉄製、フッ素加工のものなどがある。フッ素加工のものは焦げ付きにくく、汚れが落としやすい。
電子レンジ	温める、蒸す、解凍などに使う。熱源は電気で、マイクロ波を利用して加熱する。

（3）その他の調理器具

杓　子	汁や飯をすくうときに使う。玉杓子（お玉）、盛り付け用のレードル、具だけをすくう穴杓子、飯杓子（しゃもじ）などがある。 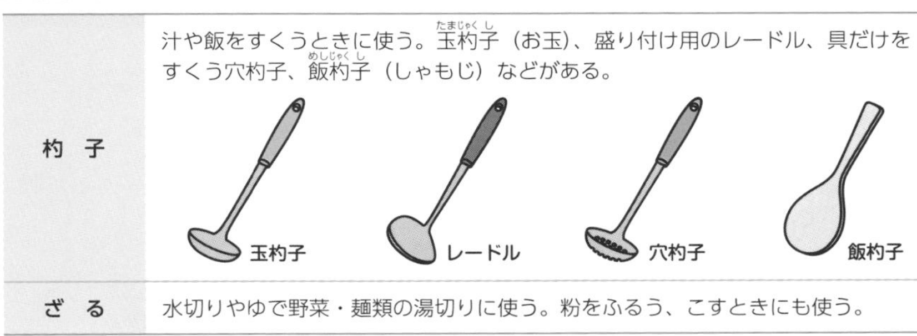
ざ　る	水切りやゆで野菜・麺類の湯切りに使う。粉をふるう、こすときにも使う。

3 食材の切り方 重要

(1) 包丁の使い方

包丁は、食材によって使う部位を使い分けます。

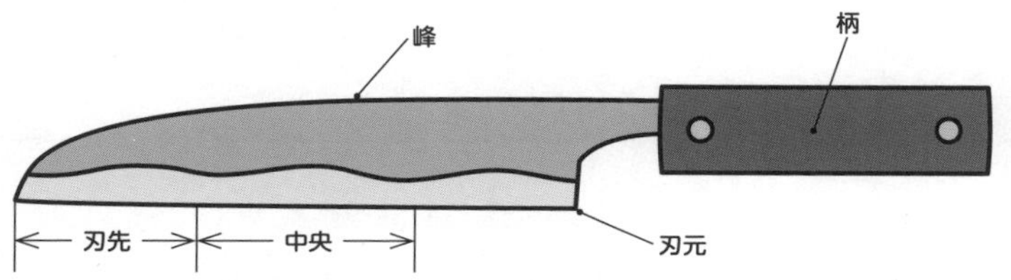

- **刃元**……ジャガイモの芽や傷んでいるところを取り除くときなど。
- **刃元**の近く……皮むきや魚などの骨切りをするときなど。
- 刃の**中央**………野菜の押し切りやみじん切りをするときなど。
- **刃先**……小魚をおろす、ゴボウをささがきにするときなど。
- **峰**………肉やエビをたたいて軟らかくしたり、つぶしたりするときなど。
- **刃元から刃の中央**……魚を刺身にするときなど。

(2) 目的に合った切り方

食材の切り方によって調理時間が変わります。また、目的に応じた様々な切り方があります(巻頭カラー6～7ページ参照)。

■野菜の切り方

小口切り、**千**切り、**短冊**切り、**イチョウ**切り、**半月**(はんげつ)切り、**くし形**切り、**輪**切り、**ささがき**、**さいの目**切り、**斜め**切り、**乱**切り、**みじん**切り、**拍子木**切り、**かつらむき**、**ざく**切りなど

■魚の切り方

腹開き、**背開き**、**三枚おろし**、二枚おろし、そぎ切り、たたきなど

■肉の切り方

厚切り、薄切り、ミンチ切り(ひき肉)など

お役立ちコラム

油の少ない和食

日本では昔から灯(あか)りに油を使用していましたが、料理では「煮る」「焼く」「蒸す」などが主流で、「揚げる」料理が広まったのは江戸時代、「炒める」については明治に入ってからでした。脂質は栄養素としてなくてはならないものですが、とりすぎには十分注意しましょう。

スピードCheck! 確認テスト

包丁の部位と使い方について、最も適当なものを選びなさい。

（1）刃元……リンゴの皮むきに使う。
（2）刃先……ジャガイモの芽をとるのに使う。
（3）刃の中央……野菜の押し切りやみじん切りなどに使う。
（4）峰………ゴボウをささがきにするのに使う。
（5）刃元から刃の中央……肉やエビなどをたたくのに使う。

答え　（3）

調理法が変われば、使う器具も変わります。様々な調理法と調理器具を知り、使い分けられるようにしましょう。また、包丁の使い方、切り方を押さえておきましょう。

盛り付けと器の種類

重要キーワード

・山水の法則　・前盛り　・あしらい　・陶器　・磁器
・土器　・漆器　・ガラス食器　・木工品　・竹細工

1 盛り付けの基本

人間は体温前後のものはぬるく感じ、おいしく感じられないので、温かいものは**温かく**、冷たいものは**冷たく**して提供することが基本です。器も、料理に合わせて温めたり冷やしたりしておきます。また、器は料理を**引き立てる**役割があるので、料理の彩りに合わせ**季節感**のあるものを選ぶことが大切です。

(1) 日本料理の盛り付け方

日本料理の基本となる盛り付け方は、次のとおりです。

■**器**

向こう側を高く、手前を低くし、立体的に山と谷を作る（**山水**(さんすい)**の法則**）。あしらい（巻頭カラー7ページ参照）を付けるときは、器の手前に置く（**前盛り**）。

■**鉢**

鉢の高さとバランスをとりながら、小高く盛り上がった**山**を作るように盛り付ける。

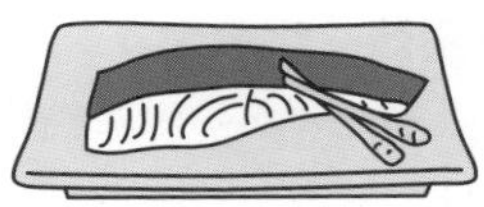

■**皿**

魚は、腹を**手前**に頭が**左**になるように盛り付ける（頭左(かしらひだり)）。

■椀

椀だねは、角がはっきりしたものや丸みのあるものを下から積み重ねて**円錐形**になるようにし、吸い地（汁）は椀だねの七分目の高さまで張る。

「あしらい」とは料理を引き立たせるための添え物で、季節感を出したり、彩りを加えたりします。

（2）西洋料理の盛り付け方

料理に合わせて少し**大きめ**の皿を選び、料理を器の中央に山高く、器の４～５割の余白を残して盛り付けます。付け合わせは、主材料の**向こう側**に盛ることが基本です。

（3）中国料理の盛り付け方

前菜や主菜が複数あることが一般的で、それぞれの料理を**大皿に盛り付け**、**小皿に取り分けて**食べます。取り分ける際には、盛り付けを崩さないように注意します。回転台の場合は、**時計回り**に回します。

2 料理に用いる器の種類

料理には、それぞれ適した器があります。器の種類を覚えましょう。

（1）日本料理に用いる器

使う器の種類が多く様々なものがありますが、料理に合わせて選びます。

■陶器：焼き物

吸水性のある土に釉薬（陶器表面にかける薬品、うわぐすりともいう）をかけて焼いたものです。磁器よりも焼く温度が低いため強度がやや低く、採取した粘土の種類と焼き温度、産地により種類が豊富です。

例：常滑焼（愛知）、益子焼（栃木）、信楽焼（滋賀）、備前焼（岡山）

■磁器：焼き物

石の粉に粘土を混ぜた磁土に、釉薬をかけて焼いたものです。高温で焼くため素地が緻密で、硬くて吸水性がなく、たたくと金属のような音がします。

例：九谷焼（石川）、瀬戸焼（愛知）、有田焼（佐賀）、清水焼（京都）

■土器：焼き物

不純物の多い粘土や石の粉で作られ、釉薬をかけないで焼いたものです。焼く温度が低く、多孔質で吸水しやすいのが特徴です。

例：ほうろく、七輪など

■漆器：塗り物

杉やヒノキ、ケヤキの素地に漆を塗ったもので、漆を塗る工程を繰り返すため、耐水性、耐酸性、耐久性があり、重箱や椀、膳、盆などに使われます。

例：津軽塗（青森）、会津塗（福島）、輪島塗（石川）、春慶塗（岐阜）

■ガラス食器

ソーダガラス、クリスタルガラス、耐熱ガラスなどがあります。ソーダガラスは一般的な食器に、クリスタルガラスは高級食器に多く使われます。

例：江戸切子（東京）、薩摩切子（鹿児島）

■木工品

おひつ、桶、八寸などに使われます。

例：大館曲げわっぱ（秋田）、樺細工（秋田）、奥会津編み組細工（福島）

■竹細工

清涼感を表現する器として、ざる、かご、杓子、さじ、盛り皿、箸置きなどに使われます。

例：駿河竹千筋細工（静岡）、別府竹細工（大分）

（2）その他の料理に用いる器

西洋料理では、磁器や金属器がよく使われます。磁器の中でも、白陶土の代わりに牛骨灰を原料とした**ボーンチャイナ**が多く、マイセン（ドイツ）、ウェッジウッド（イギリス）、ロイヤルコペンハーゲン（デンマーク）、リチャードジノリ（イタリア）などが有名です。

金属器にはアルミニウム製やステンレス製などもありますが、なかでも洋食器の最高級品が**銀食器**（シルバーウェア）です。銀食器は黒変したり強い酸に溶けたりするので、注意して手入れする必要があります。銀メッキをした製品もあります。一方、ステンレスはさびないので手入れが簡単で、盛り皿やナイフ、フォーク、スプーンなどに使われています。

お役立ちコラム

盛り付けに季節感を

料理に旬の食材を使うと季節を感じられますが、盛り付けやテーブルコーディネートにも季節感を取り入れましょう。春なら、箸置きやランチョンマットに桜模様のものを使ったり、桜の花を添えたり。新緑が濃くなってきたら桜の葉を料理の下に敷いてみたりと、様々な使い方ができます。

スピードCheck! 確認テスト

日本料理に用いる器と代表的なものの組み合わせで、最も適当なものを選びなさい。

（１）陶器………九谷焼　　（２）磁器……備前焼
（３）竹細工……大館曲げわっぱ　　（４）漆器……津軽塗
（５）木工品……輪島塗

答え　（４）

P.102～103

本節のまとめ

日本料理のおいしさは、見た目が８割と言われます。器や盛り付けのポイントを知り、見た目をおいしく盛り付けるコツを押さえておきましょう。

8 食事とマナー

重要キーワード
・一汁三菜　・所作　・口内調味　・箸使い　・嫌い箸
・テーブルマナー　・席次

1 食事のマナーの基本

食事のマナーで大切なことは、お互いに**不快感**を与えることなく、楽しい時間を一緒に過ごすことです。周りに不快感を与えない、相手に恥をかかせない、相手の話をよく聞き、相手も自分も楽しいと感じる、食事中にたばこを吸わないなど、国や地域、人種が違っても最低限のマナーは共通です。マナーを守ることは、美しい所作にもつながります。箸使いや器の扱い方、食べ方など、美しい所作（しょさ）は見ていて気持ちがよいものです。

2 日本料理のマナー　重要

日本料理にもマナーがあります。普段の食事から身につけておきましょう。

（1）一汁三菜の食べ方

現在の日本の食事の形式は、本膳料理から受け継がれた**一汁三菜**（いちじゅうさんさい）が基本です（巻頭カラー４ページ参照）。

一汁三菜では、飯碗を**左手前**、汁椀を**右手前**、主菜を**右奥**、副菜を**左奥**、小鉢を**真ん中**に配置します。持ち上げるものを**手前**に、置いたままで食べる器を**奥**に配置しており、美しい**所作**で食事ができるように考えられています。

食べ方にも順番があり、ご飯は汁とおかず、おかずとおかずの間に食べるようにします。これは、あまり味のないご飯を口の中でおかずの味で味付けしながら食べていく**口内調味（口中調味）**という日本独特の食べ方です。

（2）箸使いのタブー

箸使いにはマナーに反した使い方、**嫌い箸**と言われるものがあります。

移り箸	料理をとりかけてから、ほかの皿の料理をとること。
かき箸	茶碗の縁に口を付けて、箸で口の中にかき込むこと。
込み箸	箸で料理を口の中いっぱいに詰め込んで、ほおばること。
逆さ箸	自分の箸を逆さにして使うこと。
探り箸	箸で器をかき混ぜて、料理の中身を探ること。
刺し箸	フォークのように食べ物を箸で突き刺して食べること。
せせり箸	箸を爪楊枝の代わりに使って歯をほじること。
空箸（そらばし）	料理をとろうとして一度箸を付けたものを、とらないこと。
たたき箸	箸で器をたたくこと。
ちぎり箸	箸を１本ずつ両手に持って、料理をちぎること。
涙　箸	箸先から汁を垂らすこと。
握り箸	箸を握って使うこと。
ねぶり箸	箸を口の中に入れてなめること。
二人箸	二人で一つのものを、箸と箸で受け渡すこと。
迷い箸	どれにしようかと、箸を宙に迷わせること。
もぎ箸	箸の先にくっついた飯粒を口でもぎとること。
持ち箸	箸を持ったまま椀に口を付けること。
横　箸	箸を２本合わせて、スプーンのように使うこと。
寄せ箸	箸を使って、自分の手元に器を引き寄せること。
渡し箸	箸を茶碗などの器の上に置くこと。

天ぷらの衣を作る「衣箸」、揚げ物をするときの「揚げ箸」、取り分け用の「取り箸」などは用途別の箸の種類。

（3）ご飯茶碗と箸の選び方

ご飯茶碗や箸は、使う人の手の大きさや形に合ったものを選ぶことが大切です。大きすぎるものや重すぎるものは扱いにくくなります。子どもの場合は、成長に合わせて茶碗や箸を代えましょう。

【ご飯茶碗】 持ったときの手のカーブにしっくりなじむものを。ご飯を入れたときを考えて、重すぎずに最適なものを選ぶ。

【箸】 親指と人差し指を直角に広げて、それぞれの先端を結ぶ長さの1.5倍がちょうどよい箸の長さの目安になる。素材は木製か竹製で、角型のものが滑りにくい。

【箸の扱い方】 箸を持ち上げるときは、右手で箸の中央を持って取り上げて左手を下から添え、右手を回して下から添えて持ち替える。箸を置くときは、左手を下から添え、右手を回して上から中央を持って置く。左利きの人は、右手と左手が逆になる。

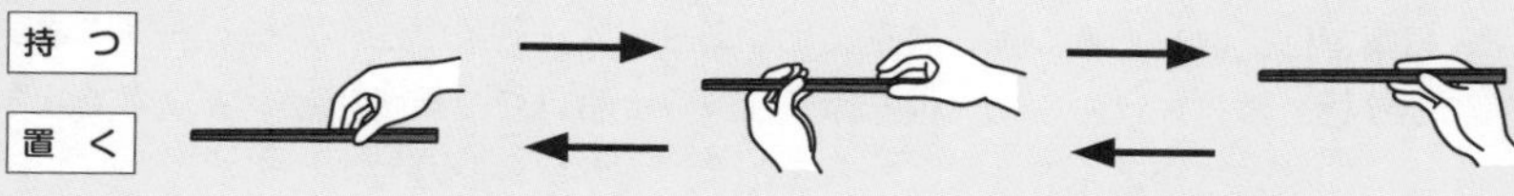

3 西洋料理のマナー

西洋料理の主な**テーブルマナー**は、次のとおりです。

- 椅子の**左側**から入って深く静かに着席する。
- 最初の料理が運ばれる少し前に、**ナプキン**を二つ折りにして膝の上に置く（和服の場合は、胸元から下げてもよいとされている）。
- 食器を使うときには**音**を立てない。
- 係の人を呼ぶときは声を出さず、**目**で合図して呼ぶ。
- フォークやナイフを落としたりテーブルクロスを汚したりしたときには、**係の人**にお願いする。
- 自分の料理が来たら食べ始め、同席者と同じくらいの**速さ**で食べる。
- 迷惑にならない程度の声で**会話**を楽しみながら食べる。

4 中国料理のマナー

中国では、宮廷の文化や道教などの教え、東西文化の融合などから食事の作法も様々ですが、基本的なマナーは次のとおりです。

・**席次**は入口から一番奥が上座で、主客から座る。その後は上座から見て左が次席、右が三席という順番に座る。入口に近い席が下座になり、接待者が座る。
・**乾杯**が行われる場合があるので、お酒が飲めない人は事前に申し出ておく。
・**大皿**からとり、とったものは**残さない**ようにする。おかわりをしたいときは、全員がとり終わった後に残った料理をとるとよい。

お役立ちコラム

和食は魚を上手に食べる知恵の宝庫

日本では、魚を上手に食べる食文化があります。刺身は生の大根と海藻に薬味のワサビ、焼き魚はおろし大根を添え、ブリ大根はブリを大根とショウガで炊きます。殺菌効果や消化促進などを考えた食べ方が受け継がれています。

スピードCheck! 確認テスト

嫌い箸の説明として、最も適当なものを選びなさい。

（1）もぎ箸……箸で器を引き寄せる。
（2）涙　箸……汁椀などをかきまぜて、中身を探る。
（3）刺し箸……箸を爪楊枝の代わりに使う。
（4）握り箸……箸に付いた飯粒を口にくわえてもぎとる。
（5）かき箸……茶碗の縁に口を付けて、箸で口の中にかき込む。

答え　（5）

心地よい時間を過ごすためのマナーですが、文化により違いがあります。日本料理のマナーとともに、各国料理のマナーも知っておきましょう。

9 食にまつわることわざ

1 食にまつわる言葉やことわざ　重要

日常生活の中には、食にまつわる言葉やことわざがたくさんあります。これらは昔の人の知恵や経験から生まれました。代表的なものは次のとおりです。

(1) 野菜・果物にまつわる言葉やことわざ

●青菜に塩

青菜に塩をふると水分が出てしおれる様子。元気がなく、しょげていることのたとえ。

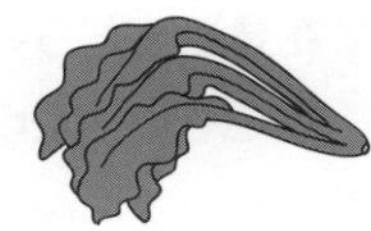

●秋茄子(あきなす)は嫁に食わすな

秋茄子は体を冷やすので食べすぎるのは体によくないという嫁をいたわる意味と、おいしいので嫁に食べさせるのはもったいないという意味がある。

●雨後(うご)の筍(たけのこ)

雨が降った後に、たくさん筍が生え出る様子。増えるのが速く、勢いが盛んであったり似た物事が相次ぎ現れたりすることのたとえ。

●独活(うど)の大木(たいぼく)

独活の茎は弱いことから、大きくても弱くて役立たないもののたとえ。

●鴨(かも)が葱(ねぎ)をしょってくる

鴨肉と葱はともに冬が旬でおいしい料理ができることから、条件が揃い、願ってもない状態であること。

●山椒(さんしょう)は小粒でもピリリと辛い

山椒の実は小さいが非常に辛いことから、体は小さくても元気がよく、才能にすぐれていて侮(あなど)れないこと。

●濡れ手で粟（あわ）

濡れた手を粟の中に入れると粟がたくさん付いてくることから、苦労せずに多くの利益を得ること。

（2）魚介類にまつわる言葉やことわざ

●海老（えび）で鯛（たい）を釣る

海老のような小さな餌（えさ）で、鯛のような立派な魚を釣ること。わずかな労力で大きな利益を上げるたとえ。

●腐っても鯛

有能な人やものは、多少衰えても十分に役に立つという意味。

●鯛も一人はうまからず

豪華な食事でも、一人で食べるのはおいしくないという意味。食事の雰囲気は大事であることのたとえ。

●花見過ぎたら牡蠣（かき）食うな

花見を過ぎた頃の牡蠣は産卵期が始まり、生殖巣が成熟し毒化しやすくなるため食中毒を起こしやすい。身も痩せ、グリコーゲンが少なくておいしくない。

（3）料理にまつわる言葉やことわざ

●塩（あん）　梅（ばい）

塩味と梅干しの酸味のバランスが難しいことから、物事の調子や具合、加減のこと。

●手塩にかける

食膳に塩を備えて好みの味にしたことから、自分で気を配って世話すること。

●豆腐にかすがい・糠（ぬか）に釘（同じ意味）

豆腐にかすがい（釘）を打ってもきかないことから、無駄なことのたとえ。

●煮ても焼いても食えぬ

食用でないものはどのように調理しても食べられないことから、抜け目ない相手であるためにどうしようもないこと。

●餅（もち）は餅屋

物事にはそれぞれ専門家がいるということ。

●花より団子

花を眺めて風情を楽しむより、花見団子を食べるほうがよいということから、風流がわからないことのたとえ。また、名声や名誉よりも実益を選ぶときのたとえ。

お役立ちコラム

春の七草の覚え方

「せりなずな　ごぎょうはこべらほとけのざ　すずなすずしろ　春の七草」。人日（じんじつ）の節句では、季節の変わり目で体が不調になりやすいので、若菜の生命力を七草粥（ななくさがゆ）でいただき、無病息災を願います。春の食べる七草に対して、秋の七草は見て楽しむものです。万葉集にある山上憶良の歌が有名です。

「萩の花　尾花（ススキ）葛花　撫子（なでしこ）の花　女郎花（おみなえし）　また藤袴　朝顔の花（桔梗）」

スピードCheck! 確認テスト

食にまつわる言葉やことわざの意味で、最も適当なものを選びなさい。

（1）青菜に塩……物事の調子や具合、加減のこと。

（2）秋茄子は嫁に食わすな……元気がなく、がっかりした様子のこと。

（3）海老で鯛を釣る……手にするまで、あてにならないこと。

（4）腐っても鯛……有能な人やものは、多少衰えても十分に役に立つこと。

（5）鴨が葱をしょってくる……わずかな労力や品物で多くの利益を得ること。

答え　（4）

本節のまとめ

食にまつわることわざには、生活を豊かにしてくれるヒントや、食にとどまらず人生を生き抜く知恵などが含まれています。言葉と意味を、ともに覚えましょう。

第2章　演習問題

問1　食事のマナーの基本として、最も不適当なものを選びなさい。

（1）周りに不快感を与えない。

（2）恥をかかせない。

（3）自分も相手も楽しく過ごす。

（4）一番にナイフやフォークなどの使い方に気を付ける。

（5）食事中にたばこは吸わない。

問2　ハレとケについて、最も適当なものを選びなさい。

（1）通夜や告別式などがある日を、ハレの日と言う。

（2）ケとは、普段の生活・普段の状況を指す。

（3）ハレとは、普段の生活・普段の状況を指す。

（4）ケとは、改まった特別な状況を指す。

（5）誕生日や結婚式は、ケの日である。

問3　賀寿について、最も適当なものを選びなさい。

（1）還暦……80歳　（2）古稀……61歳　（3）喜寿……77歳

（4）卒寿……99歳　（5）白寿……90歳

問4　西洋料理のマナーとして、最も不適当なものを選びなさい。

（1）右側から着席する。

（2）料理が運ばれる前にナプキンを膝の上に置く。

（3）会話を楽しみながら、雰囲気作りをする。

（4）周りの人と同じくらいの速度で食べる。

（5）係の人を呼ぶときは声を出さない。

問5 **本膳料理の説明として、最も適当なものを選びなさい。**

（1）魚介類や肉類などの動物性の食材を一切使わずに、植物性の食材だけで作る。

（2）銘々盛りの料理と大皿盛りの料理があるが、盛り付ける量は少量である。

（3）濃茶を楽しむために出されるようになった料理である。

（4）一汁三菜という基本献立がある。

（5）宴席で酒を楽しむための料理である。

問6 **調理の主な目的について、最も不適当なものを選びなさい。**

（1）有害な物や食に適さないものを排除する。

（2）消化吸収しやすいように、食べやすくする。

（3）食欲を増すように、塩味をしっかり付ける。

（4）保存性を高める。

（5）外観を美しくする。

問7 **日本料理のマナーとして、最も適当なものを選びなさい。**

（1）飯椀を右、汁椀を左の配置にする。

（2）持ち上げるものは奥に、置いたままのものは手前に置く。

（3）ご飯は汁とおかず、おかずとおかずの間に食べる。

（4）箸使いはあまり気にしない。

（5）現在の日本の食事の形式は、一汁二菜である。

問8 **祝いの料理として、最も適当なものを選びなさい。**

（1）誕生……赤飯

（2）お七夜……紅白餅

（3）初宮参り……一升餅

（4）お食い初め……尾頭付きの魚

（5）初誕生日……鯛

問 9 **スローフード運動の活動について、最も適当なものを選びなさい。**

（1）地産地消を守ること。　　（2）どこで食べても同じ味を守ること。

（3）安くて効率をよくすること。

（4）希少で消えようとしている食品を保護すること。

（5）注文した品が、とにかく出てくるのが早いこと。

問 10 **五節句について、最も不適当なものを選びなさい。**

（1）1月1日……人日の節句　　（2）3月3日……上巳の節句

（3）5月5日……端午の節句　　（4）7月7日……七夕の節句

（5）9月9日……重陽の節句

問 11 **中国料理のマナーとして、最も不適当なものを選びなさい。**

（1）席次は自由である。

（2）料理が運ばれてくるたびに乾杯をする場合がある。

（3）大皿からとり、とったものは残さない。

（4）おかわりは、全員がとり終わってから残った料理をとる。

（5）入口に一番近い席が下座になり、接待者が座る。

問 12 **食にまつわる言葉やことわざの意味として、最も不適当なものを選びなさい。**

（1）鴨が葱をしょってくる……鴨肉と葱はともに冬が旬でおいしい料理ができることから、条件が揃い、願ってもない状態であること。

（2）独活の大木……独活の茎は弱くて役に立たないことから、大きくても役立たないもののたとえ。

（3）鯛も一人はうまからず……有能な人やものは、多少衰えても十分に役に立つという意味。

（4）豆腐にかすがい……柔らかい豆腐にかすがいを打ってもきかないことから、意見をしても無駄なことのたとえ。

（5）花より団子……花を眺めて風情を楽しむより、花見団子を食べるほうがよいということから、風流がわからないことのたとえ。

問13 **食材とその数え方の組み合わせで、最も適当なものを選びなさい。**

（1）米……杯　（2）タコ……匹　（3）ブドウ……把

（4）豆腐…丁　（5）薄切り肉……尾

問14 **地産地消に関する記述で、最も不適当なものを選びなさい。**

（1）安全なものが手に入る。

（2）消費者として安心感が得られる。

（3）輸送にかかるエネルギーやコストが節約できる。

（4）地域経済が活性化する。

（5）伝統的食文化が継承される。

問15 **嫌い箸の説明として、最も不適当なものを選びなさい。**

（1）逆さ箸………自分の箸を逆さにして使うこと。

（2）せせり箸……箸でかき混ぜて、料理の中身を探ること。

（3）ちぎり箸……箸を１本ずつ両手に持って、料理をちぎること。

（4）二人箸……二人で一つのものを、箸と箸で受け渡すこと。

（5）横箸………箸を２本合わせて、スプーンのように使うこと。

問16 **前処理用の調理器具として、最も不適当なものを選びなさい。**

（1）包丁　（2）フードプロセッサー

（3）レードル　（4）こし器

（5）すり鉢

問17 **中国料理の特徴として、最も不適当なものを選びなさい。**

（1）味を楽しむ料理である。

（2）調理法よりも調味中心で味付けをする。

（3）主材料は肉類と乳製品である。

（4）料理を１つの皿に盛り、とり分けて食べる。

（5）料理の種類が多い。

解答・解説

問	解答	解説	参照
問1	(4)	基本のマナーに（4）は含まれない。	P.105
問2	(2)	「ケ」は普段の生活だが、「ケガレ」ととらえ、通夜や告別式などを含める場合もある。	P.76
問3	(3)	（1）61歳、（2）70歳、（4）90歳、（5）99歳。	P.79
問4	(1)	左側から着席する。	P.107
問5	(4)	（1）精進料理、（2）懐石料理、（3）懐石料理、（5）会席料理。	P.92
問6	(3)	食欲を増し、風味をよくし、うま味をつける。	P.95
問7	(3)	（1）飯椀と汁椀が逆。（2）持ち上げるものが手前。（4）「嫌い箸」と言われるものがある。（5）一汁三菜。	P.105～107
問8	(4)	（1）産飯、（2）赤飯、鯛、（3）赤飯、紅白餅、鰹節、（5）赤飯、一升餅、など。	P.80
問9	(4)	（4）のほか、一定基準を満たす小規模生産者を支援すること、消費者に食教育を進めていくこと、などがある。	P.84
問10	(1)	人日の節句は1月7日。	P.78
問11	(1)	入口から一番奥の上座が主客。上座の左が次席、右が三席というように席を決める。	P.107～108
問12	(3)	豪華な食事でも、一人で食べるのはおいしくないという意味。食事の雰囲気は大事であることのたとえ。	P.109～111
問13	(4)	（1）は「合、升」、（2）は「杯」、（3）は「房」、（5）は「枚」。	P.88
問14	(1)	新鮮なものが手に入る。	P.82～84
問15	(2)	（2）は「探り箸」。	P.106
問16	(3)	「レードル」は、盛り付け用の調理器具。	P.98
問17	(3)	（3）は西洋料理の特徴。中国料理は様々な材料を使う。	P.93～94

第3章
食品学

演習問題

食品の種類

重要キーワード
・生鮮食品　・生鮮３品　・加工食品　・日本食品標準成分表
・加工　・生物的加工　・化学的加工　・物理的加工

1 食品の種類と役割

食品には様々な働きがあり、体における働きもそれぞれ異なります。

（1）食品の種類

■生鮮食品の種類

生鮮食品とは、青果（野菜・果物）、鮮魚、精肉など、新鮮であることが要求される食品のことを言います。生鮮食品は**農産物**、**水産物**、**畜産物**の３つに分けられます。

農産物、水産物、畜産物の３つを**生鮮３品**と言います。

農産物	穀類、いも類、豆類、野菜類、果実類、きのこ類
水産物	魚類、貝類、イカ・タコ・エビ・カニ・ウニなどの水産動物、クジラ・イルカなどの水産哺乳（ほにゅう）動物、昆布・ワカメ・海苔（のり）などの海藻類
畜産物	食肉類、食用鶏卵（殻付き）

■加工食品の種類

加工食品とは、生鮮食品を**製造**、**加工**した飲食料品のことです。

農産物の加工品	穀類加工品（餅・麹など）、麺・パン類、麦類（押し麦・麦茶など）、粉類（小麦粉・米粉など）、でんぷん（片栗粉・くず粉など）、豆類調製品（豆腐・きなこなど）、野菜加工品（干し大根・漬物など）、果実加工品（ジャム・コンポートなど）、菓子類、茶・コーヒー・ココアなどの調製品、香辛料、砂糖類など
水産物の加工品	加工魚介類（干物・かまぼこなど）、加工海藻類（カットワカメ・寒天）など
畜産物の加工品	食肉製品（ハム・ソーセージなど）、酪農製品（牛乳・チーズなど）、加工卵製品（液卵・温泉卵）など
その他の加工品	調味料・スープ、食用油脂、調理食品、飲料など

（2）食品の働きと分類法

■食品の働き

食品の持つ栄養素は食物として体内に取り込まれ、次のような働きをします。

働き		食品の種類
体にエネルギーを供給する	心臓を動かす、呼吸をする、体温を保つなど生活活動に必要なエネルギーを供給する。	穀類、いも類、豆類、食肉類、食用鶏卵、魚類、貝類、水産動物、水産哺乳動物
体の組織を作る	骨、筋肉、血液、毛髪、爪、内臓などを作る成分となる。	食肉類、食用鶏卵、魚類、貝類、水産動物、水産哺乳動物、穀類、豆類、野菜類
体の機能を調整する	体の各機能を正常に保ち、調整する。	野菜類、果実類、きのこ類、穀類、いも類、豆類、食肉類、食用鶏卵、魚類、貝類、水産動物、水産哺乳動物

■食品の分類法

食品は種類が多いので、様々な目的に応じて分類されます。食品の分類法には、主に次のようなものがあります。

生産形態による分類	生鮮３品と加工食品
動物性・植物性による分類	獣鳥肉類・魚介類・魚卵類・乳製品などの動物性食品、穀類・豆類・野菜類・果実類・海藻類などの植物性食品
用途による分類	主食・副食（主菜・副菜）、調味料、インスタント食品・冷凍食品・レトルト食品などの保存食品、嗜好(しこう)品、栄養補助食品
カテゴリー別による分類	生鮮食品、加工食品、日配品、菓子、デザート
栄養成分による分類	**日本食品標準成分表**による**18食品群**

文部科学省による日本食品標準成分表の18食品群

1 穀類	2 いも及びでん粉類	3 砂糖及び甘味類	4 豆類	5 種実類
6 野菜類	7 果実類	8 きのこ類	9 藻類	10 魚介類
11 肉類	12 卵類	13 乳類	14 油脂類	15 菓子類
16 し好飲料類	17 調味料及び香辛料類	18 調理加工食品類		

2 食品加工の目的と種類

重要

（1）食品加工の目的

加工とは食品を一定の規格品にし、保存や輸送、仕分けに耐えられるように、その品質の劣化を抑える処理を指します。食用としてすぐに提供するための処理である**調理**とは異なります。食品の加工には、次のような目的があります。

保存性を高める	長期保存によって、遠方への輸送や安定供給が可能になる。
食べやすくする	細かくする、軟らかくするなどによって食べやすくなる。
嗜好性(しこう)を高める	おいしく感じさせることによって、付加価値を高める。
安全を確保する	食べられない部分を除去して、安全に食べられるようにする。
栄養価を高める	消化吸収率や栄養価を高める。

※価格下落防止の側面もある。

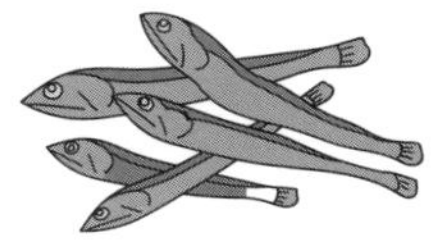

（2）加工食品扱いとなる生鮮食品

生鮮食品は**食品表示法**の規定により、パッケージ前の処理やパッケージ方法によって「生鮮食品扱い」となったり「加工食品扱い」となったりします。

「生鮮食品扱い」になるものと「加工食品扱い」になるもの

種　類	生鮮食品	加工食品
農産物	**単品**（大根、ニンジン、キャベツ、メロン、スイカ、シイタケなど） **単品の農産物を切断したもの** （キャベツの千切りパック、カットパイナップルのパックなど） **同種混合したもの** （キャベツと紫キャベツの千切りパックなど）	**異種混合したもの** （キャベツとニンジンの千切りパック、カットメロンとスイカのパックなど） **乾燥したもの**（切り干し大根など） **塩蔵したもの**（塩蔵ワラビなど） **ゆでたもの**（ゆでタケノコなど） **蒸したもの**（ふかしイモなど）
水産物	**単品**（イワシ、カツオ、アジ、エビ、牡蠣（かき）、アサリ、海苔（のり）など） **単品の水産物を切断したもの** （キハダマグロの赤身など） **同種混合したもの** （キハダマグロの赤身とメバチマグロのトロの2品盛り刺身パックなど） **内臓を除いて冷凍したもの**	**異種混合したもの** （マグロとハマチの刺身盛り合わせなど） **乾燥（素干（すぼし）、塩干（しおぼし）、煮干（にぼし））したもの** （シラス、アジの開きなど） **塩蔵したもの**（塩蔵ワカメ、塩サバなど） **味付け処理したもの**（サワラの西京漬けなど） **表面をあぶったもの**（カツオのたたきなど） **焼いたもの**（ウナギのかば焼きなど） **ゆでたもの**（ゆでカニなど） **蒸したもの**（蒸しタコなど） **衣を付けたもの**（アジフライ用など）
畜産物	**単品**（牛肉、豚肉、鶏肉、鶏卵など） **単品の食肉を切断したもの** （牛ロース薄切りなど） **同種混合したもの** （豚ロース薄切りと豚モモのパックなど）	**異種混合したもの**（牛と豚の合挽き肉など） **味付け処理したもの** （牛カルビ味付け焼肉用など） **表面をあぶったもの**（牛肉たたきなど） **加熱したもの**（卵焼きなど） **衣を付けたもの**（トンカツ用など）

たたきには2種類あり、アジやイワシなどのたたきは火を使わず、包丁で身を細かくするもので、生鮮食品にあたります。カツオや牛肉などのたたきは食材の表面を火であぶったもので、加工食品です。

（3）食品加工の種類

食品加工は、次の３種類に分けられます。

生物的加工	微生物や酵素による加工。
化学的加工	原料の化学変化による加工。
物理的加工	粉砕、洗浄、攪拌（かくはん）、混合、分離、乾燥、成型などによる加工。

例：

大豆
- 生物的加工……納豆、味噌（みそ）、醤油（しょうゆ）
- 化学的加工……豆腐、湯葉
- 物理的加工……煎り豆、大豆水煮、きなこ、豆乳、おから

スピードCheck! 確認テスト

生鮮食品について、最も適当なものを選びなさい。

（１）生鮮食品とは生野菜、果物、鮮魚、生肉類、一部加工したものも言う。
（２）大きく分けると水産物、畜産物を言う。
（３）大きく農産物、水産物、畜産物に分けられる。
（４）水産物は魚類、貝類、水産動物、水産哺乳動物を言い、海藻類は含まれない。
（５）農産物は野菜類、果実類、いも類、きのこ類のみである。

答え　（３）

P.118

食品は目的に応じて分類され、様々な目的により加工が行われています。
- 生鮮食品と加工食品の種類を覚えておきましょう。
- 食品加工の目的を理解し、その種類を覚えておきましょう。

食品表示

重要キーワード

- 名称　・原産地　・複合原材料　・食品添加物
- 内容量　・保存方法　・消費期限　・賞味期限

1 食品表示の種類　重要

食品には様々な表示がなされており、細かく規定されています。

（1）生鮮食品の表示

生鮮食品については、次の２つの項目を表示します。

■名　称

食品の内容を表す一般的な**名称**を表示します。畜産物については、食肉の種類（牛、豚、鶏など）を表示します。

業界の自主的なルールで、部位や用途なども表示しています。

畜産物では、一番長く飼養された場所が**原産地**になります。外国生まれの家畜でも、日本で飼養された期間のほうが長い場合は、「国産」になります。

■原産地

国産品と輸入品ごとに、次ページの表のように決められています。

１つの食品について複数の原産地のものを混合する場合は、重量の割合順にすべての原産地を表示します。なお、外国語やアルファベットによる略称や通称（USA、オージービーフなど）は原産地表示として認められません。

その他、容器に入れたり包装したりする商品は、**内容量**や**販売業者の氏名**または**名称**および**住所**を表示する必要があります。水産物には名称と原産地以外に養殖されたものには「**養殖**」、解凍されたものには「**解凍**」と表示します。

種　類	国産品	輸入品
農産物	「**都道府県名**または**市町村名**」を表示（一般に知られている地名も可）	「**原産国名**」を表示（一般に知られている地名も可）
水産物	「**水域名**または**地域名**」を表示（水域名の記載が難しい場合は、水揚げした**港名**または水揚げした港が属する**都道府県名**。併記も可）	「**原産国名**」を表示（水域名の併記も可）
畜産物	「**国産**」（または「**国内産**」）と表示（主たる飼養地が属する都道府県名、市町村名、その他一般に知られている地名でも可）	「**原産国名**」を表示

（2）加工食品の表示

加工食品については、次の８つの項目を表示します。

■名　称

食品の内容を表す一般的な名称を表示します。そのほかに、種類別や種類別名称などを表示することもあります。

「かまぼこ」「さつま揚げ」など、商品名ではなく「魚肉練り製品」と表示します。

■原材料名・食品添加物

食品添加物以外の原材料は、**重量の多いもの**から順に表示します。2種類以上の原材料からできている「**複合原材料**」についても、含まれている原材料を**重量の多いもの**から順に表示します。ただし、複合原材料に占める重量の割合が**5％未満**である場合や、複合原材料の名称からその原材料が**明らか**である場合には、表示を**省略する**ことができます。

食品添加物については、**重量の多いもの**から順に、使用したものを**すべて**表示します。加工助剤やキャリーオーバー（163ページ参照）、栄養強化などの目的で使用されたものは表示をしなくてもよいことになっています。

■内容量

内容**重量**（g、kg）、内容**体積**（ℓ、mℓ）、内容**数量**（１個、１食、１人前といった個数などの単位）などで表示します。

■期限表示

消費期限または**賞味期限**を表示します。

■保存方法

製品の特性に従って、「直射日光を避け、常温で保存」「10℃以下で保存」「要冷蔵」などを表示します。

■製造者等の氏名または名称および住所

製造者や加工者、販売者の**氏名または名称**および**所在地**を表示します。輸入品の場合、「輸入者」を表示することもあります。

加工食品の表示の例

名　称	ゆでうどん
原材料名	小麦粉、食塩／加工澱粉、酸味料
内容量	540 g（180 g × 3）
賞味期限	反対面の左下に記載
保存方法	冷蔵庫（10℃以下）で保存してください。
使用上の注意	賞味期限内にお召しあがりください。
販売者	●●●株式会社 〒150-0000 東京都渋谷区●●1-2-3 製造所固有記号は賞味期限の下に記載

次のものは、食品表示が省略できます。

表示事項	省略できるもの
原材料名、原料原産地名	容器または包装の面積が**30**cm²以下であるもの。
原材料名	原材料が**1**種類のみであるもの（缶詰および食肉製品を除く）。
内容量	**内容量**を外見から容易に識別できるもの。
期限表示	農林水産省の「加工食品品質表示基準」に記載されている品質の変化がきわめて**少ないもの**（でんぷん、チューインガム、冷菓、砂糖、アイスクリーム類、食塩、うま味調味料、飲料水および清涼飲料水、氷）。
保存方法	常温で保存すること以外に、その保存方法で留意すべき特段の事項がないもの。

■栄養成分表示

エネルギー（熱量）、たんぱく質、脂質、炭水化物、食塩相当量の順に表示します。

■原料原産地表示

次表の22食品群で、原材料に占める単一の農畜水産物の重量の割合が**50%以上であるもの**には、原料原産地表示が義務付けられています。さらに、輸入品以外のすべての加工食品の原材料のうち、重量の割合が**最も高いもの**にも原料原産地表示が義務付けられています。

原料原産地表示の例

区分	内容
農産物	乾燥キノコ類、乾燥野菜、乾燥果実 **例**：干しシイタケ、切干大根、干し柿、レーズンなど
	塩蔵したキノコ類、塩蔵野菜、塩蔵果実 **例**：塩蔵ゼンマイ、塩蔵ワラビなど
	ゆでたキノコ類、蒸したキノコ類、ゆでた野菜、蒸した野菜、ゆでた豆類、蒸した豆類、あん **例**：タケノコの水煮、大豆の水煮、ふかしイモなど
	異種混合したカット野菜、異種混合したカット果実、野菜・果実・キノコ類を異種混合したもの **例**：カット野菜ミックス、カットフルーツの盛り合わせ
	緑茶および緑茶飲料
	餅(もち)
	煎(い)りさや落花生、煎り落花生、揚(あ)げ落花生、煎り豆類
	黒糖および黒糖加工品
	コンニャク
畜産物	調味した食肉 **例**：味噌(みそ)漬けの豚肉、味付きカルビなど
	ゆでた食肉、蒸した食肉、ゆでた食用鳥卵、蒸した食用鳥卵 **例**：蒸し鶏、ゆで卵、温泉卵など
	表面をあぶった食肉 **例**：牛肉のたたき、ローストビーフなど
	フライ種(だね)として衣を付けた食肉 **例**：豚カツ用の衣付きの豚肉など
	合挽き肉、その他異種混合した食肉 **例**：牛と豚の合挽き肉、牛肉と豚肉の焼肉用セットなど

水産物	素干魚介類、塩干魚介類、煮干魚介類、昆布、干し海苔、焼き海苔、その他干した海藻類 **例**：アジの開き、シラス干し、ヒジキなど
	塩蔵魚介類および塩蔵海藻類　**例**：塩ザケ、イクラ、塩蔵ワカメなど
	調味した魚介類および海藻類　**例**：しめさば、もずく酢など
	昆布巻　**例**：ニシンの昆布巻など
	ゆでた魚介類、蒸した魚介類、ゆでた海藻類、蒸した海藻類 **例**：ゆでダコ、蒸しダコ、釜揚げ桜エビなど
	表面をあぶった魚介類　**例**：カツオのたたきなど
	フライ種として衣を付けた魚介類　**例**：フライ用の衣付きの牡蠣など
その他	異種混合したカット野菜、異種混合したカット果実、野菜・果実・キノコ類を異種混合したもの、合挽き肉やその他異種混合した食肉のほか、生鮮食品を異種混合したもの **例**：鍋物用の食材盛り合わせなど

■外食や直接販売など

原料原産地については、消費者の関心が高く、商品選択の際に参考にすることが多いので、**すべての加工食品を対象**に原料原産地表示が義務付けられたという経緯があります。ただし、レストランなどでの**外食**や、お店で調理された**惣菜などをその場で直接販売**するなどのケースでは、原材料の産地を直接お店の人に確認できるため、**表示の対象外**となっています。

2 消費期限と賞味期限　重要

加工食品には「日持ちする食品」と「日持ちしない食品」があり、それぞれに異なる期限表示が付けられています。

（1）消費期限

腐ったり変わったりせず、食中毒などが発生する可能性がないとされる期限を**消費期限**と言います。保存方法に従って保存し、容器包装が未開封の場合でも製造・加工されてから品質が**急激に劣化しやすい**食品に記載されます。製造・加工されてからおおむね**5**日以内のものが対象となり、**年月日**で表示されます。

年月日と年月の表示の違い

品質を保つことのできる期間が、製造・加工されてから３か月以内のものは年月日、３か月～数年にわたるものは年月で表示します。

（2）賞味期限

その食品が持つ品質特性を十分に保持できるとされる（おいしく食べられる）期限を**賞味期限**と言います。保存方法に従って保存し、容器包装が未開封の場合に品質が**急激に劣化しない**食品に記載されます。

製造・加工されてからおおむね**6**日以上のものが対象となり、**年月日**または**年月**で表示されます。

消費期限と賞味期限

期限表示	消費期限	賞味期限	
期　間	５日以内	６日～３か月	３か月～数年
表示方法	年月日	年月日	年　月
食品例	精肉、刺身、弁当、ケーキ、調理パンなど	ハム・ソーセージ、乳製品、ジュース、スナック菓子など	缶詰、インスタント食品、レトルト食品、冷凍食品など

（3）製造年月日・加工年月日の表示

任意で、製造年月日や加工年月日を表示している場合もあります。コンビニエンスストアの弁当などでは、製造日と製造時間が表示されている場合がありますが、調理した日時ではなく商品としてパッケージした日時である可能性もあります。

（4）期限の設定者

消費期限も賞味期限も、それを定めている公的な機関や基準はありません。科学的な根拠に基づき安全性も考えたうえで、製造者の責任で設定しています。

スピードCheck! 確認テスト

消費期限と賞味期限について、最も適当なものを選びなさい。

（1）品質が急激に劣化しやすい食品に記載されるものを賞味期限と言う。
（2）品質が急激に劣化しない食品に記載されるものを消費期限と言う。
（3）品質が急激に劣化しやすい食品に記載されるものを消費期限と言う。
（4）製造または加工されてから約5日以内のものが賞味期限の対象である。
（5）製造または加工されてから約6日以上のものが消費期限の対象である。

答え （3） 
P.128

本節のまとめ

・生鮮食品、加工食品、それぞれの表示の意味を知っておきましょう。
・消費期限と賞味期限の違いを覚えておきましょう。

3 成分表示

重要キーワード
・主要５項目　・強調表示　・食物アレルギー　・アレルゲン
・アナフィラキシーショック　・特定原材料　・特定原材料に準ずるもの

1 栄養成分表示　重要

加工食品の栄養成分表示が、2015（平成27）年４月より義務化されました。栄養成分表示は、消費者が食品を選択するうえで適切な情報を提供する目的があります。

栄養成分表示は、**食品表示法**によって表示のルールが定められています。

（1）表示内容

栄養成分表示は、**エネルギー**（**熱量**）、**たんぱく質**、**脂質**、**炭水化物**（**糖質**と**食物繊維**に分けての表示も可）、**食塩相当量**（**ナトリウム**との併記もあり）の主要５項目について、この順番で表示しなければなりません。100g、100 mℓ、１食分、１箱、１袋、１枚など、１食品単位当たりの栄養成分の**含有量**（がんゆう）について表示します。食品単位を「１食分」と表示する場合は、その量（g、mℓ、個数など）を併せて表示します。

栄養成分表示の例

【栄養成分表示】１袋（24 g）当たり

エネルギー	74kcal
たんぱく質	11.8 g
脂　　質	0.9 g
炭水化物	4.7 g
食塩相当量	2.4 g

また、主要５項目以外の栄養成分については**食塩相当量**の後に表示しますが、その順番は特に決められていません。

栄養成分の含有量は、製造者の責任において表示することになっています。

（2）強調表示

加工食品の栄養成分や熱量について、「補給ができる」「適切な摂取ができる」などの表示をすることを**強調表示**と言います。誇張表現にならないように、各栄養成分について基準値が設けられています。

強調表示の分類

補給ができる 栄養摂取状況からみて、欠乏しているもの	・**高い**：「高」「多」「豊富」「たっぷり」など ・**含む**：「供給」「含有」「入り」「源」「使用」「添加」など ・**強化された**：「強化」など
適切な摂取ができる 栄養摂取状況からみて、過剰摂取のもの	・**含まない**：「無」「ゼロ」「ノン」「レス」「フリー」など ・**低い**：「低」「控えめ」「ライト」「オフ」「少」など ・**低減された**：「～より低減」「○○％カット」「○○ハーフ」など

2 アレルギー表示

食品に含まれる物質が原因で引き起こされる症状を**食物アレルギー**、アレルギーを起こす原因となる物質を**アレルゲン**と言います。皮膚のかゆみ、じんましん、湿疹（しっしん）、腹痛、下痢などの症状から、アトピー性皮膚炎、血圧の低下、呼吸困難などの重篤（じゅうとく）なものまで様々な症状があります。また、死に至る可能性のあるショック症状（**アナフィラキシーショック**）になることもあります。

（1）食物アレルギーの原因となる食品

アレルゲンとなる食品は様々ですが、**小麦**、**鶏卵**、**牛乳**の３つが**三大アレルゲン**と呼ばれています。この３つに加えて、症例数の多い**エビ**と**カニ**、**クルミ**、症状が重篤になる**そば**と**落花生**の計８品目を「**特定原材料**」と言います。その他、特定原材料に準ずるものとして**20**品目が定められています。

食物アレルギーは、消化管が未発達で粘膜の抵抗力の弱い、子どもに起こりやすいと言われているのよ。

(2) 食品へのアレルギー表示

特定のアレルギー体質の消費者がその症状を発症させないようにする観点から、**特定原材料８品目**を使用した場合は、容器包装された加工食品にその特定原材料を使用したという表示が義務付けられています。

特定原材料に準ずるもの20品目は表示の義務はありませんが、表示が奨励されています。

原材料	表示方法	症例・症状	食　品
特定原材料 ８品目	義務表示	症例数が多い	鶏卵、牛乳、小麦、エビ、カニ、クルミ
		症状が重篤(じゅうとく)になる	そば、落花生
特定原材料に準ずるもの 20品目	可能な限り表示	症例が少ないか、症状が軽いと思われる	アワビ、イカ、イクラ、オレンジ、キウイフルーツ、牛肉、鮭、サバ、大豆、鶏肉、バナナ、豚肉、桃、山芋、リンゴ、ゼラチン、カシューナッツ、ゴマ、アーモンド、マカダミアナッツ

表示方法は、使った一つひとつの原材料の後に「(○○・△△を含む)」と、アレルギーの原因となる食品を表示する**個別表示**が原則です。例外として、使ったすべての原材料の後に、「(一部に○○・△△を含む)」と、アレルギーの原因となる食品をまとめて表示する**一括表示**が可能な場合もあります。一度記載した食品が別の原材料にも含まれている場合は、２度目以降の記載が省略されることもあります。

店内で焼いたパンや量り売りの惣菜など対面販売をしているものなどは、原材料そのものの**表示がない**場合もあります。この場合、アレルギーの原因となる食品も表示されないので、原材料を知りたいときは、その場で店の人に確認しましょう。また、28品目の食品が使われていても、「卵」の代わりに「エッグ」、「落花生」の代わりに「ピーナッツ」、「牛肉」の代わりに「ビーフ」などと表示してあることもあります。

食品によっては、アレルギーの原因食品を原材料として使う製品と使わない製品を同じ製造ラインで作ることがあります。そのような場合、「本品製造工場では、○○を含む製品を製造しています」という表示をします。その食品に、アレルギーの原因食品（○○）が混ざる可能性があることを示しています。

お役立ちコラム

強調表示に注意

「ノンカロリー」「シュガーレス」「糖質ゼロ」などの表示は、全く含まれないという意味に見えますが、食品表示法での規定でカロリーなら5kcal未満であれば、「ノンカロリー」とうたうことができます。「ノンカロリー」＝0kcalではないことを知っておきましょう。

スピードCheck! 確認テスト

アレルギー表示が義務付けられているものについて、最も不適当なものを選びなさい。

（1）鶏卵　（2）小麦　（3）そば
（4）大豆・大豆製品　（5）落花生

答え　（4）

P.132

本節のまとめ

加工食品に含まれている成分やアレルギー食品が表示されるようになりました。

・栄養成分表示の主要５項目と、その表示ルールを押さえておきましょう。
・アレルギー表示の特定原材料８品目を覚えておきましょう。

食品マークと表示

重要キーワード
・一般JASマーク　・JAS規格　・有機JASマーク　・有機JAS規格
・特別用途食品マーク　・特定保健用食品マーク　・公正マーク
・Eマーク　・特別栽培農産物　・遺伝子組換え表示

1 食品マークの種類　重要

食品には、その内容がわかるように様々な食品マークが付けられています。主な食品マークには、次のようなものがあります。

（1）JAS規格制度によるJASマーク

■一般JASマーク

品位、成分、性能などの品質について**日本農林規格（JAS規格）**を満たす食品や林産物などに付けられます。

■有機JASマーク

有機JAS規格を満たす農産物や畜産物、加工食品、飼料に付けられます。有機JASマークが付けられていない農産物と農産物加工食品には、「有機○○」などと表示することはできません。

■特色JASマーク

生産情報公表JASマーク、特定JASマーク、定温管理流通JASマークが「特色JASマーク」に統一されました（令和4年3月31日までに順次移行）。

生産情報公表JASマーク	事業者が自主的に食品の生産者や生産地、農薬や肥料の使用状況などの**生産情報**を消費者に正確に伝えていることを、第三者機関（登録認定機関）が認定しているものに付けられます。	例：牛肉、豚肉、農産物など
特定JASマーク	特別な基準による方法や原材料で作られた食品、同種の標準的な製品に比べて**品質**などに特色のある食品に付けられます。	例：熟成ハム類、熟成ソーセージ類、熟成ベーコン類、りんごストレートピュアジュースなど
定温管理流通JASマーク	製造から販売までの流通行程を、一貫して一定の温度を保って流通させるという**流通方法**に特色がある加工食品に付けられます。	例：米飯を用いた弁当類（寿司、チャーハンなどを含む）など

（2）その他の食品マーク

■特別用途食品マーク

特別の用途に適すると**消費者庁**が認可した食品に付けられます。

例：高血圧症患者用にナトリウムを減らしたり、腎臓疾患患者用にたんぱく質を減らしたりした食品、乳児用調製粉乳、妊産婦・授乳婦用粉乳、高齢者用食品（低カロリー甘味料や減塩醤油、粉ミルク）など

■特定保健用食品マーク（通称「トクホ」）

「体脂肪が付きにくい」「おなかの調子を整える」「虫歯の原因になりにくい」など、体の生理的機能などに影響を与える**保健機能**成分を含む食品のうち、その表示を**消費者庁**が許可した食品に付けられます。

■公正マーク

同じ種類の事業者で構成する公正取引協議会が作っている表示に関する**公正競争規約**に従い、適正な表示をしていると認められる食品に付けられます。

飲用乳の公正マーク

例：飲用乳、はちみつ、海苔、ハム・ソーセージ、コーヒー、チーズなど

■Eマーク

地域の特色がある原材料や技術で作られ、品質の優れている**特産品**に付けられます。**各都道府県**が基準を定め、認証しています。

2 リサイクルのためのマークの種類

食料品、飲料品のパッケージには、リサイクルのための**識別マーク**が付けられています。その種類によって、パッケージの**原料**が判別できます。

主なマークには、次のようなものがあります。

識別マークの例

スチール缶

アルミ缶

ペットボトル

ダンボール

紙製容器包装

プラスチック製容器包装

飲料用紙容器

3 有機農産物と有機JASマーク 重要

農産物の栽培方法は、特に基準のない**慣行栽培、有機農産物、特別栽培農産物**に分けられます。有機農産物については**JAS法**で「**有機**」の定義が定められていて、認定には厳しい基準、検査をクリアしなければなりません。

有機JAS規格に適合したものには**有機JASマーク**を付けることができ、商品に「有機農産物」「有機○○」「オーガニック○○」という表示ができます。

化学農薬、化学肥料および化学土壌改良剤を３年以上使用していない農地で栽培された農産物を、有機農産物と言います。

有機農産物やその加工品以外の原材料（食品添加物を含む）が、食塩、水を除く重量の５％以下のものを、有機農産物加工食品と言います。

4 特別栽培農産物

その農産物が生産された地域で慣行的に行われている節減対象農薬および化学肥料の使用状況に比べて、次のように栽培された農産物を**特別栽培農産物**と言います。節減対象農薬と化学肥料の両方の節減が必須です。

節減対象農薬の使用回数が50%以下で化学肥料の窒素成分量が50%以下

節減対象農薬を使用しなかった場合は、「節減対象農薬：栽培期間中不使用」という表示になります。節減対象農薬の使用状況が包装などに表示できない場合は、**インターネット**などでの情報提供も認められており、表示には情報の入手方法を記載すればよいことになっています。

「無農薬」「無化学肥料」「減農薬」「減化学肥料」などの表示は、消費者にとって曖昧（あいまい）でわかりにくいため、表示が**禁止**されています。

農産物の栽培方法に関する表示は、現在「有機農産物」「特別栽培農産物」の2つが認められています。たとえ無農薬で栽培していても、この2つ以外の栽培方法の表示を行うことはできません。

特別栽培農産物の基準

<table>
<tr><td colspan="2" rowspan="2"></td><td colspan="3">節減対象農薬</td></tr>
<tr><td>不使用</td><td>使用回数50%以下</td><td>慣行レベル※</td></tr>
<tr><td rowspan="3">化学肥料</td><td>不使用</td><td colspan="2" rowspan="2">特別栽培農産物</td><td rowspan="3">表示なし</td></tr>
<tr><td>窒素成分量
50%以下</td></tr>
<tr><td>慣行レベル※</td><td colspan="2">表示なし</td></tr>
</table>

※各地域でしきたりとして行われている化学合成農薬や肥料の使用状況（基準）

5 遺伝子組換え表示

重要

日本で遺伝子組換えが認められているのは、現在**9農産物**（大豆、トウモロコシ、ジャガイモ、ナタネ、綿、アルファルファ、テンサイ、パパイヤ、からしな）です。遺伝子組換え食品と遺伝子組換えでない食品とを区別して購入できるように、9農産物とこれらを主な原料とする食品は、**食品表示法**によってその表示方法が定められています（**消費者庁**所管）。なお、「主な原料」とは、原材料に占める重量の割合が**上位3位**以内、かつ全重量の**5**％以上を占めるものを言います。

遺伝子組換え食品の表示方法

<table>
<tr><th colspan="4">食品の分類</th><th>表示方法（「　」内は記載例）</th></tr>
<tr><td colspan="2">従来のものと組成・栄養素・用途などが著しく異なる</td><td colspan="2">A．高オレイン酸大豆、高リシントウモロコシ
B．Aを主な原材料とするもの（脱脂加工大豆は除く）
C．Bを主な原材料とするもの</td><td>「大豆（高オレイン酸遺伝子組換え）」
意図的混合の場合
→「大豆（高オレイン酸遺伝子組換えのものを混合）」
※これらの場合は食用油でも義務表示</td></tr>
<tr><td>従来のものと組成・栄養素・用途などが同等である</td><td>農産物</td><td colspan="2">〈指定農産物〉
大豆（枝豆・大豆モヤシも含む）、トウモロコシ、ジャガイモ、ナタネ、綿、アルファルファ、テンサイ、パパイヤ、からしな</td><td>●分別された遺伝子組換え農産物
→「大豆（遺伝子組換え）」
●分別されていない農産物
→「大豆（遺伝子組換え不分別）」
●分別された非遺伝子組換え農産物
→単に「大豆」（表示不要）または「大豆（遺伝子組換えでない）」</td></tr>
<tr><td rowspan="2">従来のものと組成・栄養素・用途などが同等である</td><td rowspan="2">加工食品</td><td>導入DNAまたはそれによって生じたたんぱく質が残存する</td><td>〈指定加工品〉
豆腐、油揚げ、納豆、味噌、きなこ、コーンスターチ、ポップコーン、トウモロコシ缶詰・瓶詰、ジャガイモでんぷん、パパイヤを主な原料とするものなど</td><td>●分別生産流通管理が行われた遺伝子組換え農産物を原材料とする場合
→「大豆（遺伝子組換え）」
●遺伝子組換え農産物と非遺伝子組換え農産物とが分別されていない農産物を原材料とする場合
→「大豆（遺伝子組換え不分別）」
●分別生産流通管理が行われた非遺伝子組換え農産物を原材料とする場合
→単に「大豆」（表示不要）または「大豆（遺伝子組換えでない）」</td></tr>
<tr><td>たんぱく質が残存しない</td><td>大豆油、ナタネ油、綿実油、醤油、水飴、コーンフレークなど</td><td>→表示不要
※表示する場合は、上欄の表示方法に準じて行う</td></tr>
</table>

お役立ちコラム

「遺伝子組換えでない」という表示

遺伝子組換え農産物と混ざらないように管理されたものは、「遺伝子組換えでない」という表示ができます。しかし、生産・流通・加工の各段階で、遺伝子組換え農産物とそうでない農産物を混ざらないように管理しても、思いがけず混ざってしまう可能性があるため、5%以下の混入であれば「遺伝子組換えでない」農産物と認められます。

スピードCheck! 確認テスト

主なリサイクルの識別マークについて、最も不適当なものを選びなさい。

（1）アルミ……アルミ缶　　（2）1 PET……ペットボトル

（3）紙……紙製容器包装　　（4）紙パック……ダンボール

（5）プラ……プラスチック製容器包装

答え　（4）

P.136

本節のまとめ

JASマークなどの表示は、消費者の安心安全の目安になります。

・各マークと意味を覚えておきましょう。

・遺伝子組換え表示では、表示が必要なもの、不要なものを押さえておきましょう。

第３章　演習問題

問１ **加工食品について、最も不適当なものを選びなさい。**

（１）加工食品は、生鮮食品などを製造または加工した飲食料品のことである。

（２）農産物の加工品は、野菜加工品、果実加工品、でんぷん、豆類調整品、麺・パンも含まれる。

（３）農産物の加工品には、香辛料、砂糖類などは含まれない。

（４）水産加工品は、加工魚介類、加工海藻類、その他の水産加工品である。

（５）畜産物の加工品は、食肉製品、酪農製品、加工卵製品、その他の畜産物加工品である。

問２ **食品の分類とその説明について、最も不適当なものを選びなさい。**

（１）生産形態による分類……生鮮３品と加工食品

（２）動物性・植物性による分類……動物性食品と植物性食品

（３）カテゴリー別による分類………生鮮食品、加工食品、デザートなど

（４）用途による分類……主食、主菜、副菜、保存食品、栄養補助食品など

（５）栄養成分による分類……厚生労働省が示す「日本食品標準成分表」による18食品群

問３ **食品の働きについて、最も不適当なものを選びなさい。**

（１）「体の組織を作る」ものは、骨格、毛髪、爪などを作る成分となる。

（２）「体の組織を作る」ものは、病気に対する抵抗力を調整する。

（３）「体にエネルギーを供給する」ものの中に、生活活動全般に必要なエネルギー供給も含まれる。

（４）「体の機能を調整する」ものは、体の各機能を正常に保つ。

（５）「体にエネルギーを供給する」ものは、心臓を動かしたり呼吸をしたりするエネルギーを供給する。

問4 **次の組み合わせで、最も適当なものを選びなさい。**

（1）大豆水煮……生物的加工　（2）豆乳……化学的加工

（3）醤油………化学的加工　（4）豆腐……物理的加工

（5）おから……物理的加工

問5 **生鮮食品と加工食品について、最も適当なものを選びなさい。**

（1）農産物のキャベツとニンジンのカットサラダは、生鮮食品扱いである。

（2）水産物のサンマ単品の切り身は、加工食品扱いである。

（3）水産物の蒸しタコは生鮮食品扱いである。

（4）畜産物の牛と豚の合挽き肉は、生鮮食品扱いである。

（5）畜産物の牛肉のたたきは、加工食品扱いである。

問6 **強調表示について、最も不適当なものを選びなさい。**

（1）「ライト」「控えめ」「オフ」は、その成分が少ないという強調表示である。

（2）「たっぷり」「高い」「豊富」は、その成分が高く含まれているという強調表示である。

（3）「ノン」「ゼロ」「フリー」は、その成分が全く含まれていないという強調表示である。

（4）「使用」「添加」「供給」は、その成分が含まれているという強調表示である。

（5）「○%カット」「○○ハーフ」は、その成分の含まれている量が他の製品より少ないという強調表示である。

問7 **生鮮食品の表示について、最も適当なものを選びなさい。**

（1）生鮮食品には、名称と原産地と消費期限を表示する。

（2）農産物の原産地は、国産品の場合は地名を表示する。

（3）農産物の輸入品は、産地表示だけでよい。

（4）水産物では、水域名に代えて水揚げした港名または水揚げした港が属する都道府県名で表示することはできない。

（5）畜産物の表示において、原産地とは一番長く飼養された場所を指す。

問8 **食品加工の目的として、最も不適当なものを選びなさい。**

（1）食品の機能性を高める。　（2）食品を食べやすくする。

（3）食品の嗜好性を高める。　（4）食品の安全を確保する。

（5）食品の栄養価を高める。

問9 **加工食品として、最も不適当なものを選びなさい。**

（1）小麦粉　（2）米　（3）ソーセージ

（4）寒天　（5）醤油

問10 **加工食品の表示について、最も不適当なものを選びなさい。**

（1）名称は、一般的な名称、種類別などを表示する。

（2）原材料および食品添加物を、それぞれ重量の多い順に表示する。

（3）期限表示を省略できるものもある。

（4）内容量には、重量（g、kg）・体積（mℓ、ℓ）を表示する（個数や枚数だけの表示はできない）。

（5）製造者氏名および製造所所在地を表示する。

問11 **アレルギー表示が推奨されているものとして、最も適当なものを選びなさい。**

（1）エビ　（2）カニ　（3）イチゴ

（4）カシューナッツ　（5）里芋

問12 **栄養成分表示の内容について、最も適当なものを選びなさい。**

（1）栄養成分表示は、義務付けられていない。

（2）食品単位は、「g」のみで表示する。

（3）栄養成分表示の順番は、決められていない。

（4）栄養成分表示は、食品衛生法によってルールが定められている。

（5）栄養成分表示は、主要５項目である。

問13 **食品によるアレルギーについて、最も適当なものを選びなさい。**

（1）食物アレルギーが起きやすいのは、子どもよりも大人である。

（2）食物アレルギーの症状として重篤なものには、意識障害、呼吸困難などが挙げられる。

（3）三大アレルゲンと呼ばれるものは、小麦、鶏卵、大豆・大豆製品である。

（4）食物アレルギーの原因となる食品のうち、特定原材料は食品容器包装へのアレルギー表示の義務はないが、表示を推奨されている。

（5）その他の食物アレルギーの原因となる食品は、表示の義務、表示の推奨もない。

問14 **特別栽培農産物の基準について、最も適当なものを選びなさい。**

（1）農薬・化学肥料を80%以上減らした農産物のことである。

（2）農薬・化学肥料を75%以上減らした農産物のことである。

（3）農薬・化学肥料を70%以上減らした農産物のことである。

（4）農薬・化学肥料を50%以上減らした農産物のことである。

（5）農薬・化学肥料を30%以上減らした農産物のことである。

問15 **食品マークとその名称の組み合わせとして、最も不適当なものを選びなさい。**

（1）

……一般JASマーク

（2）

……特色JASマーク

（3）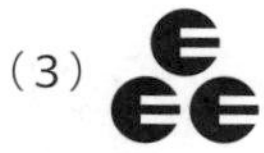
……生産情報公表JASマーク

（4）……特別用途食品マーク

（5）

……特定保健用食品マーク

問16 **遺伝子組換え表示の対象食品の表示義務がある食品として、最も不適当なものを選びなさい。**

（1）豆腐　（2）油揚げ　（3）納豆

（4）大豆油　（5）ポップコーン

解答・解説

問	解答	解説	参照
問1	(3)	香辛料、砂糖類なども含まれる。	P.119
問2	(5)	厚生労働省ではなく「文部科学省」である。	P.120
問3	(2)	病気に対する抵抗力を調整するのは、「体の機能を調整する」ものである。	P.119
問4	(5)	(1)(2) 物理的加工、(3) 生物的加工、(4) 化学的加工。	P.122
問5	(5)	(1)(3)(4) は加工食品、(2) は生鮮食品。	P.121
問6	(3)	誇張表現にならないように基準値が設けられているが、「ノン」「ゼロ」のような表示でも、全く含まれていないとは言えない。	P.131
問7	(5)	(1) 名称と原産地のみを表示、(2) 都道府県名または市町村名を表示、(3) 名称と原産地を表示、(4) 港名や都道府県名表示でも可、となる。	P.123～124
問8	(1)	機能性ではなく「保存性」を高める。	P.120
問9	(2)	米は生鮮食品。	P.119
問10	(4)	個数や枚数の表示もできる。	P.124～125
問11	(4)	表示が推奨されているのは、アワビ、イカ、イクラ、オレンジ、キウイフルーツ、牛肉など21品目。	P.132～133
問12	(5)	(2)「g」のほか、「mℓ」「食」「箱」「枚」などでもよい。(4) 食品表示法。	P.130
問13	(2)	(1) 大人より子どもに起きやすい。	P.131～133
問14	(4)	その地域での慣行栽培より節減対象農薬・化学肥料を50％以上減らした場合、特別栽培農産物と言う。	P.137
問15	(3)	Eマークである。	P.134～135
問16	(4)	大豆油は表示不要。	P.138

第4章

衛生管理

演習問題

食中毒の種類と特徴

重要キーワード

・食中毒　・病原菌　・細菌性食中毒　・自然毒
・感染型　・食品内毒素型　・生体内毒素型　・ノロウイルス

1 食中毒とは

食中毒の原因となる病原菌（**細菌・ウイルス**）や、化学物質などの付着した飲食物やその包装容器などで引き起こされる急性の健康障害を**食中毒**と言います。

（1）病原菌の増殖条件

病原菌が増殖する条件は、「**温度**」「**湿度**」「**栄養素**」の3つです。

温　度	病原菌によって適温は異なるが、多くが30～40℃程度。
湿　度	水分を多く含む食品ほど増殖しやすい。
栄養素	たんぱく質（アミノ酸）や糖類、ビタミンなど。

（2）発生時期

高温多湿の**6～10月**は病原菌の増殖条件が揃うために、食中毒の発生件数が急増します。主な食中毒の発生時期は、次のようになっています。

細　菌	6～10月	毒きのこ	9～10月
ウイルス	11～3月	フグ毒、生牡蠣（なまがき）	11～2月

2 食中毒の種類

重要

食中毒には様々な原因があり、次のように分類されます。

種　類	原　因
細菌性食中毒	サルモネラ菌、腸炎ビブリオ、カンピロバクター、黄色(おうしょく)ブドウ球菌、ボツリヌス菌、腸管出血性大腸菌、ウェルシュ菌、セレウス菌など
自然毒による食中毒	フグ毒（テトロドトキシン）、貝毒（テトラミン）、毒きのこ（アマトキシン）、ジャガイモの芽（ソラニン）、トリカブト（アコニチン）など
ウイルスによる食中毒	ノロウイルス、A型肝炎ウイルスなど
化学物質による食中毒	砒素(ひそ)、シアン化合物、メチル水銀、農薬など
カビ毒による食中毒	アフラトキシン（ピーナッツ）など
寄生虫による食中毒	アニサキス（サバ、アジ、サンマ、サケ、イワシ、イカなど）など

また、細菌性食中毒には**感染型**、**食品内毒素型**、**生体内毒素型**の３つがあります。食中毒を多く引き起こす主な細菌やウイルスには、次のものがあります。

（1）サルモネラ菌（感染型）

- **原因食品**……肉、鶏卵など。
- **特徴**……人や鳥、動物の消化管に存在。熱に弱い。
- **症状**……発熱、腹痛、下痢、嘔吐(おうと)など。
- **潜伏期間**……８～48時間。
- **予防方法**……手洗い、加熱殺菌、害虫駆除。

■事例

1996（平成８）年９月、東京都内の病院給食で十数人の患者が嘔吐、下痢、発熱などを訴えた。原因食品は桃の淡雪羹(あわゆきかん)。汚染された卵白を寒天液に添加後、室温で放置。完全に冷却せずに冷蔵し、菌が増殖した。

（2）腸炎ビブリオ（感染型）

- **原因食品**……生鮮魚介類など。
- **特徴**……海水中で増殖する。真水・熱に弱い。
- **症状**……激しい腹痛、下痢、発熱、嘔吐など。

・**潜伏期間**……10～18時間。

・**予防方法**……手洗い、調理器具の洗浄、加熱殺菌。

■事例

1995（平成７）年８月、都内のホテルで96人が嘔吐（おうと）、下痢、腹痛などを訴えた。原因食品は握り寿司。ネタが常温で放置されたため菌が増殖した。

（3）カンピロバクター（感染型）

・**原因食品**……加熱不足の肉料理（鶏肉、牛レバー刺し）、飲料水。

・**特徴**……熱や乾燥に弱い。微好気性（増殖にわずかな酸素を利用する性質）。

・**症状**……腹痛、下痢、発熱、血便。

・**潜伏期間**……２～７日。

・**予防方法**……手洗い、調理器具の洗浄、加熱殺菌。井戸水は煮沸（しゃふつ）殺菌が必要。

■事例

1992（平成４）年４月、都内の小学校の児童111人が下痢、腹痛などを訴えた。原因食品は給食の和風サラダ。同日のほかのメニューの食材である生鶏肉を取り扱った後、手指やまな板の洗浄・消毒が不完全だったことが原因。

（4）黄色（おうしょく）ブドウ球菌（食品内毒素型）

・**原因食品**……食品全般。

・**特徴**……人の皮膚、傷口などに存在。菌は熱に弱いが、毒素は熱に強い。

・**症状**……激しい嘔吐、下痢、腹痛など。

・**潜伏期間**……１～３時間。

・**予防方法**……手洗い。手に傷があるときは食品に直接触れない。

■事例

2000（平成12）年６月、雪印乳業の低脂肪乳を飲んだ１万4,780人が嘔吐、下痢、腹痛などを訴えた。原因食品は低脂肪乳。北海道工場で停電によって製造ラインが停止した後に菌が増殖し、乳材料に毒素が発生。大阪工場でこの毒素残存脱脂粉乳で乳製品を製造・出荷した。食中毒発生後の発表や製品の自主回収などが遅れたため、被害が関西一円に拡大した。

（5）ボツリヌス菌（食品内毒素型）

・**原因食品**……びん詰、缶詰、真空パックなど密封された嫌気（けんき）性食品。
・**特徴**……土壌に存在。嫌気性（増殖に酸素を必要としない性質）で熱に弱いが、毒素の毒性が非常に強い。
・**症状**……嘔吐、下痢、視覚障害、言語障害、呼吸障害。死に至ることもある。
・**潜伏期間**……12～36時間。
・**予防方法**……100℃で10分以上の加熱。

■事例

1984（昭和59）年、熊本県で製造された辛子レンコンを食べた36人が感染し、11人が死亡。レンコンを加工する際の滅菌処理を怠ったことと、真空パックしてから常温で保管・流通させたことで、菌がパック内で繁殖した。

（6）腸管出血性大腸菌〈O-157、O-111〉（生体内毒素型）

・**原因食品**……飲料水、加熱不足の肉類、生野菜など。
・**特徴**……感染力が強い。ベロ毒素を産生し、胃酸中でも生存する。
・**症状**……下痢・腹痛から血便・激しい腹痛に変化。死に至ることもある。
・**潜伏期間**……１～９日。
・**予防方法**……手洗い、調理器具の洗浄、加熱殺菌。水の使用に注意。

■事例〈O-157〉

2012（平成24）年８月、北海道の複数の高齢者施設で入居者169人が下痢、血便などを訴えた。９月末までに８人が死亡。原因食品は岩井食品の白菜の浅漬け。消毒の不備や衛生に対する意識が低かったことが原因。

■事例〈O-111〉

2011（平成23）年４月、「焼肉酒家えびす」の富山・福井・神奈川の店舗でユッケなどを食べた客117人が食中毒の症状を訴えた。５人が死亡、24人が重症化。卸元の衛生管理の不備や生食（せいしょく）用でないトリミング処理（肉の表面を削ぎ落とす処理）を行っていない牛肉を卸していたこと、店舗での肉の衛生検査や提供前のトリミング処理の未実施、各店舗で売れ残ったユッケを翌日も提供したことなど、複数の原因から起きた。

（7）ウェルシュ菌（生体内毒素型）

・**原因食品**……カレー、シチュー、スープ、グラタンなど、大量調理したもの。

・**特徴**……生物の消化管に存在。嫌気（けんき）性。熱に強い芽胞（がほう）を形成すると長期生存。

・**症状**……腹痛、下痢など。　・**潜伏期間**……８～20時間。

・**予防方法**……手洗い、加熱殺菌。調理後は室温に放置しない。

■事例

2008（平成20）年５月、飲食店で製造された昼食を食べた幼稚園の職員、園児397人が下痢などを訴えた。原因食品は前日に調理された肉じゃが。加熱調理が不十分だったうえ、急速放冷せずに室温で放置した後に冷蔵保存。翌朝の不十分な加熱により急激に菌が増殖し、死滅しなかったことが原因。

（8）セレウス菌（食品内毒素型）

・**原因食品**……チャーハン、ピラフ、スパゲティなど、でんぷんの多い食品。

・**特徴**……嫌気性で、厳しい環境下で芽胞を形成。熱に強い。日本で多発。

・**症状**……嘔吐（おうと）、腹痛。　・**潜伏期間**……１～５時間。

・**予防方法**……調理後は室温に放置しない。再加熱を十分に行う。

■事例

2001（平成13）年12月、九州の保育園の餅（もち）つき大会であんこ餅を食べた園児344人が嘔吐。原因食品は「あんこ」。小豆をゆでた後、長時間室温で放置した間に菌が増殖し、毒素が産生されたと考えられる。

（9）セレウス菌（生体内毒素型）

・**原因食品**……肉製品、プリン、スープ、ソース。

・**特徴**……嫌気性で、厳しい環境下で芽胞を形成。熱に弱い。欧米で集団発生。

・**症状**……腹痛、下痢。　・**潜伏期間**……８～16時間。

・**予防方法**……調理後は室温に放置しない。再加熱を十分に行う。

（10）ノロウイルス

・**原因食品**……生牡蠣（なまがき）などの貝類（加熱が十分でないもの）、生野菜など。

・**特徴**……人から人への感染。飛沫(ひまつ)感染など感染力が強い。低温に強い。

・**症状**……腹痛、下痢、発熱、嘔吐など。　　・**潜伏期間**……24～48時間。

・**予防方法**…手洗い、加熱殺菌（中心部を85～90℃以上で90秒以上）、漂白消毒。

■事例

2014（平成26）年1月、浜松市内の小学校児童1,000人以上が下痢や嘔吐などを訴えた。原因食品は製パン業者が納入したパン。症状は出ていないが菌を保有していた従業員がおり、何らかの経緯でパンに付着し感染が拡大した。

お役立ちコラム

近年、特にノロウイルスの食中毒の発生が増えています。殺菌、除菌など外からの予防も大切ですが、全くの無菌状態を作るのは不可能です。免疫力を高め、菌に負けない体作りをしましょう。

スピードCheck! 確認テスト

☀**細菌性食中毒菌として、最も不適当なものを選びなさい。**

（1）サルモネラ菌　（2）腸炎ビブリオ　（3）ノロウイルス
（4）黄色ブドウ球菌　（5）セレウス菌

答え　（3）

本節のまとめ

食中毒は、細菌やウイルスによって原因食品や症状が異なります。

・食中毒の意味、病原菌が増殖する条件を押さえておきましょう。
・食中毒のそれぞれの特徴を覚えておきましょう。

食中毒の予防

重要キーワード

・清潔　・迅速　・加熱　・ドリップ　・75℃１分間以上
・殺菌　・洗浄　・滅菌　・消毒　・除菌

1 細菌性食中毒の予防　重要

細菌性食中毒の予防三原則は、「清潔：細菌を**付けない**」「迅速：細菌を**増やさない**」「加熱：細菌を**殺す**」ことです。

（1）清潔（細菌を付けない）

食品や調理器具、手指には、すでに食中毒を起こす細菌が付いていることがあります。それらを介してほかの食品を汚染しないよう、次の注意が必要です。

・**手洗い**を十分に行う。
・魚や野菜はしっかり**洗う**。
・調理器具や冷蔵庫内は定期的に**消毒**する。
・保存するときは、よく**包む**か**容器**に入れる。
・キッチンや調理器具は常に**清潔**にしておく。

（2）迅速（細菌を増やさない）

多くの細菌は付いてしまっても、ある一定の量まで増えなければ食中毒を引き起こしません。細菌を増やさないために、次のことに注意しましょう。

・低温であれば増殖しにくくなるので、**冷蔵庫**で保管する。
・作った料理はできるだけ**早く**食べるようにする。
・残った料理は**常温**で長時間放置しないようにする。

（3）加熱（細菌を殺す）

ほとんどの細菌は、加熱することで死滅させることができます。加熱が不十分で発生する食中毒もあるため、加熱の際には次のことに注意しましょう。

- 中心部まで十分に**加熱**する。
- 味噌（みそ）汁やスープなどを再加熱するときは、**沸騰する**まで熱を通す。

2 細菌性食中毒を予防する6つの場面

細菌性食中毒の予防には、購入から保存まで各場面で注意が必要です。

（1）食品の購入時

- **期限表示**に注意する。特に**消費期限**はよく確認する。
- 冷蔵品や冷凍品などの**温度管理が必要な食品**は、最後に購入する。
- **肉や魚の汁（ドリップ）**や**水分が漏れそうな食品**は、ビニール袋に分けて入れる。

（2）食品の保存時

- 冷蔵品や冷凍品などの温度管理が必要な食品は、帰宅後すぐに**冷蔵室**や**冷凍室**に入れる。**詰め込みすぎ**に注意する（容量の約70%が目安）。
- ドリップや水分が漏れそうな食品は、**ビニール袋や専用容器**に入れる。
- 冷蔵室は**10**℃以下、冷凍室は**－15**℃以下に保つ。

（3）調理の下準備時

- 調理前によく**手を洗う**。生の肉や魚、卵を扱った場合、そのつど手を洗う。
- 包丁、まな板は、肉用、魚用、野菜用と**使い分ける**。生の肉や魚を切ったら、生で食べる野菜や果物には使わない。
- ドリップが生で食べる野菜・果物、調理済み食品にかからないようにする。
- 解凍と冷凍を**繰り返す**ことで細菌を増やしてしまうことがあるので、１回の料理に使う分だけ**解凍**する。
- 調理器具は使用後、すぐに**洗剤**と**流水**でよく洗う。

・包丁、まな板、食器類は洗浄後に**熱湯**をかける。また、ふきんを**漂白剤**に浸したり、スポンジやたわしを**漂白剤**に漬けたりすると消毒効果がある。

（4）調理時

・食品の中心温度が**75℃**の状態で**1分間以上**を目安に加熱する。
（ノロウイルス対策には85～90℃以上で90秒以上の加熱）
・調理を中断する際は、室温に放置せずに**冷蔵庫**に入れる。
・再加熱するときは、**中心部**まで十分に加熱する。

（5）食事時

・食卓につく前に、**手洗い**をしっかりと行う。
・温かいものは**温かい**うちに、冷たいものは**冷たい**うちに食べる。
・**室温**に長く放置しない（室温10分の放置で細菌が2倍に増える料理もある）。

（6）料理の保存時

・残った料理は、清潔な食器や容器に小分けする。料理が早く冷えるように浅い皿や容器がよい。
・調理後、時間が経っている料理、**見た目**や**におい**がおかしいものは廃棄する。
・残った料理を温め直すときは、**中心部**まで十分に加熱する。

3 殺菌と洗浄

細菌やウイルスなどの微生物を死滅させることを**殺菌**と言いますが、一口に殺菌と言っても様々な方法があります。なお、洗浄剤については、食品衛生法の洗浄剤の成分規格と使用基準に次のような規定があります。

・砒素（ひそ）、重金属などの毒性がないこと。
・酵素および漂白作用など食品を変質させる成分を含まないこと。
・界面活性成分や殺菌成分が食品に浸透、吸着、残留しないこと。
・界面活性成分などの濃度が少量でも効果があること。

種　類	意　味	方　法
滅　菌	すべての微生物を死滅させ除去すること。日本薬局方では微生物の生存する確率が100万分の1以下になることと定義。	高温高圧滅菌、高圧蒸気滅菌、乾熱滅菌など
殺　菌	微生物を死滅させる意味だが、殺す対象や殺した程度を含んでいないため、一部を殺しただけでも殺菌と言える。	低温殺菌、高温殺菌、紫外線殺菌など
消　毒	微生物を死滅または除去し、害のない程度まで減らしたり感染力を失わせたりして、毒性を無力化させること。消毒の手段として殺菌が行われることもある。	日光消毒、煮沸（しゃふつ）消毒、熱湯消毒、エタノール消毒、逆性石鹸（せっけん）消毒など
除　菌	食品衛生法では「ろ過等により、原水等に由来して当該食品中に存在し、かつ、発育し得る微生物を除去することをいう」と規定されている。	ろ過、沈殿、洗浄など
洗　浄	汚れや有害物質を水や洗浄剤で取り除くこと。除菌の一つ。	石鹸洗浄など
静　菌	微生物を殺さないが、その増殖を抑制すること。	低温保存、真空パック

スピードCheck! 確認テスト

食中毒の予防の要点について、最も不適当なものを選びなさい。

（1）肉・魚のドリップや水分が漏れる可能性がある食品は、個別にビニール袋などに入れる。

（2）冷蔵庫の食品の詰め込みすぎに注意する。

（3）冷凍された食品は使う分だけ解凍し、一度解凍したものは再冷凍しない。

（4）冷蔵室は5℃以下、冷凍室は－15℃以下に保つ。

（5）食べ残した料理は、清潔な食器を使って保存する。

答え （4） P.153～154

本節のまとめ

細菌の種類が異なっても、基本の予防法は同じです。

- 細菌性食中毒の予防三原則を覚えておきましょう。
- 滅菌や殺菌、消毒などの違いを押さえておきましょう。

3 食品の化学変化と保存方法

重要キーワード

・変質　・腐敗　・変敗　・酸化型変敗　・発酵　・低温法
・乾燥法　・塩蔵法　・燻煙法　・空気遮断法

1 食品の化学変化　重要

食品は放置することで変質、腐敗、変敗のような変化が起きます。ほとんどが品質が低下する変化ですが、発酵のように有益な働きをする場合もあります。

変　質	食品の鮮度が失われ、**乾燥**や**変色**・**変形**が起きたり異臭がしたりして、外観や内容に変化が生じること。
腐　敗	いわゆる「腐った状態」。食品中のたんぱく質が**腐敗細菌**の酵素作用によって分解され、**悪臭**がしたり、**刺激の強い味**になったりすること。
変　敗	油脂が**劣化**して、異臭がしたり粘り気が出たり、色や味が悪くなったりすること。特に、空気に触れる状態で放置したり直射日光に当たったりすることで油脂が劣化することを、**酸化型変敗**（**酸敗**）と言う。変敗防止には、油を加熱しすぎないようにし、揚げ油などを保管するときは空気に触れず光を通さない容器に入れるとよい。
発　酵	微生物の作用によってアルコールや乳酸、酢酸などが発生し、体に**有益な**働きをする食品になること。発酵したものが、外的環境で風味などを増加させるのは**熟成**。

発酵は腐敗と同様に、食品に微生物が作用してほかの化合物になりますが、人間に対して有益という点で腐敗とは異なります。

発酵食品は、高温多湿という独特の風土の日本で今のように冷蔵庫などがなかった時代に、食物を保存するために生み出されました。主な発酵食品には、次のようなものがあります。

加工の種類	微生物の種類	食品名
酵母によるもの	ビール酵母	ビール
	ブドウ酒酵母	ワイン
	酵　母	果実酒
	酵　母	蒸留酒 (ウィスキー、ブランデーなど)
	パン酵母	パ　ン
カビによるもの	白カビ、青カビ	チーズ
	麹カビ	鰹　節
細菌によるもの	納豆菌	納　豆
	乳酸菌	ヨーグルト
	酢酸菌	食　酢
カビと酵母によるもの	麹カビ＋清酒酵母	清　酒
	麹カビ＋焼酎酵母	焼　酎
細菌と酵母によるもの	乳酸菌＋酵母	漬　物
カビ・酵母・細菌によるもの	麹カビ＋醤油酵母＋乳酸菌	醤　油
	麹カビ＋酵母＋乳酸菌	味　噌

発酵食品には、次のような利点があります。

・食品の**腐敗**を防ぐとともに、**保存**に適した状態へと変化させる。

・微生物が出す酵素の働きによりアルコール類、有機酸類、炭酸ガスなどが生じ、食品に複雑な**旨味**が与えられ、独特の**風味**が増す。

・微生物の働きで栄養素や機能が変化し、**抗生物質**や**免疫物質**の産生、**アミノ酸**や**クエン酸**、**ビタミン類**などの成分を合成することで、栄養価が**高く**なる。

・**抗酸化物質**は発酵過程などで種々の酵素が働くことで効率よく抽出され、非常に強い**抗酸化作用**を持つようになるとされている。**腸内細菌**のバランスを保ち、免疫力を**高める**力もある。

2 食品の保存方法

食品を保存するには、微生物の活動を抑えることが重要になります。

（1）低温法

温度を下げることにより、微生物の生育と酵素作用を抑えて保存する方法です。**冷蔵法**（－２～20℃）、**氷温貯蔵法**（－５～５℃）、**冷凍貯蔵法**（－18℃以下）に合わせて様々な食品が作られています。

冷凍食品とは、前段階で処理を行い、急速に凍結・包装したものよ。日本冷凍食品協会では－18℃以下、食品衛生法では－15℃以下とされているわ。一方、チルド食品とは－５～５℃の温度帯で流通・販売されるものなの。

（2）乾燥法

食品中の水分を**減少**させることにより、微生物の活動を抑えて保存する方法です。**天日乾燥法**、**機械乾燥法**、**凍結乾燥法**、**真空凍結乾燥法**などがあります。

例：スルメ、切干大根

（3）塩蔵法

塩の**脱水作用**により、微生物の活動を抑えて保存する方法です。食品を３％ほどの濃度の食塩水に漬ける方法の**立て塩**や、食塩を直接食品にふりかける方法の**まき塩**（**撒塩法**（まえん））があります。

例：新巻鮭、塩辛

塩漬けのほか、砂糖漬け、酢漬け、粕漬け、味噌（みそ）漬けなどを総称して「**漬物法**」と言います。

（4）燻煙（くんえん）法

防腐効果や抗酸化性のある**煙**の成分を染み込ませると同時に、長時間燻煙して食品の水分量を減少させることで、微生物の活動を抑えて保存する方法です。

例：サラミ、ベーコン、スモークサーモン、生ハム、鰹節

（5）空気遮断法

気密性の高い**びん**や**缶**に詰めて空気を抜いて加熱することにより、微生物を死滅させて保存する方法です。食品に保存料や防腐剤などの食品添加物を加えて保存性を高める方法や**インスタント食品**、**レトルト（レトルトパウチ）食品**など、もともと長期保存を目的とした食品もあります。

お役立ちコラム 冷蔵庫内の食品の保存場所

庫内温度は場所により差があるので、食品の種類に応じて保存場所を選択しましょう。－3～－2℃のパーシャル室や－1～0℃のチルド室は肉や魚、3～5℃は一般の食品、6～9℃の野菜室には低温障害を起こしやすい野菜や果物、5～7℃のドアポケットには飲料が適しています。

スピードCheck! 確認テスト

次の組み合わせのうち、最も適当なものを選びなさい。

（1）酵母・細菌………味噌　（2）清酒酵母……清酒
（3）乳酸菌・酵母……漬物　（4）麹カビ＋酵母……ビール
（5）醤油酵母・納豆菌……醤油

答え　（3）P.157

本節のまとめ

・食品の品質を低下させる変質、腐敗、変敗と、有益に働く発酵の違いをそれぞれ押さえておきましょう。
・食品の品質の低下や劣化を防ぐための保存方法を覚えておきましょう。

4 食品の安全

重要キーワード

・交配　・遺伝子組換え　・環境ホルモン　・残留農薬
・ポジティブリスト制度　・ポストハーベスト農薬
・食品添加物　・キャリーオーバー　・ADI　・BSE
・トレーサビリティ　・鳥インフルエンザ

1 交配技術と遺伝子組換え農産物　重要

遺伝子とは
生物の形や特徴を決めているもので、親から子へと受け継がれていきます。遺伝子は**DNA**（デオキシリボ核酸）という物質からできていて、**たんぱく質**を作り出す働きをしています。

より優れた農産物を育てるために、様々な品種を掛け合わせる**交配**技術で育種が行われてきましたが、近年、有用な**遺伝子**を取り出して別の農産物に取り入れる**遺伝子組換え**技術も発達してきました。

遺伝子組換えは、栽培にかかる**コスト**が削減できたり、農産物の栽培に向いていないような痩せた土地でも栽培できたりするなどのメリットがある一方で、様々な懸念もあることから、**安全性の審査**が義務付けられています。

日本で安全性の審査を経た遺伝子組換え農産物は、現在、大豆、トウモロコシ、ジャガイモ、ナタネ、綿、アルファルファ、テンサイ、パパイヤ、からしなの９農産物です。

交配と遺伝子組換えの違いは、次のとおりです。

	交　配	遺伝子組換え
方　法	同種または近縁種の農産物間で人工的な受精を行い、得られた多様な雑種の集まりから目的に近い個体を選抜。これを繰り返し、最終的に目的の個体を獲得する。	ある農産物から有用な性質を持つ**遺伝子**を取り出し、それを別の農産物に取り入れて新しい性質を持たせる。
育種の正確さ	どの遺伝子が関与しているかわからない。	**目的とする遺伝子**だけを取り出すので、正確に行える。
改良の範囲	**同種**か**近縁種**の農産物間でしか行えない。	全く別の農産物でも**遺伝子**を取り込むことができる。
育種の期間	**交配**と**選抜**を繰り返し行うため、長期間かかる。	有用な性質を持つ遺伝子が見つかれば、**短期間**でできる。
安全性	現在のところ、安全性に対する懸念はあまり示されていない。	生物多様性への影響や、食品として摂取した場合の人体への影響が懸念されている。

2 化学物質

食品には、人体に悪影響を与える化学物質が含まれていることがあります。

(1) 環境ホルモン

環境ホルモン（**外因性内分泌かく乱化学物質**）は、体外から侵入して体内で分泌される**ホルモン**（生体内の活動を調整する生理的物質）の作用に変化を起こさせ、その個体や子孫に**健康障害**を誘発する物質のことです。環境ホルモンとされている物質は、約**70**種類あります。なかでも**ダイオキシン類**は、生ごみの焼却によって大気中に排出されると植物や土壌、水などを汚染し、プランクトンや魚介類に取り込まれた後、食物連鎖を通して人間に蓄積されると考えられています。**水**に溶けにくく**脂肪**に溶けやすいため、**脂肪組織**に蓄積されます。現在も、その影響について研究が続けられています。

環境ホルモンと疑われる化学物質の例

物質名	用　途
ポリ塩化ビフェニール類（PCB）	電気絶縁物成分
アミトロール、アトラジン、DDT、エンドスルファン	殺虫剤、除草剤
トリブチルスズ、トリフェニルスズ	船底の塗料成分
ノニルフェノール	界面活性剤
ビスフェノールA	プラスチック原料

（2）農　薬

農産物の生産性を上げるためには農薬の使用は避けられませんが、農薬の残ったものを摂取すると健康を損なうおそれがあります。そのため、日本では**農薬取締法**で、国内で使われるすべての農薬の登録が義務付けられています。また、**残留農薬**については、**食品衛生法**で残留農薬基準値が設定されています。海外からの輸入野菜についても、**ポジティブリスト制度**や**ポストハーベスト農薬**の基準値の設定で規制されています。

ポジティブリスト制度	国内外で使われている農薬のほぼすべてについて基準を設定し、基準を超える農産物の**流通**を禁止できる制度。規制の対象外だった**海外の農薬**でも残留の可能性のあるものには基準を設け、それを超えたものは流通を禁止できる。
ポストハーベスト農薬	穀物や果実をカビや害虫から防いだりジャガイモの発芽を防いだりするため、また、農産物を長く保管・輸送する間にカビが生えたり腐ったりすることや、日本にいない害虫や植物の病気が海外から入ることを防ぐために**収穫後**に使われる農薬。これらの農薬も**基準値**が設定されており、基準値を超える食品が見つかったときは、回収や廃棄、輸出国に戻すなどの対処がとられる。

（3）食品添加物

食品添加物には次ページの表のような目的がありますが、**食品衛生法**で「添加物とは、食品の**製造**の過程において又は食品の**加工**若しくは**保存**の目的で、食品に添加、混和、浸潤その他の方法によつて使用する物をいう」と定義され、種類や量が規制されています。

目的	種類
食品の保存性を高める	保存料、防カビ剤、殺菌剤、酸化防止剤、防虫剤、品質保持剤など
食品の風味や外観をよくする	発色剤、着色料、漂白剤、甘味料、酸味料、調味料、香料、着色安定剤、苦味料、色調安定剤、光沢剤など
食品の製造上で必要なもの、作業効率を高めるもの	豆腐用凝固剤、灌水(かんすい)、消泡剤、膨張剤、粘着防止剤、抽出剤、溶剤など
食品の品質を向上させる	増粘剤、糊料、乳化剤、チューインガム軟化剤、結着剤、品質改良剤、保水乳化安定剤など
食品の栄養価を高める	栄養強化剤など

■キャリーオーバー

原材料の加工の際に使用されますが、その原材料を用いて製造される食品自体には使用されず、その食品中には元の原材料から持ち越された食品添加物の量が、その食品に効果を発揮するのに必要な量より有意に少ない場合をキャリーオーバーと言います。微量で影響が起きないため、表示を免除されます。

例：せんべいを作る際に加えられる「醤油(しょうゆ)」に使用されている保存料

■ADI

食品添加物の1日の摂取許容量のことをADI（Acceptable Daily Intake）と言います。毎日、生涯にわたって摂取し続けたとしても健康に問題はない量とされています。ADIは次の計算で算出されます。

安全な摂取量の1日当たりの平均値÷体重（mg／kg／日）

3 BSEと新型インフルエンザ

動物からの感染症も、食の安全に影響をもたらしています。

（1）BSE（牛海綿状脳症）

牛が肉骨粉が混ざった飼料を食べると、プリオンというたんぱく質が異常な型に変化します。これが脳に蓄積されることによって脳がスポンジ状になり、異常行動をとるなどの**神経症状**が起こります。人間への感染も確認されており、**脳**、**脊髄**（せきずい）、**眼球**、**扁桃**（へんとう）、**回腸**は特に危険性の高い部位（**特定危険部位**）とされています。脊柱や、脊髄から取れる牛エキス、牛ブイヨン、牛脂なども感染のリスクがあるとされています。

牛乳・乳製品については、**WHO**（世界保健機関）によって安全性が確認されています。

■BSE検査

2001（平成13）年９月に国内でBSE感染牛が確認されて以来、様々な対策がとられてきましたが、発生リスクの減少や研究が進んだことで、検査対象の見直しなどが行われるようになりました。

2017年3月までのBSE検査から出荷まで

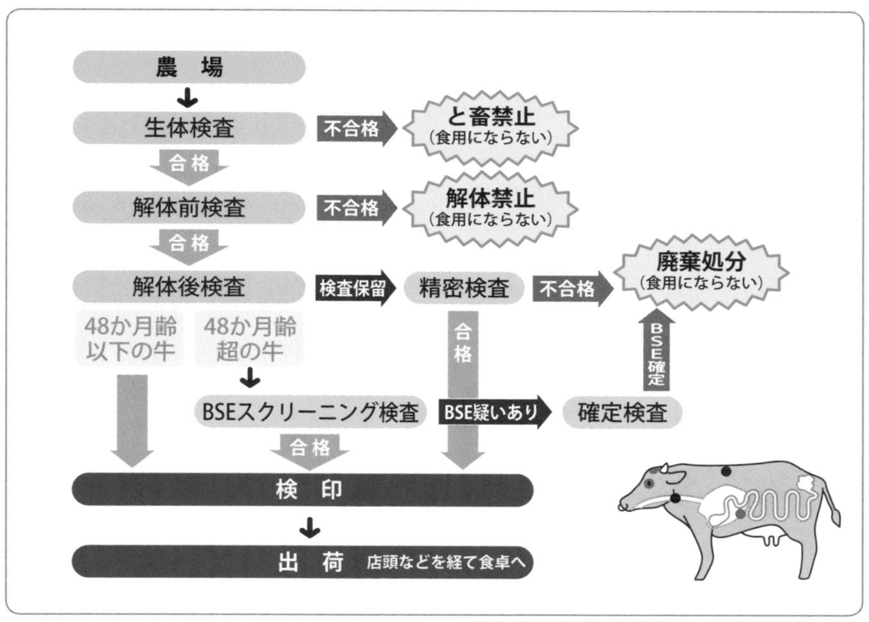

出所：政府広報オンラインより

BSE検査の経緯

2001（平成13）年10月	牛の全頭検査を開始。 舌・頬肉以外の頭部、脊髄、扁桃、回腸遠位部を**特定危険部位**として、**全月齢**を対象に除去・焼却を義務付け。
2004（平成16）年2月	特定危険部位に脊柱も含むように変更。
2005（平成17）年8月	検査対象を**21か月齢以上**に引き上げ。
2013（平成25）年2月	アメリカ・カナダ・フランス産については**30か月齢以下**、オランダ産については**12か月齢以下**の牛肉の輸入を再開。特定危険部位についても**30か月齢以下**の頭部、脊髄、脊柱は輸入を再開。
2013（平成25）年4月	検査対象を**30か月齢超**に引き上げ。 特定危険部位の範囲を、**30か月齢超**の舌・頬肉以外の頭部、脊髄、脊柱と全月齢の扁桃、回腸遠位部に変更。
2013（平成25）年7月	検査対象を**48か月齢超**に引き上げ。
2017（平成29）年4月	と畜場における健康牛のBSE検査の廃止

■トレーサビリティ

国内で生まれたすべての牛および生きているうちに輸入された牛に、10桁の**個体識別番号**が印字された耳標が付けられます。酪農家や肉用牛農家が届け出たものがデータベース化されており、**生産流通履歴情報把握システム**と言います。国産牛については、生産と流通の履歴情報をインターネットなどで検索できます（211ページ参照）。

牛肉の個体識別番号の表示例

国産 黒毛和牛 モモステーキ用

消費期限 00.00.00

個体識別番号 1234567890

100gあたり（円） 123

内容量（g） 426

523 価格（円）

加工者 △△株式会社 兵庫県☆☆市○町 1-0-0

保存温度 4℃以下

（2）新型インフルエンザ

インフルエンザウイルスにはA型、B型、C型と3つありますが、流行の原因となるのはA型とB型です。A型はウイルス表面の糖たんぱく質の種類によって、さらにH亜型（あがた）（H1～H16）とN亜型（N1～N9）に分類されます。

鳥類が感染するA型インフルエンザウイルスを、一般的に**鳥インフルエンザ**

ウイルスと言います。感染した鳥やその排泄（はいせつ）物、死骸、臓器などに濃厚に接触することで、人間への感染が見られることがあります。人間での症例は日本では確認されていませんが、アジア、中東、アフリカを中心に報告されています。潜伏期間は**1～10**日（多くは２～５日）で、**発熱**、**呼吸器症状**、**下痢**、**多臓器不全**などの症状が見られます。

豚インフルエンザウイルスは、H1N1、H1N2、H3N2、H3N1の４種類が報告されています。通常は人間には感染しませんが、豚への濃厚接触が原因で感染が見られることがあります。H1N1亜型（あがた）は人間へ感染が拡大し、2009（平成21）年に世界的に流行しました。

鳥から人間への感染、豚から人間への感染が繰り返されると、ウイルスが人間の体内で増殖できるように変異し、さらに人間から人間へ容易に感染するように変異する可能性があります。2020年から**パンデミック**（**世界的な感染爆発**）となった新型コロナウイルスと同様に、**新型インフルエンザウイルス**が将来的には発生すると予想されています。

スピードCheck! 確認テスト

BSE感染牛の危険性の高い部位として、最も不適当なものを選びなさい。

（１）脳　（２）脊髄　（３）眼球　（４）回腸　（５）横行結腸

答え　（５）

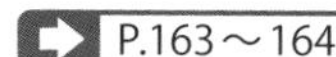

P.163～164

本節のまとめ

- 交配と遺伝子組換えの違いを知っておきましょう。
- 農薬や食品添加物に関する用語の意味を押さえておきましょう。
- 新型インフルエンザの原因やBSEの危険部位、症状などを覚えておきましょう。

第４章　演習問題

問１　食中毒の発生状況について、最も不適当なものを選びなさい。

（1）食中毒の症状として、腹痛、下痢、嘔吐、発熱など風邪と似た症状がある。

（2）栄養不良も食中毒の原因の一つである。

（3）初夏から初秋にかけて発生件数が多くなる。

（4）高温多湿の季節は、病原菌の増殖の条件がよい。

（5）病原菌増殖の３条件は「温度」「湿度」「栄養素」である。

問２　食品の化学変化について、最も適当なものを選びなさい。

（1）変質とは、油脂が劣化して食用に適さなくなることを言う。

（2）腐敗とは、食品を長時間放置したことなどによって食品の新鮮度が失われ、外観や内容に変化が生じることを言う。

（3）褐変とは、乾燥や変色、変形が起きたり異臭がしたりして、食用に適さなくなることを言う。

（4）変敗とは、食品中のたんぱく質が微生物の酵素作用によって分解され、食用に適さなくなることを言う。

（5）発酵とは、微生物の作用によって食品中の有機化合物が分解され、ほかの化合物になることを言う。

問３　洗浄剤についての記述で、最も不適当なものを選びなさい。

（1）毒性がないこと。

（2）食品を変質させないこと。

（3）少量で効果があること。

（4）洗浄、除菌効果が最優先であること。

（5）食品に浸透、吸着、残留しないこと。

問4 **保存方法の説明として、最も適当なものを選びなさい。**

（1）冷凍貯蔵法……温度を下げて保存する方法で、－20℃以下で急速に冷やすこと。

（2）乾燥法……微生物の活動に必要な細菌を取り除いて、微生物の活動を抑えて保存する方法。

（3）塩蔵法……塩の脱水作用により、腐敗細菌の発育を抑えて保存する方法。

（4）空気遮断法……びん、缶など気密性のある容器の中に食品を入れ、気圧を抜いて保存する方法。

（5）燻煙法……殺菌作用のある煙の成分を食品に染み込ませ、微生物の活動を抑えて保存する方法。

問5 **食品添加物の種類と使用目的の組み合わせで、最も適当なものを選びなさい。**

（1）着色安定剤………保存性を高める。

（2）豆腐用凝固剤……品質の向上。

（3）発色剤……………風味・外観をよくする。

（4）品質改良剤………栄養価を高める。

（5）品質保持剤………製造上欠かせない、作業効率を高める。

問6 **BSE（牛海綿状脳症）について、最も適当なものを選びなさい。**

（1）末梢神経系の病気である。

（2）プリオンという異常たんぱく質が原因である。

（3）人間への感染はない。

（4）牛乳や乳製品の安全性は確認されていない。

（5）脳、脊髄、眼球、扁桃、回腸を感染危険部位という。

問7 **遺伝子組換え表示義務の対象食品として、最も適当なものを選びなさい。**

（1）餅　（2）きなこ　（3）せんべい　（4）麩（ふ）　（5）麹

問8 **自然毒による食中毒として、最も不適当なものを選びなさい。**

（1）フグ毒

（2）毒きのこ

（3）ジャガイモの芽

（4）貝毒

（5）マイコトキシン

問9 **環境ホルモンと疑われる化学物質と用途の組み合わせで、最も適当なものを選びなさい。**

（1）ノニルフェノール……殺虫剤

（2）DDT……電気絶縁物成分

（3）ビスフェノールA……プラスチック原料

（4）ポリ塩化ビフェニール類……船底の塗料成分

（5）トリフェニルスズ……界面活性剤

問10 **日本で、安全性審査の手続きを経た遺伝子組換え農産物として、最も不適当なものを選びなさい。**

（1）ジャガイモ　（2）ナタネ　（3）綿

（4）マンゴー　（5）アルファルファ

問11 **次の用語の意味として、最も不適当なものを選びなさい。**

（1）滅菌とは、あらゆる微生物を死滅させることである。

（2）殺菌とは、微生物を死滅させる操作のことを言う。殺菌したらすべての微生物は死滅する。

（3）消毒とは、微生物を死滅させることである。

（4）除菌とは、洗浄などにより微生物を取り除くことを言う。

（5）静菌とは、微生物の増殖を抑制する状態におくことを言う。

問12 細菌性食中毒と原因食品の組み合わせで、最も適当なものを選びなさい。

（1）サルモネラ菌…………生鮮魚介類など

（2）カンピロバクター……びん詰、缶詰などの食品

（3）腸炎ビブリオ…………肉料理

（4）腸管出血性大腸菌……飲料水、肉類

（5）ボツリヌス菌…………チャーハン、ピラフ、オムライス

問13 腸管出血性大腸菌について、最も不適当なものを選びなさい。

（1）飲料水、加熱不足の肉類、生野菜などが原因食品である。

（2）ベロ毒素を産生し、胃酸中でも生存する。

（3）潜伏期間は１～９日である。

（4）予防方法は手洗い、調理器具の洗浄、加熱殺菌が有効である。

（5）主な症状は嘔吐、下痢、視覚障害、言語障害、呼吸障害などである。

問14 細菌を付けないための注意点として、最も不適当なものを選びなさい。

（1）手洗いを十分に行う。

（2）常に冷蔵庫内で保存する。

（3）魚や野菜はしっかり洗う。

（4）台所や調理器具は常に清潔にしておく。

（5）調理器具や冷蔵庫内は定期的に消毒する。

問15 ダイオキシン類の説明で、最も適当なものを選びなさい。

（1）水に溶けやすい。

（2）農産物に蓄積しやすい。

（3）脂肪に溶けにくい。

（4）魚介類や動物の脂肪組織に蓄積される。

（5）畜産物の筋肉組織に蓄積される。

問16 **燻煙法で作られた食品として、最も不適当なものを選びなさい。**

（1）生ハム　（2）スルメ　（3）ベーコン

（4）鰹節　（5）サラミ

問17 **発酵食品と微生物の組み合わせで、最も不適当なものを選びなさい。**

（1）鰹節……………麹カビ

（2）ヨーグルト……乳酸菌

（3）漬物……………乳酸菌＋酵母

（4）味噌……………麹カビ＋乳酸菌

（5）ワイン…………ブドウ酒酵母

問18 **食品の保存時の食中毒を予防するポイントで、最も不適当なものを選びなさい。**

（1）冷蔵品や冷凍品などの温度管理が必要な食品は、すぐに冷蔵室や冷凍室に入れる。

（2）肉や魚の汁や水分が漏れそうな食品は、ビニール袋や専用容器に入れる。

（3）冷蔵室は15℃以下に保つ。

（4）冷凍室は－15℃以下に保つ。

（5）冷蔵庫や冷凍室の詰め込みすぎに注意する。

問19 **鳥インフルエンザについて、最も不適当なものを選びなさい。**

（1）A型インフルエンザウイルスが鳥類に感染して起こる、鳥類の感染症のことである。

（2）感染は鳥から鳥のみである。

（3）潜伏期間は1～10日である。

（4）発熱、呼吸器症状、下痢、多臓器不全などの症状が見られる。

（5）鳥インフルエンザの研究やワクチンの開発が進められているが、感染予防は完全ではない。

解答・解説

問	解答	解説	参照
問1	(2)	栄養不良の状態は「栄養障害」になる。	P.146
問2	(5)	（1）は「変敗」、（2）は「変質」、（3）「褐変」とは食品が褐色に変化すること、（4）は「腐敗」。	P.156
問3	(4)	（4）以外は、食品衛生法に定められている。	P.154
問4	(3)	（1）－18℃以下、（2）細菌ではなく「水分」、（4）気圧ではなく「空気」、（5）殺菌ではなく「防腐」。	P.158～159
問5	(3)	（1）風味・外観をよくする、（2）製造上欠かせない、（4）品質の向上、（5）保存性を高める。	P.163
問6	(2)	（1）中枢神経系、（3）人間への感染も確認、（4）WHOが安全性を確認、（5）特定危険部位。	P.163～164
問7	(2)	大豆、トウモロコシなどが対象食品。きなこの原料は大豆。	P.138、160
問8	(5)	マイコトキシンは「カビ毒」。	P.147
問9	(3)	（1）界面活性剤、（2）殺虫剤、（4）電気絶縁物成分、（5）船底の塗料成分。	P.162
問10	(4)	日本で安全性審査の手続きを経た遺伝子組換え農産物は、そのほかに大豆、テンサイ、トウモロコシ、パパイヤ。	P.160
問11	(2)	一部の微生物が生存している場合がある。	P.155
問12	(4)	（1）肉、鶏卵など、（2）肉料理、牛レバー刺しなど、（3）生鮮魚介類など、（5）びん詰、缶詰など。	P.147～151
問13	(5)	主な症状は下痢、腹痛、血便。死に至ることも。	P.149
問14	(2)	よく包むか容器に入れて、二次汚染を防ぐ。	P.152
問15	(4)	水に溶けにくく、脂肪に溶けやすい性質を持つ。	P.161
問16	(2)	スルメは「乾燥法」で作られている。	P.158～159
問17	(4)	味噌は、麹カビ＋乳酸菌＋酵母による発酵食品。	P.157
問18	(3)	冷蔵室は10℃以下に保つ。	P.153
問19	(2)	鳥から人間への感染も確認されている。	P.165～166

第5章 食マーケット

演習問題

食マーケット
(生産から売場まで)

重要キーワード

・消費者志向　・NB（ナショナルブランド）
・PB（プライベートブランド）　・POSシステム　・EOS
・バーチカル陳列　・ホリゾンタル陳列

1 生産者志向から消費者志向へ　重要

日本の食マーケットや流通業界の流れは、1960年代にアメリカから影響を受けた大量生産・大量消費の時代から一転し、モータリゼーションの発展やバブル崩壊、東西の大震災などの影響、また少子高齢化や有職主婦の増加などで、生産者志向から**消費者志向**へと変化してきました。消費者の商品選択では、品質やサービスに加え、個々のこだわりなど価値観が重視されるようになりました。このように、食マーケットは量から**生活の質（QOL）**重視に移ってきました。

（1）消費者意識の変化とマーケティング（市場調査）

食を供給する側は、消費者の食生活状況を**マーケティング（市場調査）**し、**ニーズ（要求や需要）**や**ウォンツ（潜在的な欲求）**をつかみ、それに見合った商品を製造するようになりました。

マーケットの傾向を見ると、消費者志向は「消費者指向」や「消費者思考」とも言い換えられます。

消費者意識の「かきくけこ」

か：環境、価値観
き：規制緩和、業種、業態
く：暮らし、クオリティ（品質）
け：経済、健康
こ：高齢化、個人

様々な消費者志向

健康志向	生活習慣病やダイエットへの関心の高まりから、「健康な身体づくり」を目標に、**食**や**運動**、**休養**に意識を注ぐもの。
安全・安心志向	表示偽装問題や食品添加物、残留農薬の問題を意識した**トレーサビリティ**など、食の**安全性**や**安心感**を求める傾向。
本物こだわり志向	プレミアム商品や限定商品、消費者の心をくすぐるようなこだわり商品など。他の商品との差別化の意味もある。

(2) 供給する側（メーカー）の変化と小売業者の発展

食品メーカーは、これまで**NB（ナショナルブランド）**商品を利益確保のために製造し、ブランド力の強化に注力してきました。メーカーにとって、NB商品には2つのねらいがあります。一つは販路の拡大により差別化を図り、消費者の**ブランド・ロイヤリティ**を獲得すること、もう一つは、NB商品の供給量をコントロールすることで、**チャネルキャプテン**として流通の主導権を握ることです。**メーカー希望小売価格**を含む**建値**（たてね）制度の維持も、その一つでした。

1970年代以降になると、大手食品メーカーにとって代わって、大手小売業者が食品流通チャネルにおけるチャネルキャプテンとしての役割を発揮するようになりました。**PB（プライベートブランド）**商品の展開は、小売業者が流通の主導権を握るための戦略でした。

NB (ナショナルブランド)	メーカーが作ったブランド。広く消費者から知られており、全国で販売されている商品。 ・日清 カップヌードル ・ハウス バーモントカレー　など
PB (プライベートブランド)	販売する側の卸売業者・小売業者が独自に作ったブランド。 ・セブンプレミアム　・イオントップバリュ ・ファミリーマートコレクション　など
ブランド・ロイヤリティ	消費者が商品購入時に、同じ銘柄を反復購入する程度のこと。
チャネルキャプテン (チャネルリーダー)	流通経路における価格、数量や販売促進策などの決定において主導権を握っている業態や企業。
OEM供給	相手先商標製品製造。相手先ブランドで生産する方式、またはその製品。

近年、PB市場の拡大が加速化しています。一つは、大手スーパーマーケット、コンビニエンスストアを中心にPBシェアの拡大を重要な戦略課題として掲げる動き、もう一つは、こうした動きに伴うPB供給に対応するメーカーの増加です。当初、中小メーカーに限られていたPB供給対応は、最近では大手メーカーにも拡大しています。メーカーにとってもPB市場の拡大は、販売量の安定的確保や広告費削減などのメリットがあります。

このように、メーカーが相手先ブランドで生産する方式を**OEM供給**（相手先商標製品製造）と言います。

2 小売システムの変化

スーパーやコンビニなどを中心とした小売業の店頭では、従業員のみならず消費者にも便利なツールやシステムが増えてきています。

（1）POSシステムの活用

■データ管理

スーパーやコンビニなどのレジカウンターには、精算業務がスピードアップするなど、レジ作業の効率化につながる**POSシステム**があります。消費者が商品を購入した時点で「**何が、いくつ、いくらで売れたか**」が記録されるもので、商品別に仕入れや販売などの管理ができます。また、**売れ筋商品**や**死に筋商品**の把握が可能なので、**EOS**（オンライン受発注システム）と連携して、適正な在庫を確保したり、効率よく商品を品揃えすることに役立っています。POSシステムで読み取る**JANコード**は、販売時点の効率化に役立っています。

JANコードの読み方

	国コード	メーカーコード	商品コード	チェックデジット
標準（13桁）	49	1234567	890	4
短縮（8桁）	45	1234	5	0

小売におけるツールやシステム

POSシステム	販売時点情報管理システム。
JANコード	Japan Article Numberの頭文字で、**JIS**（日本工業規格）で規格された共通のバーコードのこと。
売れ筋商品	販売計画を大きく超えるような、非常に売れ行きのよい商品のこと。
死に筋商品	売れ行きの悪い商品で、陳列棚から外されるような商品のこと。
EOS	Electronic Ordering Systemの頭文字で、受発注業務の効率化のためのオンライン受発注システム。

■POSシステム導入のメリット

・レジでの精算業務の簡素化・迅速化。
・**欠品**や**チャンスロス**が減り、品揃えや在庫のコントロールが図れる。
・販売数量の予測やMD（**品揃え**）計画、販売価格決定など合理化が図れる。

欠　品	発注ミスや補充忘れなどにより、商品が品切れすること。
チャンスロス	欠品など人的なミスで売り損じること。「機会損失」とも言う。

欠品とチャンスロスは似た用語ですが、意味の違いを確認しておきましょう。

■顧客管理システム

大量生産・大量消費の時代には、大量販売・大量プロモーションを前提として、すべての消費者を対象に同じ方法でマーケティングを行うマスマーケティングが主流でした。しかし、小売志向・消費者志向の現在は、消費者一人ひとりが望む商品・サービスの品揃えを考えた販売戦略が重視されるようになりました。消費者一人ひとりにターゲットを絞り、購買履歴データや属性を販売に結び付ける**ワントゥワンマーケティング**も、その手法の一つです。

■大手流通もインターネットを活用した販売へ

パソコンやスマートフォンなどの普及と技術の進歩により、ネット販売の市場が急成長しており、従来の通販のメイン顧客層である中高年や有職主婦のネット販売使用比率が増加しています。

また、大手スーパーやコンビニは**eコマース**（**電子マネー**による決済などの電子商取引。217ページ参照）や宅配サービスに参入・拡充し、リアルとバーチャル、オフラインとオンラインの両方で、購買履歴データを活用しながら売上を拡大させています。

3 売場における商品陳列の多様化　重要

売場における商品陳列のポイントは、消費者の注目を集め、興味を持ってもらい、購買の欲求を抱かせ、商品のよさを記憶してもらい、最終購買の意思決定をしてもらうことです。

商品陳列の主な方法を、店舗レイアウトとともに確認しましょう。

商品陳列の主な方法（コンビニ店内の例）

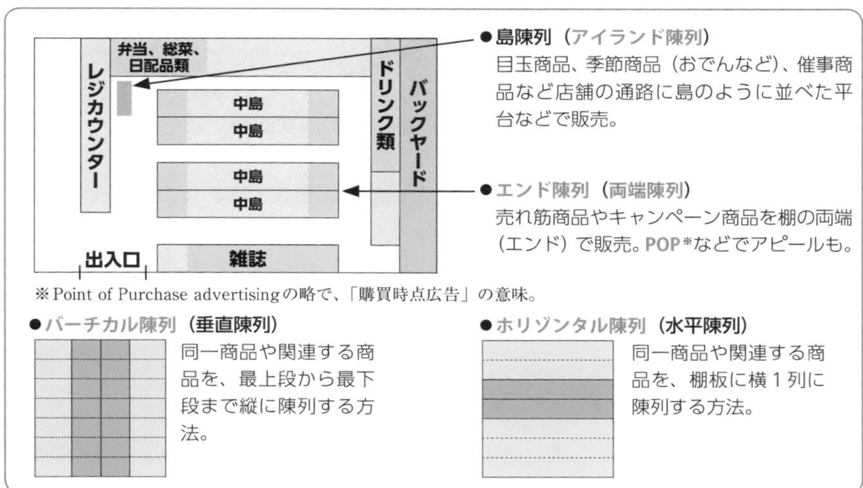

■先入先出陳列（さきいれさきだし）

先に仕入れた商品を先に販売する陳列方法。特に**日配品**（にっぱいひん）※など、消費期限の短い商品が前もしくは上、日付の新しい商品が後ろもしくは下になるような陳列方法。

※**日配品**……牛乳、ヨーグルト、豆腐、納豆など冷蔵状態で配送され、保管でも温度管理が必要な商品。

ホリゾンタル（水平）陳列は、トンネルを**水平**に掘るように、商品を**横１列**に並べていく方法なので、「トンネルを**ホリ**（掘り）**ゾンタル**」と覚えよう！

お役立ちコラム　ビッグデータの活用

最近、「**ビッグデータ**」という言葉が私たちの暮らしの中でよく聞かれます。ビッグデータとは、インターネットの普及や、センサーとコンピュータの性能向上などによって生み出されている「大量のデジタル化された情報」のことです。今後は、流通業界も様々なシステムを駆使し、そこから得られるビッグデータを活用しながら発展していくと考えられます。

スピードCheck!　確認テスト

販売する側の卸売業者・小売業者が作った独自のブランドについて、最も適当なものを選びなさい。

（１）ナショナルブランド　（２）ブランド・ロイヤリティ
（３）OEM供給　（４）プライベートブランド　（５）チャネルリーダー

答え　（４）　 P.175

本節のまとめ

食マーケットは、生産者志向から消費者志向へ変化してきました。

・NBとPBは、セットで覚えておきましょう。
・陳列方法はレイアウトとともに覚えておきましょう（特に、バーチカル陳列とホリゾンタル陳列の違いを理解しておきましょう）。

食マーケットの変化

重要キーワード

・業種から業態へ　・カテゴリーキラー　・パワーセンター
・フランチャイズチェーン　・中食　・個食
・ミールソリューション　・ホームミールリプレースメント

1 業種から業態へ　重要

消費者のニーズの変化に伴い、小売業者の販売形態も変化してきました。

(1) 業種と業態

メーカーや卸売業者から商品を仕入れ、その商品を消費者へ売る業者を**小売業者**と言います。小売業者の販売形態は多岐にわたり、単一商品群を販売する**業種**から多種品目・多様性の売場を持つ**業態**へ移行しつつあります。

小売業者は、時代と環境により変化していく消費者のニーズに応えるために、何をどのように販売していくかが重要となっています。

業種と業態の違い

業　種	取扱商品や販売種目など、**どのような商品を販売しているか**という商品群で分類した販売形態。 **例：**鮮魚店、精肉店、青果店、酒店
業　態	販売方法・店舗運営方法など、**どのような売り方をしているか**という営業運営方法で分類した販売形態。 **例：**スーパーマーケット、コンビニエンスストア、ドラッグストア

（2）業態の種類

小売業者には、様々な業態と特徴があります。

アウトレットストア	メーカーや小売業者が直接経営する販売店。市場情報調査や自社製品の在庫処分などの目的で運営することが多い。
カテゴリーキラー	家電・玩具（がんぐ）・文房具など、特定の商品分野での豊富な品揃えと低価格を武器に販売展開する小売業者。近隣の小売業の売場などに影響を与えるほどの力を持っている。
コンビニエンスストア（CVS）	終日または長時間営業を行う、飲食料品を中心に揃えた小規模の小売業者。多くが**フランチャイズチェーン**に加盟。利便性を特徴とする。
ショッピングセンター（SC）	小売業者を中心に、飲食店やサービス業などが計画的に集積された商業施設。
スーパーマーケット（SM）	食料品を中心に日用品を取り揃え、幅広い品目を販売するセルフサービス形式の小売業者。
ディスカウントストア	食料品や日用品、衣類や家電製品など生活用品を取り扱い、常に低価格（EDLP：Every Day Low Price）で販売する小売業者。低コスト化を図り、薄利多売で販売することが多い。
ドラッグストア	医薬品を中心に、化粧品、衛生用品、食料品、日用雑貨などを取り揃えた小売業者。
ハイパーマーケット	豊富な品揃えと低価格の商品を取り揃える、大型のセルフサービス小売業者。大規模な敷地で郊外に多い。
パワーセンター	ディスカウントストアなど、安売り店舗が同一敷地内に集合した小売業者。郊外に多い。
ホームセンター	DIY（日曜大工）用品を中心に、生活用品やペット用品、園芸用品などを取り揃えた小売業者。
ホールセールクラブ	ホールセールは「卸売り」の意味。会員制で、倉庫型の店舗で低価格で商品を販売している小売業者。

近年はスーパーマーケットのグループ化が増えているよ。セブン－イレブンやイトーヨーカドーなどのセブン＆アイ・ホールディングス、イオンやダイエーなどのイオングループなどが代表的ね。

2 小売業者の経営形態

小売業者には、様々な経営形態があります。

（1）レギュラーチェーン

一つの企業が本部企業として自社で社員を雇用し、直営店という形で店舗を展開していく経営形態です。主にスーパーや百貨店が該当します。

（2）フランチャイズチェーン

本部企業（**フランチャイザー**）と契約を結んだ加盟店（**フランチャイジー**）が販売を行う経営形態です。コンビニエンスストアやファストフード、ファミリーレストランなどに多く見られる経営形態です。本部は加盟店に商標・商品提供、経営指導などを行い、加盟店は本部に加盟料（**イニシャルフィ**）と、売上げに応じた経営指導料（**ロイヤリティ**）を支払います。

フランチャイズチェーンのしくみ

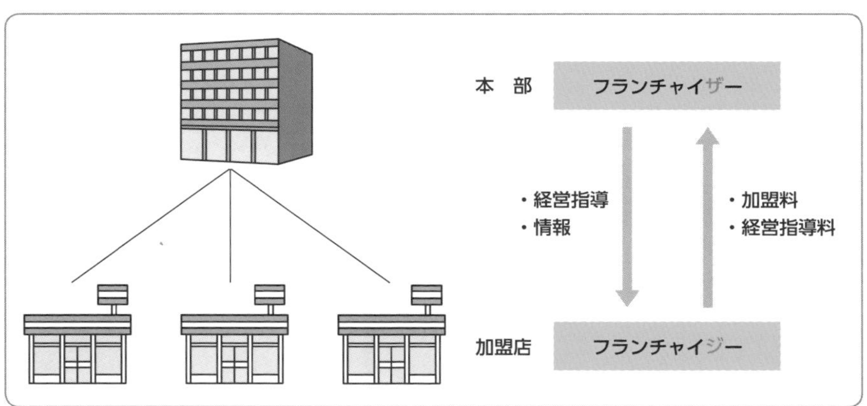

本部「フランチャイザー」、加盟店「フランチャイジー」は、上から「ザ」「ジ」の順番で覚えてね。

チェーン経営での重要な役職

スーパーバイザー	本部の経営方針に沿って現場の責任者や運営者に指導・教育をし、店の売上増などの成果を上げるように管理・監督する担当者。
マーチャンダイザー	消費者の求める商品を適切な数量・価格・タイミングなどで提供するため、商品の仕入れや販売計画などに一切の権限と責任を持つ担当者。

3 食事の形態

消費者のライフスタイルの変化と、外食産業やコンビニの発展などの環境変化により、食事形態は家庭内から複合的なものへと変化してきました。

(1) 食事の三形態

食事形態は、大きく次の3つに分けられます。

■内食（ないしょく・うちしょく）

家庭内食のこと。家庭内で調理された食事を家庭内で食べる形態。

■外食（がいしょく）

家庭の外で調理されたものを、家庭の外で食べる形態。

例：ファミリーレストランやカフェ、居酒屋などでの飲食

■中食（なかしょく）

家庭の外で調理された料理を、家庭やオフィスに持ち帰り食べる形態。

例：コンビニの弁当・ファーストフードのテイクアウト、スーパーやデパ地下（デパートの地下食品売場）の惣菜、宅配ピザ

食事形態の移り変わり

(2)「こしょく」

食事形態の変化や利便性に伴い、家庭の食事も変化しています。「個食」「孤食」など、よく使われる「こしょく」という言葉には、いくつか意味があります（23ページ参照）。

4 ミールソリューション 重要

ミールソリューション（MS；Meal Solution）とは、日々の**食事での悩みや問題に解決策を提案する**ことです。もともとは、アメリカのスーパー業界が外食業界に奪われた顧客を取り戻すために提唱したマーケティング戦略の一つです。

近年では、ミールソリューションの考え方に合わせ、食品そのものを売るだけのスタイルから家庭の食卓を提案するというスタイルへの変化が多く見られます。

スーパーでの調理法やレシピの紹介などのほか、**デパ地下**と呼ばれるデパートの地下の食料品売場は、惣菜や弁当、スイーツの有名店のテナントを出店するなど、品揃えを充実させることで提案を行っています。また、**駅ナカ**と呼ばれる駅の構内に展開している商業スペースは、飲食店を軸に、書店、薬局、リラクゼーション施設など、様々なニーズを満たす店舗を揃えています。

スーパーでのミールソリューションの例

■毎日の献立を考えるのは大変
　→その時期の旬の食材を使用したレシピを毎日提案
■魚料理が食べたいけれど、魚の処理が大変
　→料理の用途に合わせて魚の下ごしらえを提案

(1) ホームミールリプレースメント

ホームミールリプレースメント（HMR；Home Meal Replacement）とは、「**家庭の食事に代わるもの**」という意味で、ミールソリューションの手法の一つです。家庭における食事作りに代わる商品のことを指し、皿に盛り付けるだけ

の食事（Ready to Eat）や温めるだけですぐに食べられるもの（Ready to Heat)、必要なものが下ごしらえされた状態（Ready to Cook）でセットになっている食材（Ready to Prepare）などがあります。家で食事を作る機会が減少したことや女性の社会進出の増加、利便性の高い商品の開発により、ホームミールリプレースメントは拡大しています。

スピードCheck! 確認テスト

ホームミールリプレースメントに関する記述で、最も不適当なものを選びなさい。

（1）盛り付けるだけの食事や、温めるだけですぐ食べられるものなどの手法がある。
（2）スーパーマーケットなどで売られている惣菜は、これに当たる。
（3）もともとは、アメリカのスーパーマーケット業界が外食業界に奪われた顧客を取り戻すために提唱したマーケティング戦略の一つである。
（4）家庭の食事に代わるもの、という意味がある。
（5）ミールソリューションの手法の中の一つであると言える。

答え （3） P.184～185

小売業者の販売形態は、業種から業態へと変化しています。

・内食と外食と中食は、移り変わりと内容をセットで覚えておきましょう。
・ホームミールリプレースメントは、ミールソリューションの手法の一つであるという関係性を理解しておきましょう。
・フランチャイザーとフランチャイジー、イニシャルフィとロイヤリティの違いがよく出題されるので、きちんと学習しておきましょう。
・スーパーバイザーとマーチャンダイザーの役割の違いを、きちんと学習しておきましょう。

3 日本の商慣行と特徴

重要キーワード
・建值　・制度価格　・オープン価格　・派遣店員　・委託販売
・一店一帳合制　・リベート

1 日本の商慣行　重要

日本には、生産者（メーカー）・卸売業者・小売業者の利益を守るために、商取引上において独自の商慣行（商取引の習慣）があります。日本の商慣行は、公平性・透明性の点から、新規参入を妨げる要因にもなっています。海外企業から見直しを求める声もあり、商慣行を排除していく動きもあります。

(1) 価格に関する商慣行

価格に関する商慣行には次のようなものがありますが、近年では価格設定の主導権は、メーカーから、消費者により近い小売業者へと移行しつつあります。

建値（たてね）	メーカーが卸売業者や小売業者に対して、販売数量や販売価格などを設定する制度。
メーカー希望小売価格	メーカーが自社製品に設定した販売参考価格。
制度価格	メーカーが卸売業者や小売業者に対して設定する価格。
オープン価格	小売業者が自由に設定する販売価格。
二重価格	値引き前と値引き後など、２種類の価格を同時に表示すること。

(2) 販売・仕入れに関する商慣行

小売業者の優越的立場からの商慣行もありますが、押し付け販売などは本来独占禁止法で禁止されています。

派遣店員	メーカーが自社商品の販売のために小売業者に店員を派遣する制度。
委託販売	販売完了時までメーカーが商品の所有権を持ちながら、小売業者に販売をしてもらうこと。売れた分の商品代金のみメーカーへ支払われる。
買取制	小売業者が売れ残るリスクも含めて仕入れ、販売する制度。
返品制度	小売業者が仕入れた商品が売れ残った場合に、メーカーに返品することができる制度。
押し付け販売	小売業者が商品を仕入れている優越的立場を利用して、納入業者に商品を購入させる方法。　**例**：クリスマスケーキ、おせち料理
一店一帳合制	小売業者が、特定の卸売業者以外からは商品を仕入れられない制度。
リベート（報奨金・奨励金・割戻金）	メーカーが自社商品の取引高・売上高などに応じて、販売差益以外に卸売業者や小売業者に売上貢献の報酬を支払う制度。

スピードCheck! 確認テスト

一店一帳合制の説明として、最も適当なものを選びなさい。

（1）メーカーが自社商品の取引高・売上高などに応じて、販売差益以外に卸売業者や小売業者に売上貢献の報酬を支払う制度のこと。

（2）メーカーが自社商品の販売を行うため、小売業者や百貨店に人材を派遣して販売させる店員のこと。

（3）メーカーが卸売業者や小売業者に対して設定する適正価格のこと。

（4）小売業者が、特定の卸売業者以外からは仕入れることができない制度のこと。

（5）小売業者が仕入れた商品が売れ残った場合に、メーカーへ返すことができる制度のこと。

答え　（4）　P.187

本節のまとめ

日本には昔から独特の商慣行がありますが、価格設定の主導権はメーカー側から消費者側へと移行しています。それぞれの商慣行の内容を覚えておきましょう。

4 流通の機能（流通と物流）

重要キーワード
・３つのギャップ　・流通の４つの機能　・流通経路（チャネル）
・ジャストインタイム　・ロジスティックス
・グリーンロジスティックス　・窓口問屋制

1 流通とその役割　重要

流通とは、モノを作る生産者とそれを消費する消費者をつなぐ**一連の経済活動全般**を指します。生産者と消費者には**３つのギャップ**があり、これらをつなぐために流通があります。

「生産者」と「消費者」の３つのギャップ

・生産と消費の「人」が異なる。
・生産と消費の「空間（場所）」が異なる。
・生産と消費の「時間」が異なる。

（1）流通の全体像

生産者から卸売業者や小売業者を介して、消費者へとモノが届けられます。**モノの流れ**を川の流れにたとえ、生産者側を**川上**、消費者側を**川下**、生産者側への戦略を「川上戦略」、消費者側への戦略を「川下戦略」と呼びます。

このモノの流れとは逆に支払いが行われ、お金が流れます。モノ以外にも様々な情報も流れるため、流通は双方向でつながっていると言えます。流通の対象には、商品のような形のある**有形のモノ**以外に**無形のサービス**も含まれます。一般的な流通を図式化すると、次のようになります。

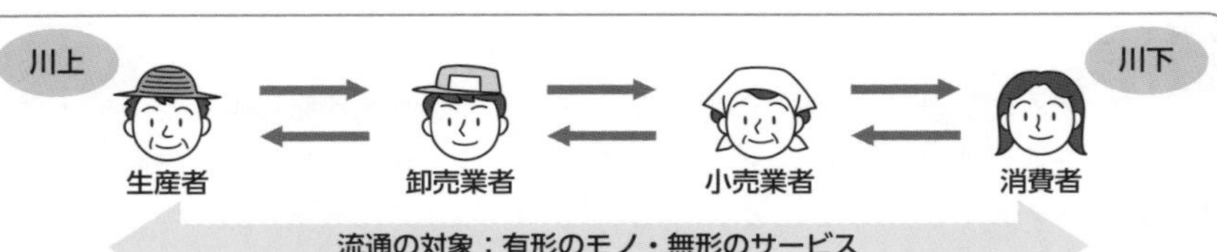

（2）流通の4つの機能

生産者と消費者をつなぐ流通には、次の4つの機能が備わっています。

なお、流通とは生産者と消費者の間をつなぐ役割を指すため、一般的に流通の機能には**生産機能は含まれません**。

商流機能	流通間で取引をする商売の機能。
物流機能	モノの仕分け・保管・配送をする機能。
金融機能	売買に際し、掛け売りや決済代行などをする機能。
情報機能	様々なデータや情報をつなぐ機能。

生産者と消費者の「2」者間をつなぐのが流通。生産者と消費者には「3」つのギャップがあって、流通には「4」つの機能があるよ。「流通の2・3・4」と覚えておこう。

（3）流通の経路と業者

生産者から消費者につながる流れ・道筋を、**流通経路（チャネル）**と呼びます。

流通経路は大きく分けて2種類あります。産地直送や通信販売のように生産者と消費者が直接つながることを**直接流通**、生産者と消費者が卸売業者や小売業者などを介してつながる経路を**間接流通**と呼びます。

生産者と消費者の間に入る卸売業者や小売業者を総称で**流通業者**と呼び、その中でも、仕分け・保管・配送など物流に従事する業者を**物流業者**と呼びます。

（4）日本の流通

日本では古くから地方各地に卸売業者が存在し、「一次卸→二次卸→三次卸」のように、細かくつながっていました。また、全国各地に小規模の小売業者が多数存在していました。

近年、流通業界では規模拡大と事業の集約化が進み、コスト・時間の削減から、卸売業者を抜かして生産者と小売業者が直接取引をする状況も増えています。これを、**卸の中抜き**と呼んでいます。

一方で、卸売業者は生産者と小売業者を一手に集約する重要な役割を果たしています。流通全体の最適化を進める立場として、卸売業者は今後もその存在価値を高めるために、機能を強化していくことが求められています。

流通が多段階になると、モノが届くまでのコストと時間がかかります。一方、卸の中抜きが増えると、物流の集約効果は薄まります。どちらに偏っても流通全体のバランスが崩れ、消費者メリットが低下するため、流通全体で最適化することが重要になってきます。

流通構造の変化

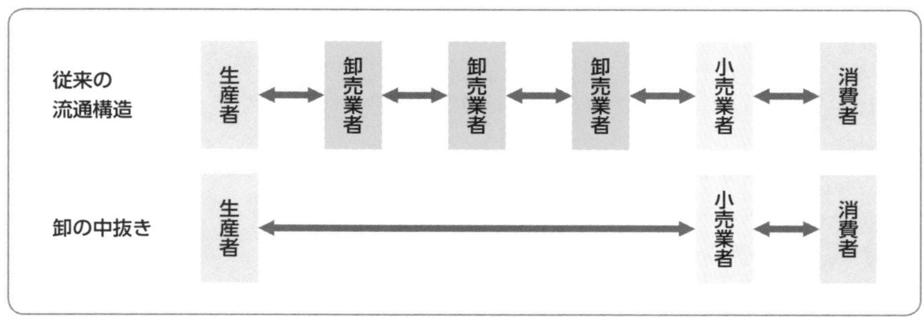

日本の流通は、世界に比べて丁寧で細かい対応をしていることが特徴よ。なお、課題としては、多段階で小規模であることが挙げられるわ。

2 物流とその役割

流通において、実際に物品を運ぶ**物流**は、ほかに代替の利かない重要な機能です。

（1）物流を取り巻く環境

高度経済成長に伴い、生産能力や小売業者の規模は拡大・向上しました。物流は大量配送をすることで、その配送網を拡大してきました。

近年では、コンビニを代表とする細かい物流が求められる時代となり、配送回数を頻繁にして少量ずつモノを運ぶ**多頻度小口物流**といった対応を迫られています。「必要なものを・必要なときに・必要なだけ」という考え方で、これを**ジャストインタイム**と呼びます。トヨタ自動車が「ムリ・ムダ・ムラ」をなくすために考え出した**かんばん方式**も、この考え方に即しています。

（2）ロジスティックス

ロジスティックスとは、原料の調達から生産・保管・配送などを経て、消費者にモノが渡るまでの物流をマネジメントする総合的な戦略・システムを指します。ロジスティックスの目的は、**必要な量を生産し効率よく継続して供給すること**です。単なる「物流」とは概念が異なり、様々な物流の分野を総合して、全体を最適な状態にするために効率化・合理化を図る考え方を指します。

ロジスティックスの語源は、軍事用語の「兵站（へいたん）」とされています。兵站とは、人・物資（食料・武器）を最前線に供給するための生産・保管・輸送などを管理する活動全般のことを言います。

時代とともに、生産者側の観点でコントロールを行い流通全体の最適化を図る**サプライチェーンマネジメント（SCM）**や、消費者側の観点で需要をとらえて生産・在庫・販売をコントロールすることで流通全体の最適化を図る**ディマンドチェーンマネジメント（DCM）**などの考え方に発展していきました。

（3）環境への配慮とグリーンロジスティックス（静脈物流）

日本国内では、配送にトラックが多く活用されています。トラックの台数が増えれば細かい物流網を構築できますが、環境に対する負荷も増えます。二酸化炭素排出量を削減するためにトラックの低公害化（バイオ燃料の使用やエコカー導入、エコドライブ推進など）や、台数を削減するために配送帰りの空車を活用した資源回収など、環境に配慮した取り組みが進められています。こうした**環境に配慮した物流全般**を、**グリーンロジスティックス**と呼びます。

また、環境負荷を軽減する観点から生まれたのが、生産から消費までどのくらいの距離を運ばれたかを表す指標の**フードマイレージ**です（84ページ参照）。

ロジスティックスは物流全体を総合的にとらえた戦略・システムで、グリーンロジスティックスは環境に配慮した物流よ。違いに注意して覚えてね。

（4）物流集約機能の強化

これまでの物流では、生産者→卸売業者→小売業者と、一般的な流通の流れに沿って配送されていました。小売業者から見れば、複数の卸売業者の荷物を受ける必要があり、店舗作業に負荷がかかります。

そこで、近年では各生産者の商品を一度卸売業者に集め、商品を混載して配送する**共同配送**という方式がとられるようになってきました。これにより、配送にかかるコストや商品ロスを削減できるようになりました。

共同配送するために、一定の地域やエリアで指定の卸売業者を決め、その卸売業者が窓口となって、生産者やほかの卸売業者の商品を集約します。このしくみを**窓口問屋制**と呼びます。また、小売業者も物流の集約に力を入れており、年々集約化が進んでいます。

物流の集約などを中心に、生産から販売までにかかるすべての無駄をなくし、物が届くまでの時間（**リードタイム**）の短縮や在庫削減によって生み出されたコストを価格に反映して消費者に還元することを、**クイックレスポンス**（**QR**）と言います。

「共同配送」がない場合とある場合の違い

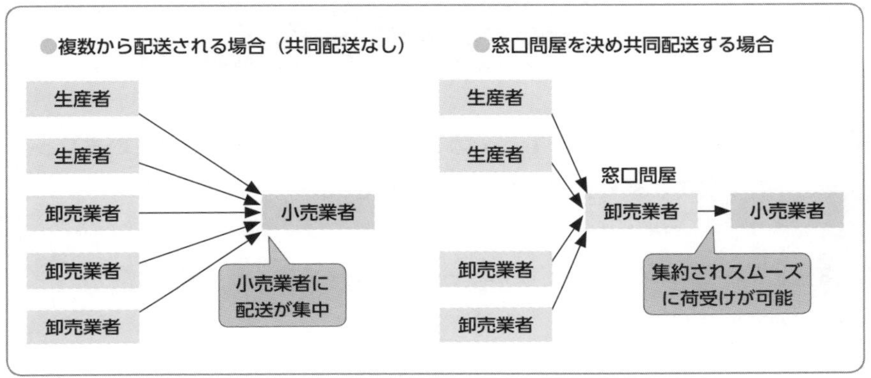

スピードCheck! 確認テスト

流通の持つ機能について、最も不適当なものを選びなさい。

（1）モノの仕分け・保管・配送をするという物流機能。
（2）ニーズに合ったモノを作り出すという生産機能。
（3）流通間で取引をするという商流機能。
（4）売買に際し、掛け売りや決済代行などをするという金融機能。
（5）様々なデータや情報をつなぐという情報機能。

答え （2） 
P.189

流通は、生産者と消費者の３つのギャップをつなぐための一連の経済活動です。
- 流通には４つの機能が備わっており、一般的に製造や開発は含まれないことを理解しておきましょう。
- 共同配送、窓口問屋制、クイックレスポンスなど、物流用語もよく出題されるため、用語の意味と違いをきちんと学習しておきましょう。

第５章　演習問題

問１ **メーカーが作ったもので、全国で販売されて広く認知されているブランドについて、最も適当なものを選びなさい。**

（１）ブランド・ロイヤリティ　（２）プライベートブランド
（３）メーカーブランド　（４）チャネルキャプテン
（５）ナショナルブランド

問２ **同一商品や関連する商品を縦に陳列する方法について、最も適当なものを選びなさい。**

（１）アイランド陳列　（２）ホリゾンタル陳列
（３）バーチカル陳列　（４）エンド陳列
（５）先入先出陳列

問３ **商品の仕入れや販売計画などに一切の権限と責任を持つ担当者について、最も適当なものを選びなさい。**

（１）スーパーバイザー　（２）マーケッター
（３）フランチャイザー　（４）マーチャンダイザー
（５）コーディネーター

問４ **建値の説明として、最も適当なものを選びなさい。**

（１）メーカーが自社製品に設定した販売参考価格のこと。
（２）小売業者が販売価格を自由に設定すること。
（３）小売業者が値引き前と値引き後など、２種類の価格を表示すること。
（４）メーカーが卸売業者や小売業者に対して設定する価格のこと。
（５）メーカーが卸売業者や小売業者に対して、販売数量や販売価格などを設定する制度のこと。

問5 **食マーケットに関する記述で、最も不適当なものを選びなさい。**

（1）近年では消費者のニーズに伴い、「業態」から「業種」へ販売形態が変化している。

（2）業種とは、「何を売るか」という扱う商品群で分類した販売形態である。

（3）業種の販売形態の例として、鮮魚店・八百屋・酒屋などが挙げられる。

（4）業態とは、「どのような売り方をしているか」という営業運営方法で分類した販売形態である。

（5）業態の販売形態の例として、スーパーマーケット、コンビニエンスストア、ドラッグストアなどが挙げられる。

問6 **カテゴリーキラーの説明として、最も適当なものを選びなさい。**

（1）メーカーや小売業者が直接運営する販売店のこと。

（2）特定の商品分野での豊富な品揃えと低価格を武器に販売展開する小売業者のこと。

（3）食料品や日用品、衣類や家電製品など生活用品を取り扱い、常に低価格で販売する小売業者のこと。

（4）豊富な品揃えと低価格の商品を取り揃える、大型のセルフサービス小売業者のこと。

（5）会員制で、倉庫型の店舗で低価格で商品を販売している小売業者のこと。

問7 **流通に関する記述で、最も不適当なものを選びなさい。**

（1）流通の流れを経路（チャネル）と呼び、流通経路には直接流通と間接流通の２種類がある。

（2）流通とは、生産者と消費者をつなぐ一連の経済活動全般のことである。

（3）消費者から生産者へお金が流れるため、この流れを川に例えて消費者側を「川上」と呼ぶ。

（4）流通の対象は、有形のモノだけでなく無形のサービスも含まれる。

（5）生産者と消費者の間には、「人・空間・時間」の３つのギャップがある。

問 8 フランチャイズチェーンに関する記述で、最も不適当なものを選びなさい。

（1）本部企業と加盟店で形成されており、加盟店のことをフランチャイジーと呼ぶ。

（2）コンビニエンスストアやファストフードなどは、フランチャイズチェーンの形態であることが多い。

（3）一つの企業が本部企業として自社で社員を雇用し、直営店という形で店舗を展開している経営形態である。

（4）加盟店は、本部に加盟料であるイニシャルフィを支払う。

（5）加盟店は、本部に経営指導料であるロイヤリティを支払う。

問 9 ミールソリューションに関する記述で、最も不適当なものを選びなさい。

（1）食事の問題・悩みに対する解決策を、提案する手法である。

（2）その地域で生産された農産物や水産物を、その地域で消費することを指す。

（3）ミールソリューションの手法の一つに、ホームミールリプレースメントがある。

（4）もとはアメリカのスーパー業界が顧客を取り戻すために提唱したマーケティング戦略の一つである。

（5）小売の現場でも毎日の食卓を提案していくなど、様々なミールソリューションが取り入れられている。

問 10 委託販売の説明として、最も適当なものを選びなさい。

（1）販売完了までメーカーが商品の所有権を持ちながら、小売業者に販売してもらうこと。

（2）小売業者が、特定の卸売業者以外からは商品を仕入れられない制度。

（3）小売業者が優越的立場を利用して、納入業者に商品を購入させること。

（4）小売業者が売れ残るリスクも含めて仕入れ、販売する方法。

（5）メーカーが自社商品の販売のために、小売業者に店員を派遣する制度。

問11 売れ行きが悪く陳列棚から外される商品について、最も適当なものを選びなさい。

（1）欠品　（2）機会損失　（3）棚外し商品

（4）死に筋商品　（5）品薄

問12 次の組み合わせのうち、最も不適当なものを選びなさい。

（1）OEM供給……相手先商標製品製造　（2）POS……販売時点情報管理システム

（3）eコマース……電子商取引　（4）EOS……オンライン受発注システム

（5）ワントゥワンマーケティング……個人商法

問13 家庭の外で調理された料理を家庭やオフィスに持ち帰って食べる形態について、最も適当なものを選びなさい。

（1）中食　（2）個食　（3）孤食

（4）外食　（5）内食

問14 グリーンロジスティックスの説明として、最も適当なものを選びなさい。

（1）野菜をいかに新鮮な状態で運ぶかに特化した物流のこと。

（2）ナンバープレートが緑色の配送トラック全般のこと。

（3）生産から消費までどのくらい運ばれたかを表す指標のこと。

（4）消費者の視点で需要をとらえて流通全体を最適化していくこと。

（5）エコドライブや低公害化など、環境に配慮した物流全般のこと。

問15 一定の地域やエリアで決めた指定の卸売業者が、生産者やほかの卸売業者の商品を集約・配送するしくみについて、最も適当なものを選びなさい。

（1）かんばん方式　（2）窓口問屋制

（3）クイックレスポンス　（4）共同配送

（5）リードタイム

解答・解説

問1	（5）	National Brandの頭文字をとってNBとも呼ばれる。対して（2）はPBと呼ばれ、卸売業者や小売業者が独自に作ったブランド。 ➡ P.175～176
問2	（3）	同一商品群を横に並べる陳列は「ホリゾンタル陳列」。 ➡ P.178
問3	（4）	商品決定の権限を持つ担当者。 ➡ P.183
問4	（5）	建値は日本独特の商慣行。（1）メーカー希望小売価格、（2）オープン価格、（3）二重価格、（4）制度価格。 ➡ P.186
問5	（1）	消費者ニーズの変化に伴い、何を売るかといった「業種」から、どのように売るかといった「業態」へ変化している。 ➡ P.180
問6	（2）	（1）アウトレットストア、（3）ディスカウントストア、（4）ハイパーマーケット、（5）ホールセールクラブ。 ➡ P.181
問7	（3）	生産者側を「川上」、消費者側を「川下」と呼ぶ。 ➡ P.188～189
問8	（3）	（3）は「レギュラーチェーン」。 ➡ P.182
問9	（2）	（2）は「地産地消」。 ➡ P.184～185
問10	（1）	（2）一店一帳合制、（3）押し付け販売、（4）買取制、（5）派遣店員。 ➡ P.187
問11	（4）	（1）は発注ミスなどによって商品が品切れすること。（2）は欠品などによって売り損じること。 ➡ P.177
問12	（5）	（5）のワントゥワンマーケティングは、消費者一人ひとりにターゲットを絞りアプローチするマーケティング手法。 ➡ P.176～178
問13	（1）	消費者のライフスタイル変化や外食産業やコンビニの発展などで、中食の市場は拡大している。 ➡ P.183～184
問14	（5）	静脈物流とも呼ばれる環境配慮型物流。（3）フードマイレージ、（4）ディマンドチェーンマネジメント。 ➡ P.191～192
問15	（2）	集約する窓口を決めることからこう呼ばれる。年々、物流の集約化が進んでいる。 ➡ P.191～192

第 6 章
社会生活

演習問題

家計と経済

重要キーワード

・GDP　・景気動向指数　・マネーストック　・インフレーション
・デフレーション　・スタグフレーション　・デフレスパイラル
・円高と円安　・所得と可処分所得　・国税と地方税
・直接税と間接税

1 物価と経済指標

物価は、主に需要と供給のバランスや経済全体の動きによって決まります。物価を表す指標には、ある期間にどれくらい価格が推移したかを表す**消費者物価指数**や**企業物価指数**があります。経済の状態を表す指標は、このほかにもいくつかあり、代表的なものに、**GDP（国内総生産）**、**景気動向指数**、**マネーストック**などがあります。主な指標を確認しておきましょう。

名　称	指標の内容	発表時期（発表機関）
消費者物価指数	消費者が実際にモノを購入する段階での価格動向を示す指標。価格の影響を評価し、暮らしの状態を測定する。	毎　月（総務省）
企業物価指数	企業間で売買する卸売段階での物価の水準を示す指標。景気の動向を評価する。	毎　月（日本銀行）
GDP（国内総生産）	ある一定の期間に、一つの国で生産されたモノやサービスの価格総額を示す指標。	年４回（内閣府）
景気動向指数	景気動向を総合的に表す指標。一致指数が50％超は景気拡張、50％以下は景気後退を示している。	毎　月（内閣府）
マネーストック	金融機関や政府が保有する預金などを除き、市場に流通している通貨の総量。	毎　月（日本銀行）
日銀短期経済観測	企業の景気を総合的に判断した指標	年４回（日本銀行）

2 経済や物価のしくみ　重要

物価の動きや経済の変化は、企業や消費者に様々な影響をもたらします。

（1）インフレとデフレ

物価が継続的に上昇していく状態を**インフレ（インフレーション）**、物価が継続的に下落していく状態を**デフレ（デフレーション）**と言います。インフレになると物価は上がり、相対的にお金の価値は下がります。逆にデフレになると物価は下落し、お金の価値は相対的に上がります。

（2）経済状況との複合

デフレになると物価は下落するため、モノが安く買えるようになります。消費者にとってはよいことと思われがちですが、デフレと経済停滞・不況が結び付くと景気が悪化し、企業の収益が下がります。これは、給与所得の低下や失業者が増大するなどの事態も招きます。このような状況を、**デフレスパイラル**と言います。逆に、インフレと経済停滞・不況が複合した状況を**スタグフレーション**と言います。

デフレスパイラル

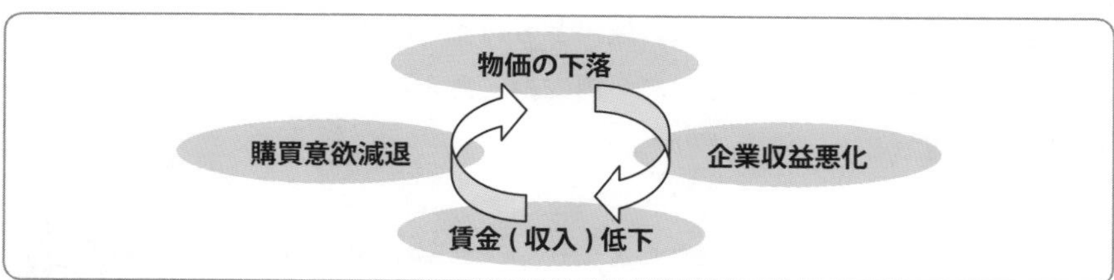

デフレとインフレは逆の状態。ほかの用語とセットで覚えてね。

・インフレ＋経済停滞・不況＝スタグフレーション
・デフレ　＋経済停滞・不況＝デフレスパイラル

3 円高と円安

重要

経済は日本国内だけで動くわけではなく、世界全体と連動しています。世界各国と日本では貨幣が異なるため、相互取引ができるように為替(かわせ)が存在します。

円高のときは円安のときに比べ、少ない円で多くの外貨に換えることができます。例えば、海外旅行では円高のほうが有利になります。

代表的な通貨であるドルと日本の円との関係を見た場合、例えば１ドル＝100円から80円になることを**円高**と言います。これは、100円で買っていた１ドルのものが80円で買えるようになった状態を意味し、相対的に見ると円の**価値が高く**なったことを示しています。逆に１ドル＝100円から120円になることを**円安**と言います。円高・円安では、次のような影響があります。

円高になると	・輸入（輸入業者）に**有利**になる。 ・輸出（輸出業者）に**不利**になる。 ・**外貨を円**に換える動きが起こりやすい。 ・**産業の空洞化**が起こる可能性がある。
円安になると	・輸出（輸出業者）に**有利**になる。 ・輸入（輸入業者）に**不利**になる。 ・**円を外貨**に換える動きが起こりやすい。 ・**貿易摩擦**が起こる可能性がある。

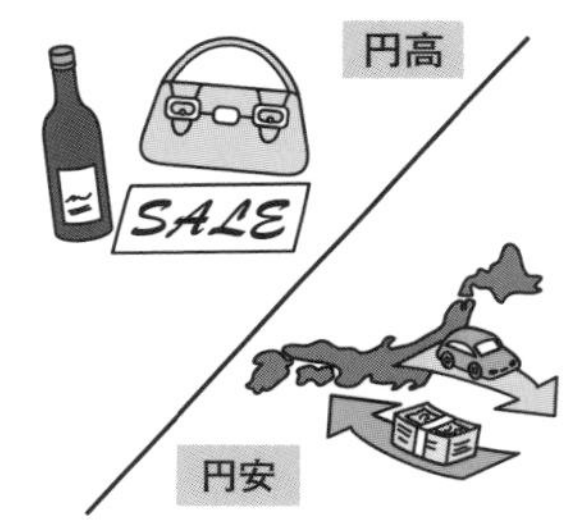

日本は、世界的に見ると輸入・輸出ともに多い国であるため、為替変動だけで円高・円安のどちらが有利と言い切ることはできません。

円高・円安における影響は、よく出題されるよ。円高と円安では主に逆の状況になるので、覚えやすいほうから覚えよう。
例：円高は輸入に有利→円安は輸入に不利

4 収入と所得

収入とは、入ってくるお金の総額を指します。一方、**所得**とは収入から経費などを差し引いて残る金額を指します。所得に対して課される所得税は**累進課税制度**で、所得が多くなると段階的に税率も引き上げられます。

所得から税や社会保険料などが引かれた後、手元に残り消費などに回すことができるお金を**可処分所得**と言います。所得税のかかる所得には、事業所得・利子所得・配当所得・不動産所得・給与所得・退職所得・譲渡所得・山林所得・一時所得・雑所得など、様々な種類があります。

収入と所得

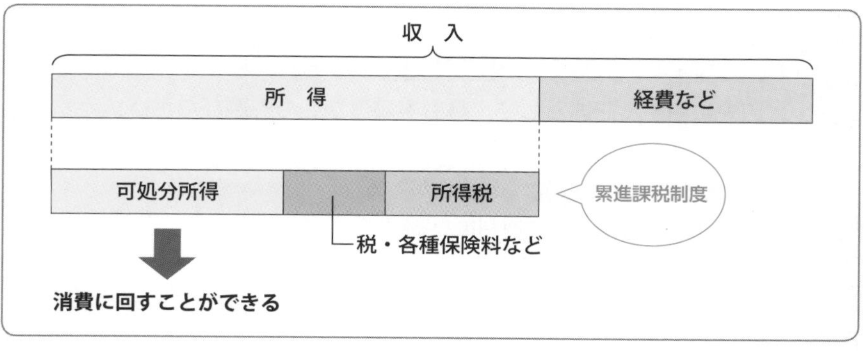

5 税金の種類

国や地方の財政は、国民が納める税金によって賄われています。

(1) 国税と地方税

税金は納められる先によって分類され、国に納める税金を**国税**、地方自治体（都道府県や市区町村）に納める税金を**地方税**と言います。税金は、国や地方自治体の収入（**歳入**）になります。

（2）直接税と間接税

税金を負担する人と実際に納める人が同一の場合の税金を**直接税**、別の場合を**間接税**と言います。それぞれの代表的な例として、直接税には法人税・相続税・贈与税などが、間接税には**消費税**・たばこ税・酒税などがあります。

国税・地方税、直接税・間接税は、次のように区分けされます。

	直接税	間接税
国　税	所得税・法人税・相続税・贈与税	消費税・酒税・たばこ税・印紙税など
地方税	事業税・不動産取得税・固定資産税 都道府県民税・市町村民税・自動車税 特別区民税（東京23区）など	地方消費税・ゴルフ場利用税 都道府県たばこ税・市町村たばこ税 入湯税・軽油引取税など

スピードCheck! 確認テスト

円安に関する記述として、最も不適当なものを選びなさい。

（1）産業の空洞化が起こる可能性がある。
（2）輸出（輸出業者）に有利になる。
（3）貿易摩擦が起こる可能性がある。
（4）１ドル＝100円から１ドル＝120円になることを指す。
（5）円を外貨に換える動きが起こりやすい。

答え　（1） ➡ P.202

インフレ⇔デフレ、スタグフレーション⇔デフレスパイラル、円高⇔円安、輸入⇔輸出、国税⇔地方税、直接税⇔間接税など、対比するキーワードを必ずセットにして覚えましょう。

生活の中の消費者問題

重要キーワード

- クーリングオフ制度
- アポイントメントセールス
- キャッチセールス
- SF商法
- マルチ商法
- ネガティブオプション
- 振り込め詐欺

1 消費者を守る制度（クーリングオフ制度）

訪問販売や電話勧誘など、消費者にとって不意打ちの販売方法や詐欺的な勧誘による販売で購入契約をしてしまった場合、一定期間であれば契約を一方的に解除できます。この消費者を守る制度を、**クーリングオフ制度**と言います。ただし、次のような場合はクーリングオフができないため、注意が必要です。

●クーリングオフができる場合

- 訪問販売やマルチ商法、電話勧誘販売など、法律で認められている取引の場合。
- 業界団体が自主規定としてクーリングオフ制度を採用している場合。
- 業者が個別にクーリングオフ制度を契約内容に取り入れている場合。

●クーリングオフができない場合

- 通信販売やオンラインショッピングで購入した場合。
- 3,000円未満の商品を受け取り、同時に代金も全額支払っている場合。
- クーリングオフできる期間が過ぎてしまった場合。
- 乗用車などを購入する場合（内職商法、マルチ商法の場合はクーリングオフ可）。
- 消耗品など、一度使用するとクーリングオフができないことが、あらかじめ明記されている場合。

クーリングオフができる期間には制限があり、内容によって異なりますが、通常、契約書面を受け取った日から８日以内（マルチ商法は20日以内）であれば、書面の送付によって契約解除できます。

2 トラブルになりやすい販売手法

近年では、契約でのトラブルが多く発生しています。代表的な販売手法を理解することが大切です。

アポイントメントセールス	「あなたが選ばれました！」と電話や郵便などで連絡し、カフェなどに呼び出し、絵画や宝石など高額な商品を購入させる。
恋人商法（デート商法）	異性間の恋愛感情を利用し、装飾品や着物などの購入契約を結ばせる。
キャッチセールス	街頭や路上で「アンケートにご協力ください」などと声をかけ、営業所やカフェに同行し化粧品や宝石、エステ会員権などを購入させる。
SF商法（新製品普及商法）	会場に人を集め、日用品の無料配布や格安販売でお得さを感じさせて雰囲気を盛り上げておき、羽毛布団などの高額商品を購入させる。（新（S）製品　普（F）及会　よりSF商法）
マルチ商法	「会員になって商品を購入し、家族や友人を紹介すれば簡単に利益が得られる」などの勧誘で、健康食品や化粧品などを購入させる。
かたり商法	水道局員や消防署員を装って、浄水器や消火器などを購入させる。
ネガティブオプション（送り付け商法）	注文していないのに一方的に商品を送り付け、断りの意思を示さない場合は商品代金の請求をしてくる。
振り込め詐欺	身内を装い「緊急でお金が必要だ」と言い、指定した口座へ現金を振り込ませる。
フィッシング詐欺（phishing）	金融機関や有名企業などを装ったメールなどで偽のWebページに誘導し、ユーザーIDやパスワード、クレジットカード番号などを取得する。
内職商法	「在宅ビジネスで高収入」などとチラシ広告で募集し、仕事に必要だと高額なパソコンを購入させたり講習料を支払わせたりする。
霊感商法	霊感があるように装い「悪霊がついている」と言い、霊を祓（はら）うために必要だと高額な商品を購入させる。
原野商法	原野などのほとんど価値のない土地を、時価よりも非常に高い金額で売りつける（60～80年代が全盛期）。
クリーニング商法	電話などでカーペットやエアコンのフィルターなどのクリーニングを勧められ、高額の作業費を請求されたり機器を購入させたりする。

お役立ちコラム

クーリングオフができない販売に注意

通信販売やオンラインショッピングはクーリングオフの対象ではありませんが、返品特約（返品の可否）の条件が確認できるように明示が定められています。その明示がなければ、商品到着後から８日以内の返品が可能です。商品代金を前払いしたのに商品が届かないというトラブルもあるので、購入時には信頼できる業者か、しっかりと確認しましょう。

スピードCheck! 確認テスト

ネガティブオプションに関する記述として、最も適当なものを選びなさい。

（１）「在宅ビジネスで高収入」などとチラシ広告で募集し、仕事に必要だと高額なパソコンを購入させたり講習料を支払わせたりする。

（２）「あなたが選ばれました！」と電話や郵便で連絡し、カフェなどに呼び出し、絵画や宝石など高額な商品を購入させる。

（３）水道局員や消防署員を装い、浄水器や消火器などを購入させる。

（４）会場に人を集め、日用品を無料で配ったり格安で販売したりして、お得さを感じさせることで雰囲気を盛り上げ、羽毛布団などの高額商品を購入させる。

（５）注文していないのに一方的に商品を送り付け、断りの意思を示さない場合は商品代金の請求をしてくる。

答え （５）

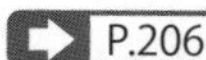
P.206

本節のまとめ

わが国も高齢化により、「振り込め詐欺」などの老夫婦家庭を狙った悪徳な販売手口や商法が増えています。トラブルになりやすい販売手法の知識を確認しながら、事例を把握しておきましょう。

3 食の安全と法律

重要キーワード

・HACCP　・PL法　・JAS法　・食品衛生法　・健康増進法
・メタボリックシンドローム　・景品表示法　・食品安全基本法
・BSE　・牛肉トレーサビリティ法　・米トレーサビリティ法

1 食の安全・安心の現状

食の安全・安心は、生産・流通・消費のどこか一つで深刻な事態を招くと、すべてを巻き込んだ問題となります。

生活環境や食文化が変化し、野菜や肉、魚などの生鮮食品を調理するだけでなく、ハムやバターなどの加工食品が一般家庭に普及しました。また、惣菜や調理済みの食品も多く利用されるようになり、食品が人の口に入るまでの経路・経緯は多様化しています。そのため、食の安全性を確保することは、以前より複雑で難しくなっています。

HACCP

食品の製造工程における品質管理システム。「ハセップ」または「ハサップ」と読みます。最終製品を抜き取る検査方式ではなく、製造プロセス全体で予測される危害を分析（HA）し、重要管理点を定める（CCP）方式で、世界的に採用されています。

近年、食中毒や食品偽装に関する問題が起きると、事故ではなく「事件」として扱われるほど、消費者の関心は高まっています。そうした中、令和２年６月からは原則としてすべての食品等事業者に**HACCP**に沿った衛生管理を導入することが義務化されました。HACCPは、原料から最終製品に至るまでの一連のシステムで、その過程で起きるあらゆる危害の予測と可能性を特定し、それらをコントロールしていきます。

2 食の安全・安心を守る法律　重要

（1）PL法

PL法（製造物責任法）は、製造業者の責任を定めた法律の一つです。製品の使用により消費者が生命、身体、または財産に損害を受けた場合、製品の欠陥によるものであることが証明できれば、製造業者から損害賠償を受けられます。

PL法は、企業（輸入業者、製造業者、加工業者、小売業者など）や個人にかかわらず、すべてが対象となります。この法律に基づいて損害賠償を受けるためには、①製造物に欠陥が存在していたこと、②損害が発生したこと、③損害が製造物の欠陥により生じたこと、の3つの内容を被害者が明らかにすることが原則となります。企業も消費者もPL法の正しい知識を身につけ、安全で安心できる製造管理、消費生活を行っていくことが大切です。

食品でのPL法の対象

対象となる食品（加工された食品）	煮る、焼く、揚げるなど加熱されたものや、調味料を加え味付けしたものなど、加工された食品。
対象とならない食品（未加工の生鮮食品など）	干物などのように単に乾燥、切断、冷凍、冷蔵したものなど原材料に手を加えていない食品。

（2）JAS法

JAS法（農林物資の規格化等に関する法律）は、飲食料品などが一定の品質や特別な生産方法で作られていることを保証するものです。「JAS規格制度（任意の制度）」で定められたルールに従って、様々なJASマークが付けられています（134ページ参照）。問題が起こるたびに改正され、2009（平成21）年5月の改正では食品の産地偽装に対する直罰規定が創設されました。

産地偽装を行った場合、個人は２年以下の懲役または200万円以下の罰金、法人は1億円以下の罰金が科せられます。

第6章 社会生活

(3) 食品衛生法

食品衛生法は、安全・安心な食品を確保するために、公衆衛生の見地から食品および添加物や器具・包装容器などについて規定しています。

BSE問題(163ページ参照)や偽装表示問題などで食の安全に関する不安が高まったことから、2003(平成15)年に大幅に改正され、監視・検査体制の整備や残留農薬に関する**ポジティブリスト制度**(162ページ参照)の導入や表示義務違反を含む罰則の強化などが図られました。また、令和2年6月からは原則としてすべての食品等事業者で**HACCP**の手法に則った衛生管理の導入が義務化されました。

(4) 健康増進法

健康増進法は、国民の栄養改善や健康維持・増進と生活習慣病予防を目的として制定された法律です。国民が生涯にわたって自らの健康状態を自覚するとともに、健康の増進に努めなければならないと規定されています。

この法律の主旨に基づいて、健康診断事業の再編が行われました。2006(平成18)年度から65歳以上を対象とする**介護予防健診**が、2008(平成20)年度から40歳以上75歳未満の医療保険加入者を対象とする**特定健診・特定保健指導**が開始されました。腹囲が大きく、血液検査や血圧に異常値を持つ者を**メタボリックシンドローム**(57ページ参照)該当者およびその予備群として選び出し(特定健診)、一人ひとりの状態に合った生活習慣の改善に向けたサポート(特定保健指導)を行うことを健康保険者に義務付けています。

受動喫煙対策として、**健康増進法**の一部を改正し、原則、屋内では**禁煙**としたのよ。

(5) 食品表示法

食品の表示について定めた新しい**食品表示法**が、2015(平成27)年4月1日から施行されました。食品表示はこれまで複数の法律に定めがあり、非常に複雑なものになっていました。食品衛生法、JAS法および健康増進法の３法の表示に関する規定を一元化し、栄養成分表示の義務化、「機能性表示食品」制度の新設など、事業者にも消費者にもわかりやすい制度となっています。

（6）景品表示法

景品表示法（不当景品類及び不当表示防止法）は**独占禁止法**の特例法で、公正な競争の確保や一般消費者の利益保護を目的に、**景品類の制限および禁止**、**不当な表示の禁止**を規定する法律です。

不当表示には大きく分けて、①優良誤認表示、②有利誤認表示、③その他、の３つがあります。食品関連では、①の優良誤認表示（商品・サービスの品質、規格、その他の内容についての不当表示）がよく問題になります。2013（平成25）年に広がりを見せた、ホテルやレストランで、実際には用いていない食材をあたかも用いているようにメニューに表示した食材偽装問題も、その一つです。

（7）食品安全基本法

食品安全基本法は、食品の安全性の確保に関する施策を総合的に推進することを目的とした法律で、関係者の責務・役割を明らかにするとともに基本的な方針を定めています。

BSE問題や原産地偽装問題などを受けて、食品に対する消費者の安心・安全への関心が高まったことを背景に、2003（平成15）年７月に制定されました。同年には**食品安全委員会**も設置され、食品の健康への影響を評価するとともに、安全行政全体に基本となる意見を提言しています。

（8）牛肉トレーサビリティ法

牛肉トレーサビリティ法（牛の個体識別のための情報の管理及び伝達に関する特別措置法）は、国内で生まれた牛および生きているうちに輸入された牛に**10桁**の個体識別番号を付けて、その番号の伝達を義務付ける法律です。**トレーサビリティ**とは生産流通履歴情報把握システムを表し、生産・流通の履歴情報がインターネットなどで検索できることを言います。トレース（Trace：追跡）とアビリティ（Ability：可能）を組み合わせた造語で、「追跡可能」と訳すことができます。

牛の生年月日や性別、飼養地、飼養方法など、「いつ、どこで、どのように、生産・加工・流通されたか」が容易にわかるようになっています。

牛肉トレーサビリティの情報例

個体識別番号	出生の年月日	雌雄の別	母牛の個体識別番号	種別（品種）
10119●●●●●	20190923	去勢（雄）	10115●●●●●	交雑種（肉専用種×乳用種）

	飼養県	異動内容	異動年月日	飼養施設所在地	氏名または名称
1	栃木県	出生	20190923	●郡●町	(株)●●ファーム
2	栃木県	転出	20200403	●郡●町	(株)●●ファーム
3	埼玉県	搬入	20200515	●市●区	●市と畜場
4	埼玉県	と畜	20200516	●市●区	●市と畜場

（独立行政法人家畜改良センターホームページをもとに作成）

（9）米トレーサビリティ法

米（こめ）トレーサビリティ法（米穀等の取引等に係る情報の記録及び産地情報の伝達に関する法律）は、適正な米の流通を行う目的で定められた法律で、次の2つの要素があります。

①米や米加工品等を扱う事業者に対する取引等の記録の作成・保存の義務付け（2010〈平成22〉年10月から）。

②出荷・販売する場合に、産地情報を伝達することの義務付け（2011〈平成23年〉7月から）。

①の目的は、問題が発生した場合に流通ルートを速やかに特定して回収することです。②の産地情報は、商品の包装や通販の購入カタログ、飲食店のメニューなどに記載され、消費者は産地を確認しながら安心して食べることができます。

米トレーサビリティ法の対象

対象事業者	生産者、対象品目となる米・米加工品の販売者、輸入者、加工者、製造者（米加工品製造事業者）、提供者（外食事業者）など
対象となる品目	米穀（籾、玄米、精米、砕米）、米粉や米粉調整品、米麹、米菓生地などの中間原材料、米飯・餅、団子、米菓、清酒、単式蒸留焼酎、みりん

お役立ちコラム

食材や表示が気になったら

食の安全と法律は、密接につながっています。普段の買い物や飲食で食材内容や食品表示に疑問を感じたら、農林水産省や厚生労働省、消費者庁などのホームページをチェックし、最新の情報を確認してみましょう。

スピードCheck! 確認テスト

PL法に関する記述として、最も不適当なものを選びなさい。

（1）製造物責任法の通称で、製品に欠陥があり、消費者が身体や財産に損害を受けた際に、製造者から損害賠償を受けられるという法律。
（2）「煮る」「焼く」「揚げる」など加工した食品は、法律の対象となる。
（3）干物などのように単に乾燥や切断をしたものは、法律の対象外である。
（4）一般消費者は、法律の対象ではない。
（5）商品の製造者が法律の対象であり、輸入者や加工者は対象ではない。

答え（5）
P.209

・「食品トレーサビリティ＝食品の移動」を把握できるようにしましょう。
・「生産⇒製造加工⇒流通卸⇒小売⇒消費者」の流れをしっかりと理解しましょう。

食品の廃棄と環境問題

重要キーワード
- 食品リサイクル法
- 容器包装リサイクル法
- リデュース・リユース・リサイクル
- 3R
- ゼロエミッション
- コンポスト
- デポジット

1 食品の廃棄とリサイクル

2019（令和元）年７月12日、食品リサイクル促進に関する新たな基本方針が公表されました。「事業系食品ロス量の半減目標」「再生利用等実施率の目標値（2024〈令和６〉年度まで）」「発生抑制目標の見直しと３業種の追加」などが主な改正のポイントです。

食品リサイクル法 （食品循環資源の再生利用等の促進に関する法律）	食品廃棄物を削減するとともに、飼料や肥料などの原材料として再生利用するために制定。
容器包装リサイクル法 （容器包装に係る分別収集及び再商品化の促進等に関する法律）	容器包装廃棄物におけるごみの減量化を図るために制定。

容器包装リサイクル法では、金属・ガラス・紙・プラスチックの容器包装をリサイクルの対象としています※。商品には、消費者がリサイクルできるかを識別できるように、各種**識別マーク**が付けられています（136ページ参照）。

びんなどの容器回収率を高めるために、代金に上乗せして徴収され、容器返却後に戻ってくるしくみがあるの。この上乗せされるお金のことを「**デポジット**（預り金）」と言うよ。

※スチール缶・アルミ缶・紙パック・段ボールはもともとリサイクルが行われ

ていたため対象外です。また、中身が商品ではないものやサービス提供に使われたものなどは容器包装に該当しません。

2 暮らしと環境対策 重要

環境にかかる負担や廃棄物の発生を抑制・削減するために、必要以上の消費や生産を抑制・削減することを**リデュース**（Reduce：**減量**）と言います。モノの寿命をできるだけ延ばしたり、製品の部分的な交換で使用することもリデュースの一つです。リデュースと**リユース**（Reuse：**再使用**）、**リサイクル**（Recycle：**再生利用**）を合わせて**3R**と呼びます。3Rを活用することで廃棄物や環境への悪影響を減らし、資源やエネルギーを繰り返し使う**循環型社会システム**を構築していく取り組みが、現在あらゆる場所で行われています。

ある産業から出る廃棄物を他分野の材料として活用して廃棄物ゼロを目指す取り組みを、**ゼロエミッション**と言います。

また、農産廃棄物などを利用し、堆肥（たいひ）作りを行うことやその機械のことを**コンポスト**と言います。これらも、循環型社会システムの構築への取り組みの一つと言えます。

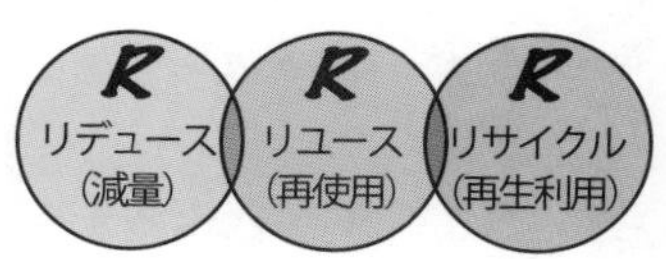

3 「もったいない運動」の推進

2016年環境白書によると、日本で年間に出る食品廃棄物は1,676万トン（2013年度）になります。約半分の870万トンは家庭から出るごみで、残り半分は食品関連のお店や工場から出ています。この中には、食べ残しや賞味期限切れのもの、食べられる部分まで捨ててしまった野菜なども含まれます。これらの状況を踏まえ、食生活での無駄を無くしていきましょう。

食品廃棄物、特に食品ロスは発生抑制するのが一番ですが、やむを得ず発生した食品廃棄物は廃棄するのではなく、飼料化、肥料化、メタン化などリサイクルすることが大事になってきます。近年は、食品関連事業者で発生した食品廃棄物を飼料化、肥料化して作られた飼料や、肥料を用いて生産された肉や野菜を販売・提供する**リサイクルループ**（**再生利用事業計画**）を構築する取り組みが進んでいます。

お役立ちコラム

有機肥料（堆肥）は、家庭でも簡単に作ることができます。家庭から出る生ごみを原材料にすることで、生ごみの減量（リデュース）にもつながります。

スピードCheck! 確認テスト

リデュースの説明として、最も適当なものを選びなさい。

（1）使用済みの商品などを回収・処理し、再生利用すること。
（2）廃棄物の発生の抑制・削減のために、消費や生産を抑制・削減すること。
（3）農産廃棄物を利用して堆肥づくりを行うこと。
（4）あらゆる産業から出る廃棄物を、ほかの分野の材料として活用することで、廃棄物をゼロにすることを目指すこと。
（5）使用しなくなった製品を、そのまま別の形で再使用すること。

答え　（2）

環境にかかわる６つの用語（リデュース、リユース、リサイクル、ゼロエミッション、コンポスト、デポジット）はよく出題されるので、言葉の意味を覚えておきましょう。

生活とIT社会

重要キーワード

・eコマース　・B to C　・B to B
・オンラインショッピング　・電子マネー
・プリペイドカード　・デビットカード　・クレジットカード

1 電子商取引（eコマース）　重要

近年、インターネットなどのネットワーク上で契約や決済などを行う**電子商取引（eコマース）**が増えています。

B to C（Business to Consumer）	企業と消費者の取引。　**例：**楽天市場、Amazon
C to C（Consumer to Consumer）	消費者と消費者の取引。　**例：**ネットオークション
B to B（Business to Business）	企業と企業の取引。　**例：**EDI（企業間の商取引の電子データ交換）、**EOS**（企業間オンライン受発注システム）
B to G（Business to Government）	企業と政府、企業と自治体の取引。　**例：**道路工事の電子入札
G to G（Government to Government）	政府間や自治体間、政府と自治体の取引。　**例：**省庁間の情報交換

消費者と企業をつなぐ電子商取引

B to Cの例
百貨店の催事売り場で売っていた商品を、インターネットを使って直接メーカーから購入した。

B to Bの例
食品会社が、商品の原料となる砂糖を商社にインターネットを使って注文した。

現在、eコマースの大半を占めているのはB to Bですが、インターネット上のオンラインショップが拡大したことで**オンラインショッピング**を利用する人が増加しています。スマートフォンの普及も手伝って、B to Cは急速に広がっています。

オンラインショッピングが拡大する一方で、実店舗のショールーム化（ショールーミング：店舗で商品を見てネットで価格を比較し購入すること）が、小売の課題の一つとなっています。

2 電子マネーとカードシステム

商品代金を支払う場合に、現金以外の手段として**電子マネー**や**クレジットカード**があります。電車やバスでは入金（**チャージ**）されたプリペイド式の電子マネーでの運賃支払い、オンラインショッピングではクレジットカードでの決済が主流です。カフェチェーンのプリペイドカードや宅配便・タクシーでのクレジットカード決済など、使用できる場所も広がっています。

主な電子商取引

種　類	支払時期	しくみ	主なカード
プリペイドカード	代金**前**払い	代金を先に支払い（入金し）、その金額分使用できる。	鉄道各社やカフェチェーン発行のものなど
デビットカード	代金**即時**払い	使用すると即時に、利用者の登録した口座から代金が引き落とされる。	金融機関のキャッシュカードなど
クレジットカード	代金**後**払い	使用した後から代金を支払う（主に登録した銀行口座から引き落とされる）。	クレジットカード・ETCカードなど

お役立ちコラム

利便性とポイント加算

電子マネーは、小銭を出す手間がなくスムーズに支払いができます。小額の買い物、チャージする、といった使い方だけでポイントがたまるカードもあるので、賢く利用したいものです。

スピードCheck! 確認テスト

IT社会に関する記述として、最も不適当なものを選びなさい。

（1）C to Cとは、消費者と消費者の間の取引のことを指す。
（2）インターネットを使用した電子商取引のことを、eコマースと言う。
（3）プリペイドカードとは、代金を先に支払い、入金した金額分使用できるしくみのカードである。
（4）デビットカードとは、代金を後払いするしくみのカードである。
（5）B to Bとは、企業と企業の間の取引のことを指す。

答え　（4）

P.217～218

本節のまとめ

・B to BとB to Cの違いを、本文の例を見て覚えておきましょう。
・デビットカードなどのしくみもよく出題されるので、押さえておきましょう。

食料自給率

重要キーワード
・食料自給率　・カロリーベース　・生産額ベース自給率
・重量ベース自給率　・食料自給率40%前後　・品目別自給率

1 食料自給率とは　重要

食料自給率とは、**国内の食料生産**で**国内の消費**がどれだけ賄えるかを表した指数です。例えば、国内で消費は100あるが、国内の生産では45しか賄えていない場合、食料自給率は45%になります。

食料自給率(%)＝国内の生産量÷国内の消費量 × 100

日本で一般的に食料自給率と言った場合、**カロリーベース**の自給率（供給熱量自給率）を指し、諸外国との比較にも使われます。

カロリーベース自給率のほかには、青果などのようにカロリーが低いものに対して生産金額をベースに算出した**生産額ベース自給率**や、穀物の生産と消費を数値化した**穀物自給率**（算出には食用の穀物に加え、家畜などの餌(えさ)に使用される穀物の生産・消費も**含まれる**）、重量をベースとした**重量ベース自給率**、重量をベースに品目別に算出した**品目別自給率**などがあります。

2 食料自給率の推移

2013年、「和食；日本人の伝統的な食文化」がユネスコ無形文化遺産に登録されました。日本人の食生活はバラエティに富み、世界一豊かだとも言われています。しかし、日本の食料自給率は減少傾向にあり、1965（昭和40）年度には70％を超えていましたが、時代とともに徐々に減少し、1998（平成10）年頃には40％前後となり、近年まで**40％前後**の低水準のまま横ばいが続いています。これは、主要先進国の中で最低水準です。

また、カロリーベースで見た場合、何らかの理由で輸入が滞った際に、日本の消費の半分以上が賄えなくなることを意味します。輸入に頼りきることなく、自国での生産で消費を賄う比率を上げることが、生活基盤を支えるうえで大切です。

食料自給率（カロリーベース）の推移

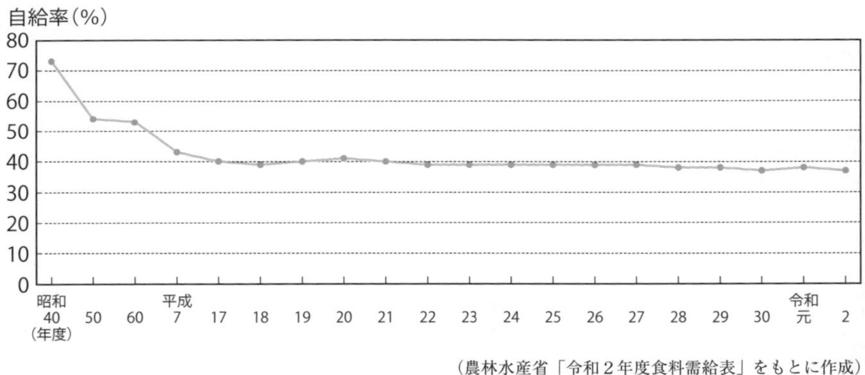

（農林水産省「令和２年度食料需給表」をもとに作成）

食料自給率の低下は、**作付面積の減少**による**国内生産量の減少**が主な要因ですが、そのほかにも食メニューの欧米化などによる米離れ（輸入中心である小麦などへ主食がシフト）も一因です。

食料自給率を向上するために、政府が2020（令和２）年に決定した「食料・農業・農村基本計画」では、2030年度に食料自給率を45％まで引き上げる**目標値**が定められています。

3 品目別の食料自給率

重要

食料自給率低下の原因の一つは、私たちの食生活の大幅な変化にあります。米や野菜など食料自給率の高い食料を中心とした食生活から、畜産物や油脂、加工食品などを多く摂取する食生活へと変わりました。日本の米の自給率は100％に近いですが、近年の主食であるパンや麺類の原材料である小麦は、大半を輸入に頼っているのが現状です。また果実なども、年々輸入の増加により自給率が下がってきています。

世界の人口は70億人を突破し、今も増え続けています。世界規模で食料問題が深刻化する中、今までのように多くの食料を外国から輸入し続けるのは難しくなる可能性があります。私たち日本人にとって、世界の食料事情や食料自給率の問題は、他人事ではありません。

主な品目別の食品自給率

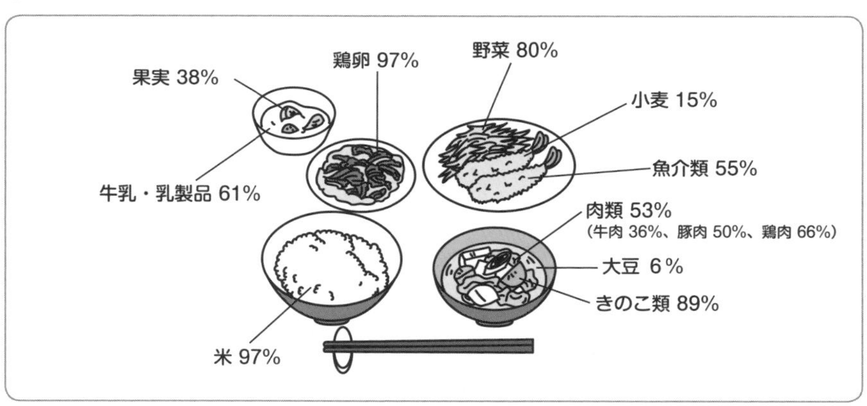

（農林水産省「令和２年度食料需給表」をもとに作成）

品目別の自給率は、多い順（少ない順）で覚えよう。多い順は、米＞鶏卵＞きのこ類＞野菜＞牛乳・乳製品＞魚介類＞肉類＞果実＞小麦＞大豆よ。

スピードCheck! 確認テスト

食料自給率の説明として、最も適当なものを選びなさい。

（1）日本では、一般的に「食料自給率」と言った場合には、生産額ベース自給率を指し、諸外国との比較にも使われる。

（2）食料自給率とは、海外の食料生産で国内の消費がどれだけ賄えるかを表した指数である。

（3）米・小麦・野菜・果実・肉類・魚介類の中では、果実の食料自給率が一番低い。

（4）近年の日本の食料自給率は、40%前後の低水準のまま横ばい状況である。

（5）穀物の生産と消費を数値化した「穀物自給率」には、家畜の餌などに使用される穀物の生産・消費は含まれない。

答え （4）

P.220～222

「穀物自給率には家畜などの餌に使用される穀物の生産・消費も含まれる」という点は間違いやすいので、気を付けましょう。

第6章　演習問題

問1 **景気動向指数の説明として、最も適当なものを選びなさい。**

（1）消費者が実際にモノを購入する段階での価格動向を示す指標。

（2）ある一定の期間に、一つの国で生産されたモノやサービスの価格総額を示す指標。

（3）景気の動向を総合的に表す指標で、一致指数が50%超は景気拡張、50%以下は景気後退を示す。

（4）金融機関や政府が保有する預金などを除き、市場に流通している通貨の総量。

（5）企業間で売買する物価の水準を示す指標。

問2 **円高に関する記述で、最も不適当なものを選びなさい。**

（1）産業の空洞化が起こる可能性がある。

（2）輸入（輸入業者）に有利になる。

（3）貿易摩擦が起こる可能性がある。

（4）１ドル＝100円から１ドル＝80円になることを指す。

（5）外貨を円に換える動きが起こりやすい。

問3 **国税に該当するものとして、最も適当なものを選びなさい。**

（1）相続税　（2）事業税　（3）入湯税

（4）固定資産税　（5）軽油引取税

問4 **直接税に該当するものとして、最も不適当なものを選びなさい。**

（1）所得税　（2）消費税　（3）法人税

（4）不動産取得税　（5）自動車税

問5 物価が継続的に上昇する状態と経済停滞・不況が複合した状態について、最も適当なものを選びなさい。

（1）デフレーション　（2）スタグフレーション
（3）インフレーション　（4）デフレスパイラル
（5）マネーストック

問6 収入と所得に関する記述として、最も不適当なものを選びなさい。

（1）収入とは、入ってくるお金の総額である。
（2）所得とは、収入から経費などを差し引いて残る金額を指す。
（3）手元に残り消費などに回されるお金のことを、可処分所得と呼ぶ。
（4）所得には、事業所得・給与所得・一時所得など様々な種類がある。
（5）所得に対して課される税金を所得税と言うが、掛かる税金のパーセントは一律である。

問7 電子商取引における企業と企業の間の取引について、最も適当なものを選びなさい。

（1）B to B　（2）C to C　（3）G to G
（4）G to C　（5）B to C

問8 次の記述のうち、最も不適当なものを選びなさい。

（1）食品リサイクル法は、食品廃棄物を削減するとともに、飼料や肥料などの原材料として再生利用するために制定された。
（2）容器包装リサイクル法は、使用される容器の規格品質統一のために制定された。
（3）日本では、食品廃棄物の約半分は一般家庭から出されている。
（4）容器包装リサイクル法では、金属・ガラス・紙・プラスチックの容器包装をリサイクルの対象としている。
（5）食品や飲料などのパッケージには、消費者がリサイクルできるかを識別できるように、各種リサイクルマークが付けられている。

問9 **クーリングオフ制度に関する記述で、最も不適当なものを選びなさい。**

（1）法律に定められている取引において、商品を購入した場合、一定期間であれば契約を一方的に解除できる制度。

（2）乗用車は、クーリングオフ制度の対象外である。

（3）業者が個別にクーリングオフ制度を契約内容に取り入れている場合には、クーリングオフできる。

（4）商品を受け取って同時に代金を全額支払っていても、一定期間内であればすべての商品がクーリングオフできる。

（5）化粧品など、一度使用するとクーリングオフができないことがあらかじめ明記されている場合には、適用外となる。

問10 **SF商法の説明として、最も適当なものを選びなさい。**

（1）会場に人を集め、日用品の無料配布や格安販売で雰囲気を盛り上げた後、高額商品を購入させる方法。

（2）水道局員や消防署員を装って訪問し、浄水器や消火器などを購入させる方法。

（3）街頭や路上で「アンケートにご協力ください」などと声をかけ、営業所やカフェに同行し、商品を購入させる方法。

（4）注文していないのに一方的に商品を送り付け、断りの意思を示さない場合には、商品代金の請求をしてくる方法。

（5）「あなたが選ばれました！」と電話や郵便などで連絡し、カフェなどに呼び出し、高額な商品を購入させる方法。

問11 **電子マネーに関する記述として、最も適当なものを選びなさい。**

（1）プリペイドカードは、使用した代金を後に支払う。

（2）デビットカードは、使用した時点で即時口座から代金が引き落とされる。

（3）クレジットカードは、先に支払った代金分使用できる。

（4）デビットカードは、オンラインショッピングのみで使用できる。

（5）近年、プリペイドカードが使用できる場所は減ってきている。

問12　PL法に関する記述として、最も不適当なものを選びなさい。

（1）製造物責任法の通称で、製造業者の責任を定めた法律である。

（2）製品の欠陥で消費者が身体や財産などに損害を受けた場合に、製造業者から損害賠償を受けられる。

（3）輸入や製造、加工などを行った業者（法人）は対象となるが、個人は対象外である。

（4）煮る・焼くなど、加熱されたものや、調味料を加えるなど味付けしたものなど、加工された食品が対象となる。

（5）単に乾燥・切断・冷蔵などがされた食品は、対象にならない。

問13　食品安全基本法の説明として、最も適当なものを選びなさい。

（1）規格制度と品質表示制度からなる、品質に関する適正な表示などを定めた法律。

（2）安全・安心な食品を確保するために、公衆衛生の見地から食品および添加物や器具・包装容器などについて規定した法律。

（3）国民の栄養改善や健康維持・増進、生活習慣病予防を目的として制定された法律。

（4）公正な競争の確保や一般消費者の利益保護を目的に、景品類の制限および禁止、不当な表示の禁止を規定する法律。

（5）食品の安全性の確保に関する施策を、総合的に推進することを目的とした法律。

問14　廃棄物を抑制・削減し、資源を繰り返し使う循環型社会システムを構築するために取り組まれている「3R」について、最も適当なものを選びなさい。

（1）リサイクル・デポジット・ゼロエミッション

（2）リデュース・コンポスト・リユース

（3）リユース・ゼロエミッション・コンポスト

（4）リデュース・リユース・リサイクル

（5）コンポスト・デポジット・リデュース

解答・解説

問題	解答	解説	参照
問1	(3)	（1）消費者物価指数、（2）GDP、（4）マネーストック、（5）企業物価指数。	P.200
問2	(3)	貿易摩擦は円安になると起こりやすい。また、輸出（輸出業者）には円高は不利になる。	P.202
問3	(1)	ほかに所得税、消費税、酒税などが国税。	P.203～204
問4	(2)	消費税は税金を負担する人と実際に納める人が別であるため、間接税に区分される。	P.204
問5	(2)	インフレーション（物価上昇局面）と経済停滞・不況が重なった状態をスタグフレーションと呼ぶ。	P.200～201
問6	(5)	累進課税制度がとられており、段階的に税率が引き上がる。	P.203
問7	(1)	Business to Businessの頭文字をとってB to B。Cは消費者、Gは政府や自治体などを指す。	P.217
問8	(2)	容器包装リサイクル法は、容器包装廃棄物におけるごみの減量化を図るために制定された。	P.214～215
問9	(4)	3,000円未満の商品を受け取り、同時に代金も全額支払っている場合にはクーリングオフができない。	P.205
問10	(1)	（2）かたり商法、（3）キャッチセールス、（4）ネガティブオプション、（5）アポイントメントセールス。	P.206
問11	(2)	プリペイドカードは代金前払い、クレジットカードは代金後払いのしくみ。	P.218
問12	(3)	輸入・製造・加工などを行った個人もPL法の対象となる。	P.209
問13	(5)	（1）JAS法、（2）食品衛生法、（3）健康増進法、（4）景品表示法。	P.209～211
問14	(4)	それぞれの頭文字の「R」から、「3R」と呼ばれている。	P.215

模擬試験

- 試験時間は、実際の試験と同様の90分で解きましょう。
- 出題形式は、五肢択一によるマークシート方式です。
- 合計点数の60％以上の得点を有することで合格となります。模擬試験では余裕をもって70％以上の得点を目指しましょう。
- 276ページの解答用紙は、コピーをして繰り返し使うことができます。
- 間違えた問題は何度も解き直すことで、自らの弱点補強に努めましょう。

模擬試験 問題 第1回

栄養と健康

問 1

ビタミンに関する記述として、最も不適当なものを選びなさい。

（1）ビタミンには、ほかの栄養素の働きを向上させるほかに、体の調子を整える働きもある。

（2）主な欠乏症として、口内炎、口角炎、口唇炎、皮膚炎などが考えられるビタミンの種類は、ビタミンB_2、ビタミンB_6である。

（3）ビタミンCは、カルシウムやリンとともに骨や歯を形成する特性を持つため、欠乏すると骨や歯の発育不全を引き起こすことがある。

（4）ビタミンは、有機化合物であるが、体内では合成できないものもあり、食品からの摂取が欠かせない栄養素といえる。

（5）水溶性ビタミンには、ナイアシン、ビオチン、パントテン酸、といった種類があり、これらの栄養素は動物性食品にも含まれている。

問 2

ミネラルに関する記述として、最も適当なものを選びなさい。

（1）食品中に含まれる鉄には、ヘム鉄と非ヘム鉄がある。ヘム鉄は植物性食品に多く含まれ、非ヘム鉄は動物性食品に多く含まれている。

（2）ミネラルとは、体を構成する元素の１つで、その含有量は体重の約14%あり、残りの約86%は酸素、炭素、水素、窒素が占めている。

（3）リンやナトリウムは、不足しがちなミネラルであるため、摂取不足にならないよう、これらの含有量が多い食品を摂取することを心がける。

（4）カルシウムや鉄は、普段の食事で必要量のほとんどを摂取できる。したがって、現代の食生活では過剰摂取に気をつけるよう心がける。

（5）カルシウムを補給できる主な食品として、牛乳・乳製品や小魚などの動物性食品があり、植物性食品では海藻に多く含まれている。

問3

三大栄養素に関する記述として、最も不適当なものを選びなさい。

（1）体内では合成できず、食品から直接摂取しなければならないアミノ酸を必須アミノ酸といい、これらは全部で9種類ある。

（2）たんぱく質が不足すると、脂溶性ビタミンの吸収率が低下することにより、体の調子が悪くなる可能性がある。

（3）糖質は、人間が生きていくうえで最も大切な栄養素で、全エネルギーの60%弱を糖質から摂取しているといわれている。

（4）脂質は体の細胞膜の構成成分や血液成分となり、摂りすぎると摂取エネルギーの過剰から、肥満や動脈硬化などの原因になる。

（5）たんぱく質はアミノ酸が結合した化合物で、20種類のアミノ酸の組合せにより、人に必要なたんぱく質が形成されている。

問4

食生活に関する記述として、最も不適当なものを選びなさい。

（1）食生活の欧米化により、これまで不足しがちな栄養素の補給が可能となったため、伝統的な日本の食生活に比べ、問題点は徐々に改善している。

（2）朝食は、脳にエネルギーを補給し、睡眠中に下がった体温を上昇させ、神経や内臓の働きを促すため、1日を始めるうえで大切である。

（3）○○はダイエットに効果がある、△△を食べればがんになりにくいなど、食品に薬効があるように捉えることは避けるべきである。

（4）医食同源とは、病気の治療も日常の食事もともに生命を養い、健康を保つために欠くことができないもので、その源は同じであるという意味である。

（5）「栄養価を考えることが食生活を考えることである」という視点だけではなく、食生活は生活全体の中で捉えていくことが重要である。

問5

次の記述のうち、最も不適当なものを選びなさい。

（1）代謝とは、摂り込んだ栄養素を消化、分解、吸収して体内で利用したあと、老廃物を排泄するまでの一連の過程である。

（2）新陳代謝とは、古いものと新しいものが入れ替わり、体の古くなった細胞を捨て、新しい細胞に替わることである。

（3）基礎代謝とは、呼吸をする、睡眠をとる、脳や心臓を動かすなど、生命維持に最低限必要なエネルギー消費のことである。

（4）安静時代謝量とは、基礎代謝量に緊張エネルギー量を加えたもので、椅子に座るなど安静にしている状態で消費されるエネルギー量である。

（5）基礎代謝量は、季節によって多少の違いがあり、冬季よりも夏季のほうが基礎代謝量が高くなるのが一般的である。

問6

正しいダイエットに関する記述として、最も不適当なものを選びなさい。

（1）生活習慣や食生活における現状を見直すことが望ましい。

（2）消費エネルギーの減少と摂取エネルギーの増加が望ましい。

（3）筋肉量を減らさずに体脂肪量を減少させることが望ましい。

（4）食事によるエネルギー量の制限と運動の併用が望ましい。

（5）リバウンドを防ぐためにも長期間続けることが望ましい。

問7

高血圧における食事の留意点に関する記述として、最も不適当なものを選びなさい。

（1）食事はゆっくりと、よく噛んで時間をかけて食べるようにする。

（2）カリウムやカルシウムを積極的に摂取するようにする。

（3）肥満の人は摂取エネルギーに注意し、食べすぎないようにする。

（4）糖質や食物繊維が不足しないように積極的に摂取するようにする。

（5）減塩を心がけ、特にナトリウムの摂取量を制限するようにする。

問 8

運動と休養に関する記述として、最も適当なものを選びなさい。

（1）休養の種類を大別すると、体を動かすなどの積極的休養と、睡眠や休憩をとるなどの消極的休養に分類される。

（2）精神的疲労は、翌日に持ち越さず回復させることが大切であるが、肉体的疲労は、少しまとめて回復させると効率がよい。

（3）無酸素運動で主に消費するエネルギーは脂肪であり、有酸素運動で主に消費するエネルギーは糖質である。

（4）運動の実践によって、血行不良や肩こりを改善することは可能であるが、冷え性などの体質改善は極めて難しい。

（5）運動による肉体的疲労を回復させるには、体を十分に休めることが必要である。

問 9

栄養素の消化・吸収に関する記述として、最も適当なものを選びなさい。

（1）食物は体内で消化・吸収され、一般的には12～24時間程度で排便される。

（2）咀嚼のあとに嚥下された食物は、蠕動運動によって食道から胃に送られる。

（3）胃酸と混ぜ合わされたほとんどの栄養素は胃で吸収される。

（4）大腸では、吸収されなかった老廃物が酵素の働きによって吸収される。

（5）消化された栄養素は小腸に送られ、水分のほとんどは小腸で吸収される。

食文化と食習慣

問 10

調理用語に関する記述として、最も適当なものを選びなさい。

（1）酒やみりんを煮立たせて、アルコール分を蒸発させることを煮詰めという。

（2）食材が崩れないように味が染み込むまで煮ることを煮転がしという。

（3）焦げつかないよう煮汁をからめて煮詰めることを煮こごりという。

（4）鍋に落し蓋をして、煮汁が少量になるまで十分に煮ることを煮上げという。

（5）ゼラチン質の多い魚の煮汁を冷やして、ゼリー状に固めることを煮切りという。

問 11

旬に関する記述として、最も不適当なものを選びなさい。

（1）旬とは、食材が新鮮でおいしく食べられる出盛りの時期のことで、値段が安く、栄養素が豊富な時期をいう。

（2）初物とは、その季節に初めて収穫したものをいい、昔から珍重されている。

（3）旬の名残とは、その食材の旬ではない時期でも食べることができ、旬を感じさせない食材を指す言葉である。

（4）旬外れとは、最盛期を過ぎた時期で、季節の変わり目を感じさせる言葉である。

（5）時知らずとは、輸送手段や保存方法などの発達により、季節に関係なく食材が入手できるため、旬が感じられないことをいう。

問 12

日本料理の山水の法則に関する記述として、最も適当なものを選びなさい。

（1）器に盛った料理に添えて引き立てること。

（2）八寸四方の盆を使用し、前菜を盛り合わせること。

（3）魚介類や野菜などを刻み、生のまま酢で和えること。

（4）刺身に付け合わせとして添えられる海藻や野菜のこと。

（5）料理の向こう側を高く、手前を低くして盛り付けること。

問 13

食物の味に関する記述として、最も適当なものを選びなさい。

（1）スイカに塩をふると甘味が増すように、異なる味が加わることで、一方の味を強める現象を対比効果という。

（2）味は味覚神経を通じて脳に伝わることで味として感知できるが、この味を感じる舌の表面の器官が味覚である。

（3）硬さ、軟らかさ、舌ざわり、喉ごしのよさなど、食物について感じる口の中の感覚がテイストである。

（4）昆布と鰹節でだしをとると旨味が増すように、同系統の味を持つ物質を混合したとき、味が強調される現象を相対効果という。

（5）食物の味は、甘味、酸味、塩味、渋味、旨味の５つの基本味によって構成され、ほかに辛味やえぐ味などがある。

問 14

嫌い箸の空箸に関する記述として、最も適当なものを選びなさい。

（1）茶碗などの器の縁に口を付け、箸で口の中にかき込むこと。
（2）料理に箸を付けておきながら、とらずに箸を引いてしまうこと。
（3）料理をとろうと箸を近づけたが、ほかの料理をとること。
（4）汁椀などを箸でかき混ぜて、中身が何かを確認すること。
（5）箸を持ったまま、汁椀などの器に口を付けること。

問 15

お祝いの行事に関する記述として、最も不適当なものを選びなさい。

（1）帯祝いとは、妊婦が腹帯を巻いて胎児を守り、妊婦の動きを助け、無事に出産できることを祈願する儀式である。
（2）お七夜とは、生後7日目に行うお祝いのことで、この日に子どもの名前を命名する習わしがある。
（3）お食い初めとは、生後100日目または120日目の子どもに、料理を作って食べさせる（実際はまねごと）儀式である。
（4）初宮参りとは、生後初めて産土神に参詣し、出産の報告と子どもの健やかな成長を願う儀式である。
（5）十三参りとは、生まれてくる子どもの災いを祓い除くために、菩薩を参詣して知恵と福寿を授かる儀式である。

問 16

「○○過ぎたら牡蠣食うな」という食物にまつわる言葉の○○に入る漢字として、最も適当なものを選びなさい。

（1）彼岸　（2）夏至　（3）花見
（4）春分　（5）節分

問 17

「株」を集めて売りやすい量に束ねたものとして、最も適当なものを選びなさい。

（1）棹　（2）帖　（3）柵

（4）把　（5）房

食品学

問 18

食品加工に関する記述として、最も不適当なものを選びなさい。

（1）食品加工には、酵素などによる生物的加工、原料の化学変化による化学的加工、粉砕・混合・乾燥などによる物理的加工がある。

（2）食品加工には、細かくする、軟らかくするなど、可食性を高める目的がある。

（3）食品加工には、食べられない部分や有毒な部分を取り除き、安全で安心なものにして食べられるようにするという目的がある。

（4）食品加工には、原材料より優れたおいしさの食品に変えることにより、食品の付加価値の向上や価格下落の防止という目的がある。

（5）食品加工には、食品を一定の規格品にすることで、保存や輸送、仕分けなどに耐えられるように処理する目的がある。

問 19

水産物の食品表示に関する記述として、最も不適当なものを選びなさい。

（1）輸入した貝類を日本国内で砂抜きして販売する場合は国産扱いとなる。

（2）いわしのたたきは生鮮食品であることから、原産地表示が必要となる。

（3）輸入品は、原則として原産国名を表示しなければならない。

（4）養殖は、その養殖場が所属する都道府県名により原産地表示をする。

（5）メバチマグロの赤身とトロの刺身盛り合わせは生鮮食品扱いとなる。

問 20

畜産物の表示に関する記述として、最も不適当なものを選びなさい。

（1）畜産物の国産品における原産地表示は、「国産」または「国内産」であるが、都道府県名などで表示することも認めている。

（2）合挽肉は、加工食品の取扱いとなるが、原料原産地表示が必要な食品である。

（3）同種類ではあるものの、複数の原産地の食肉を混合した場合は、重量の割合順にすべての原産地を表示しなければならない。

（4）輸入品は、原産国名に代えてフロリダ産やカリフォルニア産などの一般的によく知られている地名（産地）での表示を認めていない。

（5）「国産」と表示されている畜産物の中には海外で生まれ育ったものもあるが、日本での飼養経歴が一度でもあった場合は「国産」と表示できる。

問 21

農産物の食品表示に関する記述として、最も適当なものを選びなさい。

（1）サラダミックスや炒め物ミックスなどの野菜パックは生鮮食品扱いとなるため、内容物すべての原産地表示が必要となる。

（2）輸入品の原産地表示では、一般に知られている都市名（産地名）でも、原産国名に代えて表示することを禁止している。

（3）国産品は、原則として都道府県名で表示するが、市町村名や一般的に知られている地名、旧国名などでもかまわない。

（4）農産物の食品表示としての記載事項には、名称、原産地、内容量の３項目がある。

（5）複数の原産地から仕入れた同種類の農産物を混合する場合は、仕入金額の大きい原産地から順にすべて表示する。

問 22

次のうち、食物アレルギーの原因物質となる特定原材料に準ずる食品として、最も不適当なものを選びなさい。

（1）桃　（2）ミカン　（3）バナナ

（4）キウイフルーツ　（5）リンゴ

問 23

食品の期限表示に関する記述として、最も適当なものを選びなさい。

（1）賞味期限は消費期限よりも日持ちがする加工食品に表示されるが、消費期限と同様、期限が過ぎた場合は品質が急激に劣化するため注意が必要である。

（2）加工食品の食品表示において、消費期限の食品には、必ず製造日または加工日に関する情報を表示することが義務付けられている。

（3）同じ意味であるにもかかわらず、用語が異なるのはわかりにくいという指摘があり、消費期限と品質保持期限の表示を消費期限に統一した。

（4）期限表示の設定には、公的な機関の基準はなく、化学的、生物学的な根拠に基づき、さらには物理的にも考慮し、製造者の責任により設定している。

（5）賞味期限は「年月日」と「年月」の表示があるが、製造・加工されてから３か月を超える賞味期限は「年月」の表示でよい。

問 24

栄養成分表示に関する記述として、最も不適当なものを選びなさい。

（1）消費者が食品を正しく選択するために有益な情報が栄養成分表示であるが、食品表示として義務化されてはいない。

（2）栄養成分表示では、熱量、たんぱく質、脂質など、決められた主要５項目を表示しなければならない。

（3）栄養成分表示は、この表示が関与する法律に従って決められた順番で表示しなければならない。

（4）栄養成分の含有量は、製造者がすべての責任を負って表示しており、その食品が持つ優れた栄養素についても表示できる。

（5）表示の単位は「g」あるいは「mg」などの重量の単位だけではなく、「mL」「食」「包装」「枚」「粒」などの単位でもよい。

問 25

次のうち、加工食品の食品表示が一部省略できる組合せとして、最も不適当なものを選びなさい。

（1）原材料名 …… 食品の原材料が１種類（缶詰、食肉製品は除く）である場合

（2）内容量 ……… 外見上、明らかに個数や枚数などが確認できる場合

（3）保存方法 …… 常温保存すること以外に特記事項がない場合

（4）内容量 ……… 容器または包装されている総面積が30cm^{2}以下の場合

（5）期限表示 …… 加工食品品質表示基準の別表に記載がある場合

問 26

次のうち、食品分類とその組合せの例として、最も不適当なものを選びなさい。

（1）生産形態による分類 → 生鮮３品（農産物、水産物、畜産物）と加工食品

（2）性質による分類 → 動物性食品と植物性食品

（3）食品加工別による分類 → 生鮮食品、加工食品、日配品、菓子、デザート

（4）食品成分による分類 → 日本食品標準成分表

（5）用途による分類 → 主食・副食、調味料、保存食品、嗜好品、栄養補助食品

衛生管理

問 27

次の特徴を持つ食中毒菌として、最も適当なものを選びなさい。

・特徴と感染源：生物の消化管、土壌に存在する。生体内毒素型であるエンテロトキシンが発生する。酸素を必要としない嫌気性芽胞菌である。カレー、シチュー、スープなど、大量に調理した料理が原因となることが多い。

・潜伏期間と主な症状：8～20時間。腹痛、下痢など。嘔吐や発熱は少ない。

・予防法：調理後は室温に放置しない。中心部まで熱が通るように十分加熱する。

（1）腸管出血性大腸菌　（2）ボツリヌス菌　（3）ウェルシュ菌

（4）カンピロバクター　（5）セレウス菌

問 28

細菌性食中毒事故を防止する食中毒予防の３原則のうち、「細菌を殺す」ために有効な方法として、最も適当なものを選びなさい。

（１）魚や野菜はしっかり洗う。

（２）食品を冷蔵庫で保管する。

（３）手指をしっかり洗ったあと、アルコール消毒液をかける。

（４）食品を中心部まで十分に加熱する。

（５）調理後はできるだけ早く食べるようにする。

問 29

食品の変質に関する記述として、最も適当なものを選びなさい。

（１）食品を長時間放置したことで鮮度が失われ、乾燥、変色、変形、異臭の発生などにより、食用に適さなくなること。

（２）油脂などの劣化で粘性を帯びたり、色や味が悪くなったりすることで、食用に適さなくなること。

（３）微生物（細菌）の作用で食品中の有機化合物が分解されることにより、ほかの化合物になること。

（４）空気に触れたり、直射日光に当たったり、揚げ物のカスが混入したりすることにより、食用に適さなくなること。

（５）食品中のたんぱく質が、微生物（細菌）の酵素作用で分解されることにより、食用に適さなくなること。

問 30

食品とそれに関連する微生物の組合せとして、最も不適当なものを選びなさい。

（１）食酢（酵母）　（２）果実酒（酵母）　（３）チーズ（青カビ）

（４）蒸留酒（酵母）　（５）鰹節（麹カビ）

問 31

消毒に関する記述として、最も適当なものを選びなさい。

（1）存在している微生物を、物理的に分別して取り除いた状態にすること。

（2）あらゆる微生物を死滅させることにより、ほぼ無菌の状態にすること。

（3）微生物の繁殖や増殖を阻止・抑制状態にすること。

（4）細菌をはじめ、特に有害な微生物を死滅させた状態にすること。

（5）微生物を死滅または減少させ、感染力のない安全な状態にすること。

問 32

次のうち、食中毒の原因となる物質の組合せとして、最も不適当なものを選びなさい。

（1）キノコ：アマトキシン　（2）カビ：アミグダリン

（3）トリカブト：アコニチン　（4）フグ：テトロドトキシン

（5）貝：テトラミン

問 33

遺伝子組換えに関する記述として、最も不適当なものを選びなさい。

（1）日持ちのよい農産物を育成できる、条件の悪い痩せた土地でも栽培できるというメリットがある。

（2）農薬使用量の減少により、環境や資源などの問題の解決策となるばかりではなく、農産物の安定供給を可能とする。

（3）現在、日本で安全性審査の手続きを経た遺伝子組換え農産物は、大豆、トウモロコシ、ジャガイモ、ナタネ、綿、テンサイ、パパイヤの７品目である。

（4）除草剤で枯れにくくする、害虫に食われにくくするという目的がある。

（5）ある農産物から有用な性質を持つ遺伝子を取り出し、それを別の農産物に取り入れ、目的とする性質を持った農産物へ育種させる技術である。

問 34

食品の安全に関する記述として、最も不適当なものを選びなさい。

（1）日本では農薬取締法により、国内で使用されるすべての農薬について登録を義務付け、残留農薬基準値を定めている。

（2）牛の脳、眼球、脊髄・脊柱、扁桃、回腸は、牛海綿状脳症の感染における危険部位であるが、牛乳や乳製品については安全性が確認されている。

（3）人から人への感染が確認されていることから、A型豚インフルエンザ（H1N1）などは大きな脅威となっている。

（4）食品添加物は、天然添加物、合成添加物、香料など、使用しているすべての添加物を表示しなければならない。

（5）農産物から有用な遺伝子を取り出し、それを別の農産物に取り入れ、目的とする性質を持つ農産物へ育種させる技術を交配技術という。

食マーケット

問 35

スーパーマーケット、カテゴリーキラーなどを一箇所に集めた大型商業施設として、最も適当なものを選びなさい。

（1）パワーセンター　（2）ハイパーマーケット

（3）ホールセールクラブ　（4）アウトレットストア

（5）ディスカウントストア

問 36

流通に関する記述として、最も不適当なものを選びなさい。

（1）目に見えたり手に取ったりすることができる有形物だけではなく、商品の効用を高めるサービスなども流通に含まれる。

（2）生鮮食品や加工食品などの商品が生産者から消費者に渡るまでの一連の経済活動全般を流通と呼ぶ。

（3）流通の機能には、モノを仕分けする、保管する、配送するなどのほか、商品の代金を回収する、立て替えるという機能もある。

（4）流通チャネルとは、生産者→卸売業者→小売業者→消費者という、流通の川上から川下までを示す間接流通をいう。

（5）流通には、商品売買に関する機能のほかに、商品の売れ筋や死に筋の情報、新商品の情報を提供するという機能がある。

問 37

ミールソリューションに関する記述として、最も適当なものを選びなさい。

（1）家庭の食事に代わるものという意味で、家庭で作られている食事を代わりに作って提供しようというもの。

（2）食生活アドバイザーにとって重要な役割の一つである、消費者が抱える食事の悩みや問題に解決策を提案するもの。

（3）盛り付けるだけ、加熱するだけ、下ごしらえがされているなどといった、調理の手間を省いて食べられる食品のこと。

（4）伝統的な食材や調理法を守り、質のよい食品やそれを提供する小規模生産者を守り、消費者への食教育を推進しようというもの。

（5）ホームミールリプレースメントの方法の一つとして位置付けられているが、ホームミールリプレースメントとは異なる意味を持つ。

問 38

小売業者に対し、ある商品を特定の卸売業者以外から仕入れられないようにする制度として、最も適当なものを選びなさい。

（1）建値制度　（2）制度価格　（3）委託販売

（4）メーカー希望小売価格　（5）一店一帳合制

問 39

スーパーなどにおいて、通路中央に平台などを使って陳列し、消費者の注目を引く効果がある商品陳列として、最も適当なものを選びなさい。

（1）アイランド陳列　（2）ジャンブル陳列　（3）エンド陳列

（4）ホリゾンタル陳列　（5）バーチカル陳列

問 40

フランチャイズチェーンに関する記述として、最も不適当なものを選びなさい。

（1）フランチャイズチェーンは、本部が加盟店に対し、一定地域内での商標や商号の使用を認めて商権を与えるシステムである。

（2）本部は加盟店に対し、商品やサービスの提供のほか、店舗経営のさまざまな支援を行っている。

（3）コンビニエンスストアは多頻度小口物流を売り物にした小売店であり、その多くはフランチャイズチェーンに加盟している。

（4）加盟店は本部に対し、加盟料であるイニシャルフィや、経営指導料であるロイヤリティなどを支払う契約となっている。

（5）フランチャイズチェーンの本部をフランチャイザー、加盟店をフランチャイジーといい、本部が加盟店を募集する。

問 41

マーチャンダイザーに関する記述として、最も適当なものを選びなさい。

（1）従業員を個別に教育訓練する、従業員の教育担当マネージャー（責任者）

（2）商品の価格、数量、配置など、適切に提供するための仕入れや計画を行う人材

（3）会社や本部の意向を伝え、店舗運営についての指導や助言を与える人材

（4）消費者の要望に応えるための顧客サービス係やお客様相談室スタッフ

（5）別業務に従事しながら自発的な研修会や勉強会などを実施するリーダー

問 42

生産地から食卓までの距離が短い食料を食べたほうが輸送に伴う環境への負荷が少ないという考え方に関連する言葉として、最も適当なものを選びなさい。

（1）フードファディズム　（2）ファストフード
（3）スローフード　（4）フードマイレージ
（5）フードバランスシート

社会生活

問 43

流通におけるNB商品に関する記述として、最も適当なものを選びなさい。

（1）その店舗において中核となるもので、常に販売している商品のこと。
（2）全国各地に流通・販売されているメーカーによる商品のこと。
（3）集客数を増やして売上を伸ばすため、販売価格を下げた商品のこと。
（4）小売業者が企画・生産・販売する独自の商品のこと。
（5）消費者の生活志向などを反映して生産された人気のある商品のこと。

問 44

食品製造の最後に行う品質検査だけでは事故が発生した場合に原因管理が十分に行えないため、あらかじめ製造工程ごとの問題発生予測や対処方法などの手順や手法をシステム化したものに関連するものとして、最も不適当なものを選びなさい。

（1）HACCP　（2）危害分析　（3）衛生管理
（4）SRSV　（5）食品衛生法

問 45

次の記述のうち、最も不適当なものを選びなさい。

（1）累進課税とは、所得税を算出するうえで、所得金額に応じて段階的に税率を引き上げる税制のことである。
（2）可処分所得とは、生活の原動力となる消費に回るお金、つまり実際の手取り金額のことである。

（3）収入とは、経費などが差し引かれる前の金額のことで、入ってくるお金の総額を意味する。

（4）小売業、卸売業、製造業、サービス業だけではなく、農業、漁業なども事業所得の範囲となる。

（5）所得控除額とは、収入から差し引かれる金額のことで、その金額が大きいほど課税される所得額が大きくなる。

問 46

次の循環型社会の促進に関する組合せとして、最も適当なものを選びなさい。

（1）リサイクル：使用したものをすぐに廃棄物とせず、再使用すること

（2）リユース：廃棄物などを再資源化して再生利用すること

（3）リターナブル：容器代を含めて販売し、容器の返却時に容器代を返金すること

（4）リフューズ：農産廃棄物などで堆肥作りをして循環型社会を推進すること

（5）リデュース：廃棄物の発生低減のため、必要以上の消費や生産を抑制すること

問 47

牛肉トレーサビリティに関する記述として、最も不適当なものを選びなさい。

（1）牛に10桁の個体識別番号を付け、食肉になるまでその番号の伝達を義務付け、管理している。

（2）トレーサビリティとは、トレース（追跡）＋アビリティ（可能）を合わせた造語で、追跡可能と訳すことができる。

（3）食品安全基本法により、牛肉をはじめとする畜産物のほか、農産物についてもこのシステムの取組みを推進している。

（4）万が一、食品事故が発生しても、原因究明やその対策がしやすいように情報を管理できるというメリットがある。

（5）生産→加工→販売（店頭）の生産と流通の履歴情報がわかる生産流通履歴情報把握システムをいう。

問 48

次のうち、「暖簾に腕押し」と同様の意味を持つ食べ物にまつわる言葉として、最も適当なものを選びなさい。

（1）棚から牡丹餅　　（2）割れ鍋にとじ蓋
（3）魚心あれば水心　（4）海老で鯛を釣る
（5）豆腐にかすがい

問 49

食品安全基本法に関する記述として、最も適当なものを選びなさい。

（1）品質と生産方法の基準を内容とする日本農林規格の制定により、消費者が商品を選択する際のよりどころとする。
（2）関係者の責務と役割を明らかにするとともに基本的な方針を定め、食品の安全性の確保に関する施策を総合的に推進する。
（3）食品の安全性の確保のために、公衆衛生の見地から必要な規制その他の措置を講ずることにより、飲食に起因する衛生上の危害の発生を防止する。
（4）国民の栄養改善や健康の維持・増進と現代病予防のため、健康状態の自覚とともに健康増進に努めることを目的とする。
（5）消費者を惑わす過大な景品付き販売や不当な表示を規制し、公正な競争を確保することで消費者の利益保護を目的とする。

問 50

次の円高・円安における一般的な社会現象として、最も適当なものを選びなさい。

（1）食料輸入量の多い日本では、円高・円安による価格の影響を受けやすい。
（2）円安のときは、インフレーションを引き起こしやすい経済の状況となる。
（3）円安のときは、輸入業者（会社）にとって有利に働くことが多い。
（4）円高のときは、円を米ドルなどの外貨に換える動きが活発になる。
（5）円高のときは、輸出業者（会社）の株価が上昇しやすい傾向にある。

模擬試験 問題 第2回

栄養と健康

問1

食生活に関する記述として、最も適当なものを選びなさい。

（1）食生活を考えるとき、まずは生活そのものや生活習慣を見直し、その中で食生活を捉えていくことが大切である。

（2）栄養価の高い食品は常に体によいため、栄養価が豊富な食品を摂るようにする。

（3）健康を保つためには、肉体的・精神的・社会的のバランスが大切で、それぞれのライフステージでこの３本柱に配慮する。

（4）特定保健用食品は、栄養素の補給だけではなく、病気の治癒や予防も期待できる。

（5）脂質は高血圧症や動脈硬化症などの原因物質となることから、できる限り摂取しないよう心がける。

問2

ビタミンに関する記述として、最も不適当なものを選びなさい。

（1）ビタミンB_1を多く含む食品は豚肉やウナギが代表的で、欠乏症としては食欲減退、脚気、神経障害などがある。

（2）ビタミンDは、カルシウムやリンとともに骨や歯の形成を促進したり、筋力を維持したりする特性を持ち、主な欠乏症に骨粗鬆症がある。

（3）ビタミンは少量で役割を果たす微量栄養素で、そのほとんどは体内で合成されるが、一部は体内で合成されないため、食物から摂取しなければならない。

（4）ビタミンAは、皮膚や粘膜を保護するほか、視力や目の角膜を正常に保つ、成長を促進する働きがあり、主な欠乏症に角膜乾燥症がある。

（5）ビタミンKは、血液凝固機能を持ち、欠乏すると血が止まりにくくなる。

問 3

次の記述のうち、最も不適当なものを選びなさい。

（1）栄養とは、生命を維持するために必要な食物を体外から取り入れ、成長や活動に役立たせることをいう。

（2）食物を噛み砕くことを咀嚼といい、これが消化の第一歩となり、唾液に含まれる消化酵素の唾液アミラーゼによって分解される。

（3）消化とは、食物を吸収しやすい栄養素にすることやその過程をいい、胃で一時的に食物がためられるが、糖質はたんぱく質に比べて停滞時間が長い。

（4）吸収とは、消化された物質が血液やリンパ液に取り入れられる過程のことで、その多くは小腸において行われる。

（5）食物が口から食道、胃へと送られる際、それぞれの器官が収縮することによって、食物を下方に移動させる動きを蠕動運動という。

問 4

ミネラルに関する記述として、最も適当なものを選びなさい。

（1）ミネラルとは、人体を構成する元素の１つで、その含有量は2%あり、残りの98%は酸素、炭素、窒素が占めている。

（2）カルシウムは、小魚や牛乳・乳製品などの動物性食品に多く含まれているが、植物性食品にはほとんど含まれていない。

（3）リンは、不足しがちなミネラルであることから、摂取不足にならないよう含有量の多い食品を補給することを心がける。

（4）食品中の鉄分にはヘム鉄と非ヘム鉄があり、ヘム鉄は動物性食品に多く含まれ、非ヘム鉄は植物性食品に多く含まれている。

（5）鉄は、普段の食事で１日当たりの必要量がほとんど摂取できることから、過剰摂取に気をつけなければならない。

問５

代謝に関する記述として、最も不適当なものを選びなさい。

（１）代謝とは、体内での合成や分解、燃焼などのすべての化学変化のことをいう。

（２）新陳代謝とは、古いものと新しいものが入れ替わり、体の古くなった細胞を捨て、新しい細胞に替わることである。

（３）基礎代謝とは、生命維持に最低限必要なエネルギー消費のことをいう。

（４）運動時代謝とは、食物の消化・吸収のためにエネルギー生産が高まることをいう。

（５）生活活動代謝とは、日常生活の中で消費されるエネルギーのことをいう。

問６

次の栄養素の生理作用と欠乏症の組合せとして、最も不適当なものを選びなさい。

（１）リン：骨や歯を作る → 歯槽膿漏

（２）マンガン：疲労回復を促す → 疲れやすくなる

（３）マグネシウム：心臓の筋肉の働きをよくする → 不整脈

（４）ヨウ素：成長を促す → 甲状腺腫

（５）イオウ：疲労を防ぐ → 集中力の低下

問７

糖尿病に関する記述として、最も不適当なものを選びなさい。

（１）糖尿病は、膵臓から分泌されるインスリンが不足したり、働きが悪くなったりすると、血液中に含まれる血糖の値が高くなることで、引き起こされる。

（２）食事療法のポイントは、エネルギーをとりすぎず、たんぱく質や脂質をできるだけ摂取するよう心がけることである。

（３）糖尿病自体だけではなく、病気が進行するとさまざまな合併症を引き起こし、特に神経障害、網膜症、腎症を三大合併症という。

（４）糖尿病の初期段階では自覚症状がなく、病気がある程度進行すると、疲れやすい、目のかすみ、皮膚の乾燥などの症状を引き起こす。

（５）糖尿病の食事療法の基本は、特別な食事で病気を治すのではなく、過食を避け、偏食せず、規則正しい時間に食事をとることである。

問 8

運動と休養に関する記述として、最も適当なものを選びなさい。

（1）運動には、無酸素運動と有酸素運動があり、消費するエネルギーの種類が異なる。

（2）精神的疲労は、翌日に持ち越さず回復させることが大切であるが、肉体的疲労は、少しまとめて回復させると効率がよい。

（3）運動では、グリコーゲンの分解によってエネルギーを作り出す。

（4）運動の効果は48時間で消えるといわれ、２日に１回運動することが望ましい。

（5）休養には、積極的休養と消極的休養があり、消極的休養は自発的に行わない休養をいう。

問 9

食物アレルギーに関する記述として、最も適当なものを選びなさい。

（1）食物アレルギーの症状が重篤な場合でも、アレルギー物質で死に至ることはない。

（2）食物アレルギーを引き起こす小麦、鶏卵、牛乳を三大アレルゲンと呼ぶ。

（3）食物アレルギーの原因となる物質が原材料に含まれていても、加工や調理により原因物質は除去される。

（4）食物アレルギーは、乳幼児が食物を消化する力が弱いことが原因であるが、年齢を重ねることにより完治する。

（5）食中毒も食物アレルギーによる急性疾患が関連していることが解明された。

食文化と食習慣

問 10

日本料理の特徴に関する記述として、最も不適当なものを選びなさい。

（1）「目で楽しむ料理」といわれ、見た目を重視し、淡白で繊細な味付けが好まれる。

（2）本膳料理は、日本料理の正式な膳立てであり、安土桃山時代の武家で行っていた饗応の膳から始まり、江戸時代に発達した。

（3）四季を織り込み、焼き物、塗り物、ガラス食器、竹細工などの器に、旬の幸、山の幸、海の幸を調理して盛り付けられる。

（4）和の五色とは、白、黒、黄、赤、青（緑）があり、黒塗りの盆や朱塗りの椀、料理に添えられる葉や花などの演出にも通じる。

（5）日本料理における基本味には五味があり、調理には加熱調理と生もの調理（切る）を合わせた五法がある。

問 11

次のうち、一般的に冬が旬の魚介類として、最も不適当なものを選びなさい。

（1）河豚　（2）牡蠣　（3）雲丹　（4）鱈　（5）鰤

問 12

次の行事と食材や料理の一般的な組合せとして、最も不適当なものを選びなさい。

（1）冬至：粥、きぬかつぎ　（2）盂蘭盆会：果実、野菜

（3）春彼岸：精進料理、ぼた餅　（4）節分：煎り豆、恵方巻き

（5）端午の節句：ちまき、柏餅

問 13

次の料理に関連する五節句として、最も適当なものを選びなさい。

ちらし寿司、蛤の潮汁、草餅

（1）人日の節句　（2）端午の節句　（3）重陽の節句

（4）七夕の節句　（5）上巳の節句

問 14

郷土料理に関する記述として、最も不適当なものを選びなさい。

（1）その土地特有の食材を、その土地特有の方法で調理した料理をいう。

（2）その土地の生活習慣や条件のもと、生活の知恵や工夫の中から生まれ、受け継がれてきた料理をいう。

（3）食材自体は特有ではないが、その土地特有の調理方法で作られた料理をいう。

（4）特産物である露地栽培の食材を、すぐに食べられるように調理した料理をいう。

（5）調理方法は地域を問わないが、その土地特有の食材を調理した料理をいう。

問 15

「箸をなめてから料理をとる」に関連する箸使いのタブーとして、最も適当なものを選びなさい。

（1）込み箸　（2）ねぶり箸　（3）探り箸
（4）かき箸　（5）せせり箸

問 16

次の下線部分の食材の旬が夏に関連するものとして、最も適当なものを選びなさい。

（1）鴨が葱をしょってくる　（2）独活の大木
（3）雨後の筍　（4）河豚は食いたし命は惜しし
（5）茗荷を食えば物忘れする

問 17

次のうち各国を代表する料理の組合せとして、最も不適当なものを選びなさい。

（1）パスタ、ピザ、リゾット
（2）フォアグラ、テリーヌ、ミルフィーユ
（3）パエリア、ガスパチョ、ジェラート
（4）フィッシュアンドチップス、サンドイッチ、ローストビーフ
（5）ピロシキ、ボルシチ、ビーフストロガノフ

食品学

問 18

次の食品群における食品の分類として、最も適当なものを選びなさい。

食品群：主食・副食、調味料、保存食品、嗜好品など

（1）性質による分類　（2）栄養成分による分類
（3）生産形態による分類　（4）用途による分類
（5）カテゴリー別による分類

問 19

農産物の食品表示に関する記述として、最も不適当なものを選びなさい。

（1）原産地表示は、房総、信州、丹波などの一般に知られている名称で表示できる。

（2）遺伝子組換え技術を用いて生産された種苗でも一定期間以上、有機農法で栽培された農産物の場合は有機と表示できる。

（3）無農薬という食品表示は禁止されており、一切使用できない。

（4）複数の原産地のものを混合する場合は、必ず重量の割合が多いものからすべて原産地を表示しなければならない。

（5）特別栽培の表示がある農産物には、その原産地で一般に使用されている化学肥料の使用量を５割以上減らしたものがある。

問 20

次のうち、加工食品への食品表示が奨励されているアレルギー原因物質の組合せとして、最も適当なものを選びなさい。

（1）イカ、鮭、エビ、松茸　　（2）バナナ、桃、リンゴ、そば

（3）アワビ、イクラ、クルミ、ゴマ　　（4）カニ、オレンジ、サバ、ゼラチン

（5）大豆、小麦、鶏肉、豚肉

問 21

次の水産物の食品表示として、最も不適当なものを選びなさい。

（1）アナゴ（広島県・養殖）　　（2）カジキマグロ（静岡清水）

（3）サンマ（気仙沼産）　　（4）ロシア産タラバガニ（解凍）

（5）戻りカツオ（天然・中トロ）

問 22

加工食品の期限表示に関する記述として、最も適当なものを選びなさい。

（1）期限表示は必ず年月日を記載しなければならないが、年は西暦でもよい。

（2）製造・加工した翌日にパック詰め（包装）をして販売される商品は、製造・加工した日付が表示される。

（３）賞味期限が経過した食品は、品質が急激に劣化し、食中毒事故を引き起こす。

（４）品質保持の期限内で、かつ開封されていない場合でも、保存状態が悪ければ食用に適さなくなることがある。

（５）生乳100%の牛乳の期限表示は、一般的に消費期限表示のほうが多い。

問 23

食品加工の主目的に関する記述として、最も不適当なものを選びなさい。

（１）食品の保存性を高めることで、価格の下落を防止する。

（２）長期の輸送ができることで、安定的な供給を可能にする。

（３）嗜好性を向上させることで、食品の付加価値を高められる。

（４）有毒な部分を取り除くことで、安全に食べることができる。

（５）栄養素を添加することで、栄養価を高めることができる。

問 24

次の食品加工の種類と食品の組合せとして、最も不適当なものを選びなさい。

（１）生物的加工（納豆）　（２）化学的加工（豆腐）

（３）物理的加工（きなこ）　（４）化学的加工（味噌）

（５）物理的加工（豆乳）

問 25

遺伝子組換えに関する記述として、最も適当なものを選びなさい。

（１）遺伝子組換え農産物が、主な原料（原材料の上位５位以内で全重量の３%以上を占める）でない場合は、遺伝子組換えの表示は必要ない。

（２）遺伝子組換え表示の対象となる農産物は、大豆、トウモロコシ、ジャガイモ、ナタネ、アルファルファ、テンサイ、パパイヤの７品目である。

（３）大豆を使用した食用油（大豆油）や醤油は、DNAによってたんぱく質が残存しないことを理由に遺伝子組換え表示をしなくてよい。

（４）調理して、その場で提供（飲食）する場合でも、原材料における遺伝子組換えについては食品表示による情報開示が必要となる。

（5）遺伝子組換えでない場合は、「遺伝子組換えでない」「遺伝子組換えをしていない」などの遺伝子組換え表示をしなければならない。

問 26

畜産物の食品表示に関する記述として、最も不適当なものを選びなさい。

（1）海外で生まれても条件が整えば国産として取り扱えることから、国産表示があるものは海外で生まれた畜産物であるといえる。

（2）名称や原産地だけではなく、部位や用途なども含め、その食肉を示す食品表示をプライスカードなどで一括表示してもよい。

（3）輸入品の原産地表示は必ず日本語を使用した原産国名を表示しなければならず、日本語でもアメリカンビーフなどの表示は認められていない。

（4）国産品の原産地は、原則として「国産」「国内産」と表示しなければならないが、都道府県名などによる表示でもよい。

（5）飼養地が一般に知られている国内産地（地名）である松坂、神戸、米沢などの場合は、原産地に代えてその飼養地を表示できる。

衛生管理

問 27

食中毒に関する記述として、最も不適当なものを選びなさい。

（1）食中毒は、細菌性食中毒、ウイルス性食中毒などによって分類されている。

（2）細菌性食中毒は、感染型と毒素型に大別できる。

（3）食中毒とは、食中毒の原因となる細菌やウイルスなどが付着した飲食物やその包装容器などが原因で起こる急性の健康障害である。

（4）栄養障害や、食品への異物混入による物理的障害は、食中毒として扱われる。

（5）食中毒の症状としては、一般的に腹痛、下痢、嘔吐などの急性胃腸障害が多いものの、重篤な症状の場合は死に至ることがある。

問 28

次のうち、食中毒における病原菌増殖の３条件として、最も適当なものを選びなさい。

（1）除菌、殺菌、滅菌　（2）消毒、洗浄、清掃　（3）整理、整頓、清潔

（4）清潔、迅速、加熱　（5）温度、湿度、栄養素

問 29

次のうち、アコニチンに関連が深いものとして、最も適当なものを選びなさい。

（1）巻貝　（2）トリカブト　（3）フグ

（4）ピーナッツ　（5）きのこ

問 30

食品の化学変化に関する記述とその現象の組合せとして、最も適当なものを選びなさい。

（1）食品の鮮度が失われ、外観や内容に変化が生じること［変敗］

（2）油脂が劣化して異臭や粘り気などが発生すること［変質］

（3）食品中のたんぱく質が細菌によって分解され、食用に適さなくなること［腐敗］

（4）微生物の作用で有機化合物が分解され、ほかの化合物に変化すること［酸敗］

（5）油脂を空気に触れる状態で放置したり、直射日光に当たったりすることで油脂が劣化すること［発酵］

問 31

食品添加物に関する記述として、最も不適当なものを選びなさい。

（1）食品添加物とは、化学合成された物質が食品に添加されることを指す。

（2）微量の残存があるものの影響を起こさないことから、表示が免除される食品添加物をキャリーオーバーという。

（3）店内で製造され、その店頭で販売される食品は食品添加物の表示が不要である。

（4）食品の保存性を高め、食品劣化を抑える目的として、保存料だけではなく、ほかの食品添加物を使用することがある。

（5）栄養強化の目的で、アミノ酸類などが食品添加物として使用されることがある。

問 32

次のうち、食品添加物の１日摂取許容量に深く関連するものとして、最も適当なものを選びなさい。

（1）ポジティブリスト　（2）キャリーオーバー　（3）BSE
（4）ADI　（5）WHO

問 33

次の特徴を持つ食中毒菌として、最も適当なものを選びなさい。

・土壌、水中、ほこりなどの自然界に広く分布する
・芽胞を形成するため熱に強い
・嘔吐型と下痢型がある

（1）ウェルシュ菌　（2）セレウス菌　（3）ボツリヌス菌
（4）黄色ブドウ球菌　（5）腸管出血性大腸菌

問 34

食品購入時の注意点に関する記述として、最も不適当なものを選びなさい。

（1）生鮮食品などの温度管理が必要な食品は、最後に購入する。
（2）食品は期限表示を必ず確認し、ほかの食品表示も確認してから購入する。
（3）一定期間分をまとめ買いすることで、購入回数を減らして経済効果を高める。
（4）肉・魚・野菜のドリップや水分が漏れないようにそれぞれ分けて持ち帰る。
（5）肉・魚・野菜などの生鮮食品は、できるだけ新鮮なものを購入する。

食マーケット

問 35

商品を適切な数量・価格・タイミングで提供するため、マーケティング、仕入、販売計画などに権限を持つ商品担当者として、最も適当なものを選びなさい。

（1）スーパーバイザー　（2）チーフトレーナー　（3）マーチャンダイザー
（4）マネージメントリーダー　（5）シニアコーディネーター

問 36

日本的商慣行の建値制度に関する記述として、最も適当なものを選びなさい。

（1）価格の安定化を図るために、メーカーが販売数量や販売価格を設定する制度。

（2）自社商品の販売促進のために、メーカーが小売業者に人材を派遣する制度。

（3）メーカーが卸売業者や小売業者に対して設定した販売価格のこと。

（4）メーカーや代理店などが自社商品に設定した販売参考価格のこと。

（5）小売業者が特定の卸売業者以外からは商品を仕入れられない制度。

問 37

商品陳列に関する記述として、最も不適当なものを選びなさい。

（1）エンド陳列とは、キャンペーン商品などを棚の両端に陳列する方法である。

（2）ジャンブル陳列とは、関連商品を隣接させ、ついで買い効果を狙うものである。

（3）ホリゾンタル陳列とは、同じカテゴリの商品を棚に横１列に陳列する方法である。

（4）バーチカル陳列とは、同じカテゴリの商品を縦に陳列する方法である。

（5）アイランド陳列とは、目玉商品、季節商品、催事商品などを店舗内の通路の中央（島）に平台やワゴンなどを使って陳列する方法である。

問 38

ホームミールリプレースメントに関する記述として、最も適当なものを選びなさい。

（1）遺伝子組換え食品や残留農薬問題など、食の安全にかかわる問題を総合的に解決していこうという取組みのこと。

（2）アメリカのスーパー業界のマーケティング戦略で、食事での悩みや問題について解決策を提案すること。

（3）ファストフードなどの進出により、失われつつある伝統的な食材や調理法を守り、質のよい食品やそれを提供する小規模生産者を守る運動のこと。

（4）現代の多様化するライフスタイルに適応し、盛り付けるだけ、温めるだけなど、家庭の食事作りに代わる商品を提供すること。

（5）病気や疾患などにおいて、どの症状のとき、どの食事をとればよいかを提案していく活動のこと。

問 39

流通に関する記述として、最も不適当なものを選びなさい。

（1）流通の機能（役割）には、消費者のニーズやウォンツに応えるべく、商品企画やその生産活動までが広く含まれている。

（2）流通では、商品売買をする商流機能、モノを配送する物流機能のほか、新商品の情報や商品の在庫状況などの情報機能が備わっている。

（3）生産者と消費者が異なる、生産地と消費地が異なる、生産時間と消費時間が異なるといったギャップを埋め合わせる経済活動全般を流通という。

（4）流通における中抜きの主な理由には、コスト削減や情報伝達などが挙げられる。

（5）生産者から卸売業者などを経由し、消費者に販売される経路を間接流通という。

問 40

グリーンロジスティックスに関する記述として、最も適当なものを選びなさい。

（1）本来は兵員や物資などを最前線に供給するという軍事用語の意味を持つ戦略的な物流システムのこと。

（2）在庫計画、仕入、配送などのモノの流れの効率化を考えた物流システムのこと。

（3）原材料の調達から製造・流通へと、商品が消費者に渡るまでの物流を管理することでコスト削減を図り、利益向上を図るシステムのこと。

（4）生産、保管、出荷という配送を中心に物流全体を合理化させたシステムのこと。

（5）環境に配慮し、原材料の調達や輸送・配送をはじめ、廃棄やリサイクルまでを総合的に考えた物流システムのこと。

問 41

商品の販売形態に関する記述として、最も不適当なものを選びなさい。

（1）ドラッグストアとは、医薬品や化粧品、日用雑貨などを取り揃えた販売店のこと。

（2）ハイパーマーケットとは、複数の業種・業態の販売店が同一敷地内にある大型ショッピングセンターのこと。

（3）アウトレットストアとは、小売業者などが製品の在庫処分をする販売店のこと。

（4）カテゴリーキラーとは、特定の分野を専門に取り扱い、豊富な品揃えと低価格を武器に展開する販売店のこと。

（5）ディスカウントストアとは、食料品や日用品、家電製品などを中心に常に低価格であることを特長とする販売店のこと。

問 42

食マーケットに関する記述として、最も不適当なものを選びなさい。

（1）人的ミスなどで売ることができず、売上が減少することは売り損じといえる。

（2）一人ひとりにターゲットを絞ったマーケティング手法をワントゥワンマーケティングといい、購買履歴をデータや属性などを販売に結び付けている。

（3）発注や納品のミス、補充忘れなどで商品がない状態のことを機会損失という。

（4）業態とは商品の売り方による分類で、業種とは取扱商品による分類である。

（5）POSシステムの活用は、売れ筋商品の品切れをなくし、死に筋商品を排除することなどにより、売場の活性化を図ることを可能とする。

社会生活

問 43

PB商品に関する記述として、最も適当なものを選びなさい。

（1）傷などはあるが、本来の機能に影響がなく、価格を下げて販売する商品のこと。

（2）広告宣伝の効果で知名度があり、一般的に全国で販売されている商品のこと。

（3）企業や個人の需要に沿って生産された商品のこと。

（4）卸売業者や小売業者が企画・生産し、自社のブランド名を持つ商品のこと。

（5）購買履歴や嗜好、要求などを反映して企画・生産された商品のこと。

問 44

消費者物価や企業物価などの物価指数が継続的に上昇するとともに、景気の低迷が複合した経済状況として、最も適当なものを選びなさい。

（1）デフレーション　（2）インフレーション　（3）マイナス成長

（4）デフレスパイラル　（5）スタグフレーション

問 45

トラブルが起こりやすいといわれるSF商法に関する事例として、最も適当なものを選びなさい。

（1）注文していないのに一方的にダイエット食品が送られてきたが、受け取った以上は仕方ないとあきらめて代金を支払った。

（2）街頭で「美容のアンケートにお答えください」と声をかけられ、事務所に連れて行かれ、エステティックの会員権を買わされた。

（3）会場内で日用品が格安価格で販売され、盛り上がった雰囲気の中で高額の電気治療器具を購入してしまった。

（4）「水道局から来ました」と水道局員らしき人が自宅に訪れ、最新の浄水器として勧められたため購入した。

（5）「おめでとうございます。あなたが当選しました」という電話をもらい、担当者と喫茶店で会ったところ、高額な英語教材を買わされた。

問 46

次のうち、米トレーサビリティ法に関する食品として、最も適当なものを選びなさい。

（1）漬物　（2）団子　（3）味噌　（4）食酢　（5）醤油

問 47

製造物責任法に関する記述として、最も不適当なものを選びなさい。

（1）生鮮3品（農産、水産、畜産）での未加工食品は法律上の対象となる。

（2）製造業者、加工業者、小売業者、飲食業者などは法律上の対象となる。

（3）輸入業者は対象となるものの、一般消費者は法律上の対象とならない。

（4）干物など単に乾燥、切断、冷凍、冷蔵したものは法律上の対象とならない。

（5）煮る、焼く、揚げるなど加熱している加工食品は法律上の対象となる。

問 48

電子商取引のB to Bと呼ばれる取引の事例として、最も適当なものを選びなさい。

（1）自宅のパソコンからインターネット経由で、コンサートのチケットを発売開始と同時に購入した。

（2）インターネットの通信販売で、北海道のお土産品である洋菓子を注文した。

（3）製麺会社が食品商社に、インターネット経由で商品の原料を注文した。

（4）検定試験の受験勉強をするため、インターネット経由でテキストを注文した。

（5）先日、スーパーで購入した商品を、今度はインターネット経由で直接食品メーカーに注文した。

問 49

次のうち、景気動向を総合的に表す指標に関連するものとして、最も適当なものを選びなさい。

（1）景気動向指数　（2）マネーストック　（3）消費者物価指数

（4）日銀短期経済観測　（5）実質GDP

問 50

日本の食料自給率に関する記述として、最も適当なものを選びなさい。

（1）近年の食料自給率低下は、生産者が消費者のニーズである食品の品質面において対応できないことが一因となっている。

（2）食料自給率は近年、低迷していたものの、食育基本法が施行されたことにより、上昇傾向にある。

（3）食料自給率とは、国内での食料消費が海外からの食料輸入によって、どの程度まかなえるかを示した指標である。

（4）穀物自給率では、一般的に家畜などの飼料を含まない穀物のみの食料自給率の度合いを示している。

（5）米、野菜、果実、魚介類、肉類、牛乳・乳製品の中では、果実の食料自給率が最も低い。

模擬試験 解答・解説 第1回

栄養と健康

問1　（3）

ビタミンCではなく、ビタミンDの特性に関する説明。　P.36～40

問2　（5）

（1）ヘム鉄は動物性食品に、非ヘム鉄は植物性食品に多く含まれている。

（2）ミネラルの含有量は約５％。　P.40～43

問3　（2）

たんぱく質ではなく、脂質の不足に関する説明。　P.26～34

問4　（1）

食生活の欧米化により、メタボリックシンドローム（内臓脂肪症候群）などの別の問題点が発生している。　P.57

問5　（5）

基礎代謝量は一般的に夏より冬のほうが高い。　P.54

問6　（2）

消費するエネルギーの増加と摂取エネルギーの減少が望ましい。　P.55

問7　（4）

糖質ではなく、たんぱく質が不足しないようにする。　P.58～59

問8　（1）

（3）無酸素運動では糖質が、有酸素運動では脂肪が消費される。

（5）軽いジョギングや体操なども勧められている。　P.66～69

問9　（2）

（1）一般的に24～72時間（１～３日）後に排便される。（3）栄養素の吸収は小腸。

（4）大腸では、残った老廃物を分解して排泄させる。

（5）水分を吸収するのは大腸。　P.49～51

食文化と食習慣

問10　(4)

(1)は煮切り、(2)は煮しめ、(3)は煮転がし、(5)は煮こごり。 P.97

問11　(3)

時知らずの説明。旬の名残と旬外れは同義語である。 P.86～87

問12　(5)

(1) はあしらい、(2) は八寸、(3) はなます、(4) はつま。 P.101

問13　(1)

(2) は味蕾、(3) はテクスチャー、(4) は相乗効果、(5) は渋味ではなく苦味。

P.89～90

問14　(2)

(1) はかき箸、(3) は移り箸、(4) は探り箸、(5) は持ち箸。 P.106

問15　(5)

数え年13歳のときに、子供の知恵と福寿を祈って行われる儀式。 P.80

問16　(3)

桜の季節を過ぎると、牡蠣は産卵期を迎えて味が落ちるといわれる。

P.110

問17　(4)

(1) は羊羹（ようかん)、(2) はのり10枚、(3) は長方形にさばいた魚、(5) は果物などの実全体の数え方。 P.88

食品学

問18　(4)

食品の価格下落を防止するのは食品加工の主目的ではない。 P.120～122

問19　(1)

貝類を漁獲した場所が原産地となるため、国産扱いではない。 P.123～124

問20　(5)

外国で生まれ育った畜産物でも、日本での飼養期間が一番長かった場合に国産と表示できる。

P.123～124

問21　(3)

（1）は加工食品扱い、（2）は一般に知られている地名でも可、（4）は名称と原産地の２項目、（5）は仕入金額ではなく重量の割合順。

P.123～124

問22　(2)

食物アレルギーの特定原材料に準ずる食品はミカンではなく、オレンジである。

P.132

問23　(5)

（1）賞味期限は過ぎても品質が急激に劣化するものではない。

（3）品質保持期限は賞味期限に統一された。

P.128～129

問24　(1)

栄養成分表示は2015（平成27）年４月１日より５年間の経過措置期間が取られ、2020（令和２）年４月１日より義務表示となっている。

P.130

問25　(4)

容器または包装されている総面積が30cm^{2}以下の場合に表示を省略できるのは原材料名である。

P.125

問26　(3)

カテゴリー別による分類の組合せである。

P.120

衛生管理

問27　(3)

消化管や土壌に存在、エンテロトキシン、大量調理した料理が原因となることなどがポイント。

P.148～151

問28　(4)

（1）（3）は「細菌を付けない」、（2）（5）は「細菌を増やさない」。

P.152～153

問29 （1）

（2）は変敗、（3）は発酵、（4）は酸敗、（5）は腐敗。

P.156

問30 （1）

食酢は酢酸菌により作られる。したがって、酵母ではなく細菌である。

P.157

問31 （5）

（1）は除菌、（2）は滅菌、（3）は静菌、（4）は殺菌。

P.155

問32 （2）

カビの毒素はマイコトキシン。

P.147

問33 （3）

アルファルファを加えた８品目である。

P.160～161

問34 （5）

交配技術ではなく、遺伝子組換え技術に関する説明。

P.160～166

食マーケット

問35 （1）

（2）は巨大なスーパーマーケット、（3）はロット単位で大量安値販売を行う会員制の倉庫型店舗のこと。

P.181

問36 （4）

流通チャネルとは流通経路のこと。間接流通のほかに直接流通もある。

P.188～189

問37 （2）

（1）はホームミールリプレースメントの概念、（3）はホームミールリプレースメントの種類、（4）はスローフード。

P.184～185

問38 (5)

（1）価格の安定化を図るため、メーカーが販売数量や販売価格などを設定する制度。

（2）メーカーが卸売業者や小売業者に対して設定する価格。

（3）販売完了時までメーカーが商品の所有権を持ち、小売業者に販売してもらうこと。

（4）メーカーが自社製品に設定した販売参考価格。 P.186～187

問39 (1)

（3）売れ筋やキャンペーン中の商品を棚の両端で販売する両端陳列。

（4）同一商品や関連商品を棚板に横一列に陳列する水平陳列。

（5）同一商品や関連商品を最上段から最下段まで縦に陳列する垂直陳列。

P.178

問40 (3)

コンビニエンスストアは「便利」を売り物にしている。 P.181～182

問41 (2)

（3）スーパーバイザーのこと。 P.183

問42 (4)

（1）特定の食品や栄養素について健康への有用性や有害性を過大に評価すること。

（5）食料需給表のこと。 P.192

社会生活

問43 (2)

（4）PB（プライベートブランド）商品のこと。 P.175

問44 (4)

（4）SRSVは小型球形ウイルスのこと。 P.208

問45 (5)

所得控除額が大きいほど、課税される所得額が小さくなる。 P.202～203

問46 (5)

（1）リユース、（2）リサイクル、（3）デポジット、（4）コンポスト。

P.214～215

問47 （3）

牛肉と米以外は法制化されていない。

P.211～213

問48 （5）

ほかに同じ意味で「糠に釘」ということわざもある。

P.110

問49 （2）

（1）JAS法、（3）食品衛生法、（4）健康増進法、（5）景品表示法。

P.209～211

問50 （1）

円高→輸入業者に有利、輸出しにくい、輸出業者の株価が下がる。

円安→輸出業者に有利、輸入物価が上がる、円を外貨に換える動きが活発になる。

P.201～202

模擬試験 解答・解説 第2回

栄養と健康

問1 （1）

（2）どれが栄養価の高い食品かは人によって異なる。

（3）健康を保つための３本柱は栄養・運動・休養。

（5）脂質は細胞膜やホルモンなどの材料となる必須栄養素。

➡ P.22、P.31～34、P.65、P.135

問2 （3）

ビタミンのほとんどは体内で合成されず、合成されてもごく微量。 ➡ P.36～38

問3 （3）

糖質に比べてたんぱく質のほうが長い。 ➡ P.22、P.48～50

問4 （4）

（1）ミネラルは4%で、酸素、炭素、窒素は96%。

（2）海藻にも多く含まれている。

（3）リンは過剰摂取になりがちである。

（5）鉄は不足しがちなミネラルである。 ➡ P.40～43

問5 （4）

特異動的作用に関する説明。 ➡ P.53～54

問6 （5）

鉄の生理作用と欠乏症に関する組合せ。 ➡ P.40～43

問7 （2）

いろいろな食品をバランスよく食べることが重要。 ➡ P.59～60

問8　（1）

（3）グリコーゲンだけではなく、ブドウ糖も分解される。

（4）運動の効果は72時間程度といわれる。

（5）消極的休養も自発的に行われる。

➡ P.66～69

問9　（2）

（1）アナフィラキシーショックで命に関わる場合もある。

（4）大人でも食物アレルギーがある。

➡ P.131～133

食文化と食習慣

問10　（2）

安土桃山時代ではなく室町時代。

➡ P.91～92、P.101～103

問11　（3）

雲丹は夏が旬。

➡ P.86

問12　（1）

冬至の行事食は粥とカボチャ料理。きぬかつぎは月見の行事食。

➡ P.77

問13　（5）

（1）は七草粥、（2）はちまき、柏餅、（3）は菊寿司、栗飯、（4）はそうめん。

➡ P.77

問14　（4）

特産物である露地栽培の食材を調理したものは郷土料理とはいえない。

➡ P.82

問15　（2）

（1）箸で料理を口の中いっぱいに詰め込むこと。

（3）箸で器をかき混ぜて、料理の中身を探ること。

（4）茶碗の縁に口を付けて、箸で口の中にかき込むこと。

（5）箸の先を爪楊枝代わりに使うこと。

➡ P.106

問16　（5）

（1）は冬、（2）は春、（3）は春、（4）は冬。

➡ P.109～111

問17　(3)

(1) イタリア、(2) フランス、(4) イギリス、(5) ロシアの各国料理。(3) のパエリアとガスパチョはスペイン、ジェラートはイタリア。 P.93

食品学

問18　(4)

(1) は動物性食品と植物性食品、(2) は日本食品標準成分表による食品群、(3) は生鮮3品と加工食品、(5) は生鮮食品、加工食品、日配品など。 P.120

問19　(2)

有機農産物の種苗は、遺伝子組換え技術を用いて生産されていないことが条件となる。

P.123～124、P.138

問20　(3)

(1) はエビ、(2) はソバ、(4) はカニ、(5) 小麦は、特定原材料として食品表示が義務付けられている。 P.132

問21　(5)

名称と原産地とともに、養殖や解凍の場合はその旨も表示する。 P.123～124

問22　(4)

(1) 年月でもよい。

(2) パック詰めをした日付を表示する。 P.125～129

問23　(1)

価格の下落防止は食品加工の主目的ではない。 P.120

問24　(4)

加工は、「生物的加工」「化学的加工」「物理的加工」の3種類に分けられる。味噌のような発酵食品は、微生物や酵素による生物的加工になる。 P.122

問25　(3)

(1) 主な原料（原材料の上位3位以内で全重量の5％以上を占める)。

(2) 綿を加えた8品目。 P.138～139

問26 （1）

国産表示があるものは海外で生まれ育った畜産物もあるが、日本生まれ・日本育ちのもののほうが多い。

P.123～124

衛生管理

問27 （4）

栄養障害や物理的障害は食中毒としては扱われない。

P.146～147

問28 （5）

（4）細菌性食中毒の予防三原則。

P.146

問29 （2）

（1）はテトラミン、（3）はテトロドトキシン、（4）はマイコトキシン、（5）はアマトキシン。

P.147

問30 （3）

（1）は変質、（2）は変敗、（4）は発酵、（5）は酸敗の説明。

P.156

問31 （1）

食品添加物には天然の添加物や香料もある。

P.162～163

問32 （4）

（1）は農薬の制度、（2）は使用量が微量であり影響がないという理由で表示を免除される食品添加物、（3）は牛海綿状脳症、（5）は世界保健機関。

P.162～164

問33 （2）

セレウス菌は嘔吐型と下痢型があることが特徴。

P.148～150

問34 （3）

まとめ買いにより無駄が発生し、廃棄物が多くなる可能性がある。

P.153

食マーケット

問35 （3）

（1）本部の経営方針に沿って現場の責任者や運営者に指導・教育をし、店の売上増などの成果を上げるように管理・監督する担当者のこと。

P.183

問36 （1）

（2）は派遣店員制度、（3）は制度価格、（4）はメーカー希望小売価格、（5）は一店一帳合制。

P.186～187

問37 （2）

ジャンブル陳列ではなく、関連陳列の説明。

P.178～179

問38 （4）

（2）はミールソリューション、（3）はスローフード。

P.84、P.184～185

問39 （1）

流通の機能は商流、物流、金融、情報の４つである。

P.188～190

問40 （5）

（1）ロジスティックスに関する説明。

P.191～192

問41 （2）

ハイパーマーケットではなく、パワーセンターに関する説明。

P.181

問42 （3）

機会損失ではなく、欠品の説明。

P.176～177、P.180

社会生活

問43 （4）

（2）NB商品。

P.175～176

問44 （5）

（1）は物価の継続的な下落、（2）は物価の継続的な上昇、（3）は国内総生産が前年比より減少すること、（4）はデフレ＋経済停滞・不況。

P.201

問45　(3)

(1) はネガティブオプション、(2) はキャッチセールス、(4) はかたり商法、(5) はアポイントメントセールス。

P.206

問46　(2)

米穀、米粉や米粉調整品、米麹、米菓、米飯、餅、団子、米菓、清酒、みりんなどが対象品目となる。

P.212～213

問47　(1)

未加工の生鮮食品は法律の対象とはならない。

P.209

問48　(3)

B to Bは企業間取引を意味する。

P.217

問49　(1)

一致指数50%超＝景気拡張、一致指数50%以下＝景気後退。

P.200

問50　(5)

米97%、野菜80%、果実38%、魚介類55%、肉類53%、牛乳・乳製品61%となっている（農林水産省「令和２年度食料需給表」）。

P.220～222

食生活アドバイザー®3級 模擬試験 第1回 解答用紙

氏名	

問	解答	問	解答	問	解答
問 1	①②③④⑤	問 18	①②③④⑤	問 35	①②③④⑤
問 2	①②③④⑤	問 19	①②③④⑤	問 36	①②③④⑤
問 3	①②③④⑤	問 20	①②③④⑤	問 37	①②③④⑤
問 4	①②③④⑤	問 21	①②③④⑤	問 38	①②③④⑤
問 5	①②③④⑤	問 22	①②③④⑤	問 39	①②③④⑤
問 6	①②③④⑤	問 23	①②③④⑤	問 40	①②③④⑤
問 7	①②③④⑤	問 24	①②③④⑤	問 41	①②③④⑤
問 8	①②③④⑤	問 25	①②③④⑤	問 42	①②③④⑤
問 9	①②③④⑤	問 26	①②③④⑤	問 43	①②③④⑤
問 10	①②③④⑤	問 27	①②③④⑤	問 44	①②③④⑤
問 11	①②③④⑤	問 28	①②③④⑤	問 45	①②③④⑤
問 12	①②③④⑤	問 29	①②③④⑤	問 46	①②③④⑤
問 13	①②③④⑤	問 30	①②③④⑤	問 47	①②③④⑤
問 14	①②③④⑤	問 31	①②③④⑤	問 48	①②③④⑤
問 15	①②③④⑤	問 32	①②③④⑤	問 49	①②③④⑤
問 16	①②③④⑤	問 33	①②③④⑤	問 50	①②③④⑤
問 17	①②③④⑤	問 34	①②③④⑤		

※この解答用紙は、コピーしてお使いください。

食生活アドバイザー®3級 模擬試験（第2回） 解答用紙

氏名	

問 1	①②③④⑤	問18	①②③④⑤	問35	①②③④⑤
問 2	①②③④⑤	問19	①②③④⑤	問36	①②③④⑤
問 3	①②③④⑤	問20	①②③④⑤	問37	①②③④⑤
問 4	①②③④⑤	問21	①②③④⑤	問38	①②③④⑤
問 5	①②③④⑤	問22	①②③④⑤	問39	①②③④⑤
問 6	①②③④⑤	問23	①②③④⑤	問40	①②③④⑤
問 7	①②③④⑤	問24	①②③④⑤	問41	①②③④⑤
問 8	①②③④⑤	問25	①②③④⑤	問42	①②③④⑤
問 9	①②③④⑤	問26	①②③④⑤	問43	①②③④⑤
問10	①②③④⑤	問27	①②③④⑤	問44	①②③④⑤
問11	①②③④⑤	問28	①②③④⑤	問45	①②③④⑤
問12	①②③④⑤	問29	①②③④⑤	問46	①②③④⑤
問13	①②③④⑤	問30	①②③④⑤	問47	①②③④⑤
問14	①②③④⑤	問31	①②③④⑤	問48	①②③④⑤
問15	①②③④⑤	問32	①②③④⑤	問49	①②③④⑤
問16	①②③④⑤	問33	①②③④⑤	問50	①②③④⑤
問17	①②③④⑤	問34	①②③④⑤		

※この解答用紙は、コピーしてお使いください。

索引

英数字

あ行

か行

さ行

た行

な行

は行

ま行

や行

ら行

わ行

●監修者・著者

竹森 美佐子（たけもり・みさこ）

食生活アドバイザー®公認講師（副代表）。NPO法人みんなの食育代表理事。管理栄養士。現代栄養学・東洋医学（漢方）・自然食（マクロビオティック）の3方面から食をとらえた独自の健康法で、多様化する現代人の食生活をわかりやすく解説し、食の自立をサポートする。主に、企業や学校、病院、公共施設での食事指導や食育講座、講演活動、メニュー・商品開発など、食をステージとして多彩な分野で活躍中。

●執筆協力

〈第1～4章〉 **久保田 洋子**（くぼた・ようこ）食生活アドバイザー®公認講師。管理栄養士。NPO法人みんなの食育。

仁藤 淳子（にとう・じゅんこ）食生活アドバイザー®。栄養士。NPO法人みんなの食育。

〈第5・6章〉 **原田 岳晴**（はらだ・たけはる）食生活アドバイザー®公認講師。

小澤 高弘（おざわ・たかひろ）食生活アドバイザー®公認講師。

中野 聖子（なかの・しょうこ）食生活アドバイザー®公認講師。

●スタッフ

本文デザイン　株式会社エディポック・松崎知子・川平勝也
本文イラスト　佐藤加奈子・関上絵美
撮　影　今野完治
編集協力　株式会社エディポック
編集担当　原　智宏（ナツメ出版企画株式会社）

本書に関するお問い合わせは、書名・発行日・該当ページを明記の上、下記のいずれかの方法にてお送りください。電話でのお問い合わせはお受けしておりません。
・ナツメ社 webサイトの問い合わせフォーム
https://www.natsume.co.jp/contact
・FAX (03-3291-1305)
・郵送（下記、ナツメ出版企画株式会社宛て）
なお、回答までに日にちをいただく場合があります。正誤のお問い合わせ以外の書籍内容に関する解説・受験指導は、一切行っておりません。あらかじめご了承ください。

一発合格！ここが出る！
食生活アドバイザー検定3級テキスト&問題集 第4版

2014年6月5日　初版発行
2017年1月10日　第2版第1刷発行
2020年8月1日　第3版第1刷発行
2022年10月1日　第4版第1刷発行
2024年5月10日　第4版第2刷発行

監修者・著者　竹森美佐子
発行者　田村正隆

発行所　株式会社ナツメ社
東京都千代田区神田神保町1-52　ナツメ社ビル1F（〒101-0051）
電話　03（3291）1257（代表）　FAX　03（3291）5761
振替　00130-1-58661
制　作　ナツメ出版企画株式会社
東京都千代田区神田神保町1-52　ナツメ社ビル3F（〒101-0051）
電話　03（3295）3921（代表）
印刷所　株式会社技秀堂

ISBN978-4-8163-7269-8　Printed in Japan
〈定価はカバーに表示してあります〉
〈乱丁・落丁本はお取り替えします〉

一発合格! ここが出る!

食生活アドバイザー®検定3級テキスト&問題集 第4版

別冊

重要用語集&頻出項目BEST⑩

試験直前対策

竹森美佐子 監修・著

重要用語や、試験に頻出する項目を
ランキング形式でまとめました。
試験直前の最終チェックにお役立てください!

ナツメ社

重要用語集

 第1章　栄養と健康

アミノ酸

たんぱく質の最小単位。体の構成にかかわるものは20種類とされる。一つでも欠けると骨や血液を作るのに必要なたんぱく質が作れないため、食事からバランスよく摂取する必要がある。

運　動

心と体の健康を保つための3本柱の一つ。無酸素運動（アネロビクス）と有酸素運動（エアロビクス）がある。心臓・肺の機能や免疫力の向上、血管・骨を丈夫にするなどの効果があるが、効果は約72時間で消えるとされており、3日に1回以上の運動が望ましい。

栄養素

生命を維持するために体外から取り入れる物質。炭水化物、たんぱく質、脂質が三大栄養素。これにビタミン、ミネラルが加わると五大栄養素。また、栄養とは、生命を維持するために必要な食物を体外から取り入れ、成長や活動に役立たせること。

基礎代謝量

体温維持、呼吸、脳や心臓を動かすなど生命を維持するための最低限必要なエネルギー消費量。基礎代謝量に、使われる筋肉の緊張エネルギー量を加えたものを安静時代謝量、これに運動、作業、労働などの運動時の代謝量を加えたものを運動時代謝量と言う。

吸　収

消化された物質が小腸の細胞（小腸粘膜上皮細胞）を通過して、その中の栄養素が血液やリンパ液に取り入れられること。

休　養

睡眠によって疲れを取り除く「休」の部分と明日への活力を養う「養」の部分があり、睡眠や休息をとる、何もせずにゴロゴロするなどを消極的休養、仲間とコミュニケーションをとる、体を動かすなどを積極的休養と言う。

グリコーゲン

ブドウ糖が多数結合した多糖類。動物のエネルギーの貯蔵形態で動物性食品に含まれる。でんぷんがブドウ糖に分解されて小腸で吸収され、肝臓に送られるとグリコーゲンとして貯蔵される。必要に応じて再びブドウ糖に変換され、エネルギーとして利用される。

高血圧

血圧の高い状態が一定期間以上続くこと。動脈硬化が進行したり血栓ができやすくなったりする。自覚症状はほとんどない。危険因子は、遺伝のほか塩分の高い食事、喫煙、肥満、アルコール、ストレス、運動不足。

孤食・個食

孤食（こしょく）は、部屋に引きこもって食事をしたり、家族が不在で一人で食事をしなければならなかったりなどの孤独な食事。個食（こしょく）は、家族が一緒に食べていても別々の料理を食べる個別の食事。

コレステロール

単純脂質や複合脂質を加水分解してできる誘導脂質の一つ。体に必要なコレステロールの70％は肝臓で合成され、残りは食品から摂取している。細胞膜や性ホルモン、副腎皮質ホルモン、胆汁（たんじゅう）酸、ビタミンDの材料となる。

脂　質

三大栄養素の一つ。水に溶けず、エーテルやクロロホルムなどの有機溶媒に溶ける性質を持つ物質の総称。エネルギーは１g当たり９kcal。小腸で吸収され、脂肪に再合成されて最終的に血液に入る。吸収には食後３～４時間かかる。余分な脂質は中性脂肪に再合成されて、体内に貯蔵される。

脂質異常症

４つのタイプがあり、血中総コレステロール220mg/dℓ以上を高コレステロール血症、血中中性脂肪150mg/dℓ以上を高中性脂肪血症、血中HDLコレステロール40mg/dℓ未満を低HDLコレステロール血症、血中LDLコレステロール140mg/dℓ以上を高LDLコレステロール血症と言う。自覚症状はない。

脂肪酸

単純脂質や複合脂質を加水分解してできる誘導脂質の一つ。常温で固体、酸化しにくい飽和脂肪酸、植物性油脂に多く含まれ、常温で液体、酸化されやすい不飽和脂肪酸がある。

消　化

摂取した食物の成分を、吸収されやすい最小単位の栄養素にするために消化管内で起こる反応。咀嚼（そしゃく）や胃腸の蠕動（ぜんどう）運動、腸の分節運動などの機械的な運動で消化される物理的消化、消化酵素で栄養素を分解する化学的消化、大腸の腸内細菌で分解を促進し、腐敗、発酵などを起こす生物的消化がある。

消化器官

消化に関係する器官の集まり。口、食道、胃、小腸、大腸、肛門までの食物の通路で約９mの長い１本の管である消化管と、消化液を分泌する肝臓、膵臓（すいぞう）、胆のうの付属器官からなる。

食物繊維

人の消化液では消化できない難消化性成分の総称。多量に摂取することでカルシウムや鉄などの重要な栄養素の吸収が妨げられたり、下痢などを引き起こしたりすることもある。水溶性食物繊維と不溶性食物繊維がある。

代　謝

小腸で吸収された栄養素が肝臓を通って全身をめぐり、エネルギー源や体の構成成分となって必要な部位で利用されること。

たんぱく質

三大栄養素の一つ。骨や筋肉、血液、酵素、ホルモン、免疫抗体などになる栄養素。エネルギーは１g当たり４kcal。小腸でアミノ酸に分解、吸収され、体の各組織でたんぱく質に再合成される。肉類、魚類、卵、牛乳、乳製品などに含まれる動物性たんぱく質と大豆、大豆加工品に多く含まれる植物性たんぱく質がある。

でんぷん

ブドウ糖が多数結合した多糖類の一つ。植物のエネルギーの貯蔵形態で、米、小麦などに多く含まれる。

糖　質

単糖類、二糖類、少糖類、多糖類に分類できる。消化・吸収後にエネルギーになり、エネルギーは１g当たり４kcal。体内で消化されない食物繊維と合わせて炭水化物と言う。日本人は全エネルギーの約60％弱を糖質から摂取している。

糖尿病

膵臓から出るインスリンの量や作用が不十分で血糖値が高くなり、全身の血管や神経に負担をかけ、全身の細胞の働きが低下した状態が続くと糖尿病型になる。空腹時血糖が126mg/dℓ以上でHbA1cが6.5%以上で糖尿病型と診断される。

動脈硬化

動脈の壁に脂質が付くことで壁が厚く硬くなって血管の内側が狭くなり、血液の循環が悪くなること。LDLコレステロール140mg/dℓ以上が目安。自覚症状はなくても放置しておくと、脳梗塞（のうこうそく）、狭心症、心筋梗塞（しんきんこうそく）、大動脈瘤（りゅう）など、生死に直結する病気になることもある。

特異動的作用

食物を摂取することによってエネルギー生産が高まること。食事誘導性熱代謝とも言う。

BMI

国際的な体格指数。BMIが25以上になると高血圧、脂質異常症、糖尿病などにかかりやすくなるとされている。体重（kg）÷身長（m）^{2}で算出される。

ビタミン

三大栄養素が体内でスムーズに働くために不可欠な栄養素。必要量はごく微量だが、体内ではほとんど作ることができない。油脂やアルコールに溶けやすい脂溶性ビタミンと水に溶けやすい水溶性ビタミンがある。

必須アミノ酸

20種類のアミノ酸のうち、体内で作れない9種類のアミノ酸。バリン、ロイシン、イソロイシン、リジン、ヒスチジン、メチオニン、フェニルアラニン、トリプトファン、スレオニンが該当。残りの11種類は他のアミノ酸から合成することができる非必須アミノ酸。

必須脂肪酸

体内で合成できないか体内合成量が足りないため、食物から摂取しなければならない脂肪酸。リノール酸、アラキドン酸、γ-リノレン酸などのn-6系の脂肪酸と、魚の油に多く含まれているα-リノレン酸、イコサペンタエン酸（IPA）、ドコサヘキサエン酸（DHA）などのn-3系の脂肪酸がある。

ブドウ糖

単糖類の一つで、脳のエネルギーになる。ブドウ糖＋果糖はショ糖、ブドウ糖＋ガラクトースは乳糖、ブドウ糖2つは麦芽糖と言う。

ミネラル（無機質）

人体を構成する約60種類の元素のうち、酸素、炭素、水素、窒素を除いた残りの元素。健康を保つために不可欠な16種類のミネラルを必須ミネラルと呼び、主要ミネラル（カルシウム、リン、マグネシウム、カリウム、ナトリウム、イオウ、塩素）と微量ミネラルに分けられる。

メタボリックシンドローム

内臓脂肪症候群とも言う。内臓脂肪型肥満（腹囲が男性：85cm以上、女性：90cm以上）に、高血糖（空腹時血糖110mg/dℓ以上）、高血圧（最高血圧140mmHg以上、最低血圧90mmHg以上のいずれかまたは両方）、脂質異常症（中性脂肪150mg/dℓ以上、HDLc40mg/dℓ未満のいずれかまたは両方）のうち2つ以上を合併した状態を指す。

第2章　食文化と食習慣

味の相互作用

2種類以上の呈味物質が混ざると味の感じ方に変化が起こる。変化には対比効果、抑制効果、相乗効果がある。

一汁三菜

本膳料理から受け継がれた現在の日本の食事の形式。飯碗を左手前、汁椀を右手前、主菜を右奥、副菜を左奥、小鉢を真ん中に配置。持ち上げるものを手前に、置いたままで食べる器を奥に配置し、美しい所作で食事ができるように考えられている。

懐石料理

茶会などの席で出される濃茶をおいしく飲むための軽い食事。折敷（一尺四方の脚のない銘々膳）を使う。銘々盛りの料理と大皿盛りの料理があるが、盛り付ける量は少量である。向付、汁、飯、椀盛り、焼き物の一汁三菜が基本。これに箸洗い、八寸、強肴、湯桶、香の物、茶と菓子が出される。

会席料理

宴席で酒を楽しむための料理。お品書きに従って、一品ずつ出す場合と、すべての料理を一度に配膳する場合がある。前菜、刺身、吸い物、口代(くちが)わり、焼き物、揚げ物（または煮物）、蒸し物、和(あ)え物（または酢の物）、止め椀、香の物、飯、水菓子といった献立構成。

賀寿(がじゅ)

長寿の祝い。数え年で一定の年齢に達したときに、そこまで長生きしたことを祝う。61歳を祝う還暦(かんれき)、70歳を祝う古稀(こき)、77歳を祝う喜寿(きじゅ)、80歳を祝う傘寿(さんじゅ)、88歳を祝う米寿(べいじゅ)、90歳を祝う卒寿(そつじゅ)、99歳を祝う白寿(はくじゅ)などがある。

郷土料理

その地域でとれる食材や調味料、調理方法で作られてきた伝統的な料理。土地特有の生活習慣や条件のもとで、生活の知恵や工夫の中から生まれ、受け継がれてきた。

磁器

焼き物の一種。素地が緻密で吸水性がなく、高温の窯(かま)で焼くので硬くなり、たたくと金属のような音がする。

漆器

杉やヒノキ、ケヤキを素地として漆(うるし)を塗ったもの。漆を塗る工程を何度も繰り返すので、耐水性、耐酸性、耐久性がある。重箱や椀、膳、盆などに使われる。

旬

ある食材が、ほかの時期よりも新鮮でおいしく食べられる出盛りの時期。新鮮でおいしいだけでなく、その季節に必要な栄養素も豊富。旬の出始めを旬の走り、その季節に初めて収穫したものを初物(はつもの)と言う。最盛期を旬の盛りと言い、狭義ではこの期間が「旬」。旬の終わり、最盛期を過ぎた頃を旬の名残(なごり)、旬外れと言う。また、1年中食べることができ、旬を感じさせない食材を時知らずと言う。

精進(しょうじん)料理

魚介類や肉類などの動物性食品を一切使用せず、植物性食品のみで作る。だしは昆布やしいたけで、たんぱく質は豆腐、湯葉などの豆類や野菜でとる。

身土不二(しんどふじ)

「身体と環境は切り離せない関係である」という意味。その土地に育った食べ物を食べることが、その土地に暮らす人間の体に最も合っているということを表している。

スローフード運動

イタリア発祥の食を中心とした地域の伝統的な文化を尊重し、生活の質の向上を目指す世界運動。①希少で消えようとしている食品を保護する、②一定の基準を満たす小規模生産者を直接支援する、③子どもをはじめとする消費者に味などの感覚を通じた食教育を行う、④消費者と生産者を結ぶ――などの活動を行っている。

西洋料理

フランス料理をはじめとして、イタリア料理、スペイン料理など欧米各国の料理の総称。香りを楽しむ料理と言われ、香辛料を用いた加熱料理が中心。主材料は牛、豚、鶏などの肉類と乳製品で、味付けは一般的に濃厚。

節　句

季節の変わり目を指す言葉。その行事食を食べて節句を祝うことで、次の季節の食べ方に変える意味合いもある。五節句は人日の節句（1月7日）、上巳の節句（3月3日）、端午の節句（5月5日）、七夕（七夕）の節句（7月7日）、重陽の節句（9月9日）。

地産地消

「地域生産＋地域消費」の略。地域で生産された農産物や水産物などをその地域で消費することを表す。新鮮なものが手に入る、消費者として安心感が得られる、輸送にかかるエネルギーやコストが節約できる、地域経済の活性化、伝統的食文化の継承、食料自給率の回復につながるなどのメリットがある。

中国料理

味を楽しむ料理と言われ、調理法よりも調味中心で味付けを重視する。様々な材料が使われ、料理の種類が多い。料理を1つの皿に盛り、取り分けて食べる。

通過儀礼

人生の各節目での祝い事。帯祝い、お七夜、初宮参り、お食い初め、初節句、七五三、十三参りなどがある。

陶　器

焼き物の一種。吸水性のある土に釉薬をかけて焼いたもの。磁器よりも焼く温度が低いため強度がやや低く、採取した粘土の種類と焼き温度、産地により種類が豊富。

日本料理

目で楽しむ料理と言われ、色彩や形が美しく、また盛り付け方や外観など見た目を重視する。主材料は魚介類や季節の野菜で、だしを基本に淡白で繊細な味付けで、素材の味を生かす。

年中行事

正月、節分、五節句、彼岸、花見、盂蘭盆会、新嘗祭、冬至、大晦日など、毎年同じ日や時季に家庭や地域で行われる儀式や催し。各年中行事には季節感や地域性が見られる行事食がある。

箸使い

箸を持ち上げるときは、右手で箸の中央を持って取り上げて左手を下から添え、右手を回して下から添えて持ち替える。置くときは、左手を下から添え、右手を回して上から中央を持って置く。なお、マナーに反した使い方を嫌い箸と言い、移り箸、逆さ箸、刺し箸、涙箸、迷い箸、寄せ箸などがある。

ハレとケ

「ハレ」とは儀礼や祭り、年中行事などの非日常、「ケ」は日常の生活。正月や季節行事、誕生日、結婚式など特別な日を「ハレの日」と言い、季節の食材を使った行事食やご馳走を食べながら祝う。普段の日は「ケの日」。

フードマイレージ

生産地から食卓までの距離が短い食料を食べたほうが環境への負荷が少ないという考え方から、輸入食品が食卓に運ばれるまでにかかったエネルギーを数値化したもの。輸入相手国別の食料輸入量（t）×輸出国から輸入国までの距離（km）で算出し、t・kmで表す。

包　丁

鋼（はがね）、ステンレス、セラミックなどの材質で、和包丁、洋包丁、中華包丁などがある。刃元、刃の中央、刃先、峰など各部位を食材によって使い分ける。

本膳料理

一人ひとりの正面に膳を配る日本料理の正式な膳立て。一汁三菜（いちじゅうさんさい）を基本に、宴席の規模に応じて二汁五菜（にじゅうごさい）、三汁七菜（さんじゅうしちさい）と料理の数を増やしていく。膳の数は本膳、二の膳、三の膳が基本だが、料理の数によって与（よ）の膳、五の膳と増やしていく。脚付きの銘々膳（めいめいぜん）を使い、盛り付けはすべて銘々盛りが基本。

味　覚

甘味（かんみ）、酸味（さんみ）、塩味（えんみ）、苦味（にがみ）、うま味を五味と言い、そのほかに、辛味、渋味、えぐ味など様々な味がある。食べ物の味は舌の表面の味蕾（みらい）細胞で感じとり、味覚神経を通じて脳に伝わり感知される。

第3章　食品学

アナフィラキシーショック

食物アレルギーの症状のうち、血圧の低下、呼吸困難などの死に至る可能性のある重篤（じゅうとく）なショック症状。

一般JASマーク

品位、成分、性能等の品質について日本農林規格（JAS規格）を満たす食品や林産物などに付けられる。

遺伝子組換え表示

日本において遺伝子組換えが認められているのは９農産物（ジャガイモ、大豆、テンサイ、トウモロコシ、ナタネ、綿、アルファルファ、パパイヤ、からしな）。９農産物とこれらを主な原料とする食品は、表示方法が定められている。

栄養成分表示

食品表示法でルールが定められており、エネルギー（熱量）、たんぱく質、脂質、炭水化物、食塩相当量の順番で含有量（がんゆう）を表示する。表示単位は100g、100mℓ、１食分、１箱、１枚など。

加工食品

生鮮食品を製造、加工した飲食料品。

農産物では麺、パン、片栗粉、豆腐、ジャム、茶など、水産物では干物、かまぼこ、寒天など、畜産物ではハム、ソーセージ、牛乳などがある。

強調表示

加工食品の栄養成分や熱量について、適切な摂取ができるなどの表示をすること。誇張表現にならないように基準値が設けられている。表示方法は豊富、ノン、控えめなど。

公正マーク

同じ種類の事業者で構成する公正取引協議会が作っている表示に関する公正競争規約に従い、適正な表示をしていると認められる食品に付けられる。

消費期限

保存方法に従い保存し、容器包装が未開封でも製造・加工されてから品質が急激に劣化しやすい食品に記載される期限表示。腐敗、変敗せず、食中毒などが発生する可能性がないとされる期限。製造・加工されてからおおむね５日以内のものが対象。年月日で表示。

賞味期限

保存方法に従い保存し、容器包装が未開封の場合、品質が急激に劣化しない食品に記載される期限表示。品質特性を十分に保持できるとされる（おいしく食べられる）期限。製造・加工されてからおおむね６日以上のものが対象。年月日または年月で表示。

食物アレルギー

食品に含まれる物質が原因で引き起こされる症状。皮膚のかゆみ、じんましん、下痢、腹痛などが代表的。原因となる物質がアレルゲンで、小麦、鶏卵、牛乳を三大アレルゲンと呼ぶ。この３つに加え、症例数の多いエビ、カニ、クルミ、症状が重篤になるそば、落花生の８品目を特定原材料と言う。また、特定原材料に準ずるものとして20品目が定められている。

生鮮食品

青果（野菜・果物）、鮮魚、精肉など新鮮であることが要求される食品。農産物、水産物、畜産物が生鮮３品。

特定保健用食品

体の生理的機能などに影響を与える特定の保健機能成分を含む食品のうち、表示を消費者庁が許可した食品。表示例は「虫歯の原因になりにくい」など。

特別栽培農産物

その農産物が生産された地域で慣行的に行われている節減対象農薬および化学肥料の使用状況に比べて、節減対象農薬の使用回数が50％以下、かつ化学肥料の窒素成分量が50％以下で栽培された農産物。

特別用途食品

病人用の食品、乳児用調整粉乳、妊産婦・授乳婦用粉乳、高齢者用低カロリー甘味料など、特別の用途に適するという表示を消費者庁が認可した食品。

有機JASマーク

有機JAS規格を満たす農産物、畜産物、加工食品、飼料に付けられる。有機JASマークが付けられていない農産物と農産物加工食品には「有機○○」などと表示することはできない。

有機農産物

化学農薬、化学肥料および化学土壌改良剤を3年以上使用していない農地で栽培された農産物。「有機」の定義はJAS法で定められている。

リサイクルの識別マーク

種類によりパッケージの原料が判別できるように、食料品、飲料品のパッケージに付けられるマーク。スチール缶、ペットボトル、プラスチック製容器包装などのマークがある。

第4章　衛生管理

遺伝子組換え技術

ある農産物から有用な性質を持つ遺伝子を取り出し、別の農産物に取り入れて新しい性質を持たせること。正確性や多品種・他品種で取り込める、短期間でできるなどのメリットがある一方、生物多様性への影響や摂取した場合の人体への影響が懸念されている。

ウェルシュ菌

生体内毒素型の細菌性食中毒の一つ。原因食品はカレー、シチュー、スープ、グラタン（大量調理したもの）など。生物の消化管に存在。潜伏期間は8～20時間で、主な症状は腹痛、下痢。

ADI（Acceptable Daily Intake）

食品添加物の1日の摂取許容量。毎日生涯にわたってとり続けたとしても健康に問題はない量とされている。安全な摂取量の1日当たりの平均値÷体重（mg／kg／日）で算出される。

黄色ブドウ球菌

食品内毒素型の細菌性食中毒の一つ。食品全般が原因となり、人の皮膚、傷口などに存在。菌は熱に弱いが、毒素は熱に強い。潜伏期間は1～3時間で、主な症状は激しい嘔吐、下痢、腹痛。

環境ホルモン

正式名称は外因性内分泌かく乱化学物質。体内のホルモン作用に変化を起こさせ、その個体や子孫に健康障害を誘発する物質で約70種類ある。なかでもダイオキシン類は、生ごみの焼却で大気中に排出されると植物や土壌、水などを汚染。食物連鎖で人間に蓄積されると考えられている。

カンピロバクター

感染型の細菌性食中毒の一つ。原因食品は加熱不足の肉料理（鶏肉、牛レバー刺し）、飲料水など。微好気性で熱や乾燥に弱い。潜伏期間は2～7日で、主な症状は腹痛、下痢、発熱、血便。

キャリーオーバー

食品添加物に関する言葉。原材料の加工で使用されるが、次にそれを用いて製造される食品には使用されず、元の原材料から持ち越された添加物の量が、その食品に効果を発揮するのに必要な量より有意に少ない場合を言う。影響が起きないため、表示が免除される。

交　配

同種または近縁種の農産物間で人工的な受精を行い、得られた多様な雑種の集まりから目的に近い個体を選抜。これを繰り返して目的の形質を示す個体を獲得。安全性の懸念はないが、正確でない、時間がかかる、同種か近縁種の間でしか行えないデメリットもある。

サルモネラ菌

感染型の細菌性食中毒の一つ。原因食品は肉、鶏卵など。人や鳥や動物の消化管に存在し、熱に弱い。潜伏期間は８～48時間で、主な症状は発熱、腹痛、下痢、嘔吐（おうと）。

食中毒

細菌やウイルスが付着した飲食物やその包装容器などが原因で起きる急性の健康障害。自然毒、化学物質、カビなどでも引き起こされる。最も多い細菌性食中毒は、６～10月に多発。

食品添加物

食品衛生法では、「食品の製造の過程において又は食品の加工若しくは保存の目的で、食品に添加、混和、浸潤その他の方法によつて使用する物をいう」と定義されており、種類や量が規制されている。

セレウス菌

細菌性食中毒の一つ。食品内毒素型と生体内毒素型がある。食品内毒素型はチャーハンなどでんぷんの多い食品が原因で、日本で多発。潜伏期間は１～５時間で主な症状は嘔吐、腹痛。生体内毒素型は肉製品、プリンなどが原因食品で、欧米で集団発生。潜伏期間は８～16時間で主な症状は腹痛、下痢。

腸炎ビブリオ

感染型の細菌性食中毒の一つ。原因食品は生鮮魚介類などで、海水中で増殖し真水・熱に弱い。潜伏期間は10～18時間で、主な症状は激しい腹痛、下痢、発熱、嘔吐。

腸管出血性大腸菌

生体内毒素型の細菌性食中毒の一つ。原因食品は飲料水、加熱不足の肉類、生野菜など。ベロ毒素を産生し、胃酸中でも生存。感染力が強い。潜伏期間は１～９日で下痢、腹痛から血便、激しい腹痛に変化し死に至ることもある。

鳥インフルエンザ

鳥類が感染するＡ型インフルエンザウイルス。感染した鳥やその排泄（はいせつ）物、死骸、臓器などに濃厚に接触することによってまれに人間への感染が見られる。潜伏期間は1～10日（多くは2～5日）で、発熱、呼吸器症状、下痢、多臓器不全などの症状。

トレーサビリティ

食品の生産・流通過程を追跡できるしくみ。牛では、国内で生まれたすべての牛と生きているうちに輸入された牛に10桁の個体識別番号の耳標が付けられ、それを届け出・データベース化された生産流通履歴情報把握システムが構築されている。

ノロウイルス

ウイルス性食中毒の一つ。原因食品は生牡蠣（なまがき）などの貝類（加熱が不十分なもの）、生野菜などで、人から人へ感染。飛沫（ひまつ）感染など、感染力が強く、低温に強い。潜伏期間は24～48時間で、主な症状は腹痛、下痢、発熱、嘔吐。

BSE

牛のプリオンというたんぱく質が異常な型に変化して脳に蓄積されて脳がスポンジ状になり、異常行動をとるなどの神経症状を起こす病気。人間への感染も確認されている。特に危険性の高い部位（特定危険部位）は、脳、脊髄（せきずい）、眼球、扁桃（へんとう）、回腸とされている。

腐　敗

いわゆる「腐った状態」。食品中のたんぱく質が腐敗細菌の酵素作用によって分解され、悪臭がしたり、刺激の強い味になったりすること。

変　質

食品の鮮度が失われ、乾燥や変色、変形が起きたり、異臭がしたりして、外観や内容に変化が生じること。

変　敗（へんぱい）

油脂が劣化して、異臭がしたり、粘り気が出たり、色や味が悪くなったりすること。特に、空気に触れるところでの放置や直射日光で油脂が劣化することを酸化型変敗（酸敗）と言う。

ポジティブリスト制度

国内外で使われている農薬のほぼすべてに基準を設定し、超える農産物の流通を禁止できる制度。海外の農薬でも残留の可能性のあるものには基準を設け、超えたものは流通を禁止できる。

ポストハーベスト農薬

穀物や果実の収穫後に使われる農薬。長期保管や輸送の間にカビが生えたり、腐ったり、日本にいない害虫や植物の病気が海外から入ったりするのを防ぐために使われる。基準値を超えた食品が発見されたら、回収、廃棄、輸出した国に戻されるなどの対処がとられる。

ボツリヌス菌

食品内毒素型の細菌性食中毒の一つ。原因食品はびん詰、缶詰など。土壌に存在し、嫌気（けんき）性。熱に弱いが毒素の毒性は非常に強い。潜伏期間は12～36時間で、主な症状は嘔吐、下痢、視覚障害、言語障害。死に至ることもある。

第5章　食マーケット

EOS（Electronic Ordering System）

オンライン受発注システム。企業間の受発注をオンラインでつなぐことで効率化が図れる。

NB

ナショナルブランド（National Brand）の略。メーカーが自社ブランド名を付けて、全国規模で展開している商品。

カテゴリーキラー

特定のカテゴリー（分野）に特化し、その分野の豊富な品揃えや低価格を武器に、近隣の小売業者の売場などに影響を与えるほどの力を持つ専門大型店。

クイックレスポンス（QR）

生産から販売までにかかるすべての無駄を省くことで生み出されたコストを、販売価格の値下げなどによって消費者へ還元すること。

ジャストインタイム

「必要なものを・必要なときに・必要なだけ」という考え方。多頻度小口物流を可能にするシステム。

建値（たてね）

「建値段」の略で、メーカーが卸売業者や小売業者に対して販売数量や販売価格などを設定する制度。日本的商慣行の一つで、取引価格、販売価格の基準となる。

チャンスロス

機会損失とも言う。欠品（発注ミスや補充忘れなどで商品が品切れすること）など、人的なミスが原因で売ることができず、得られたはずの利益を逃すこと。

中食（なかしょく）

外で調理された料理を家庭やオフィスなどに持ち帰って食べるという食事の形態のこと。惣菜などがこれにあたる。

パワーセンター

同一敷地内に複数のカテゴリーキラー、ディスカウントストアやスーパーマーケットなどが集合し、駐車場を共有する郊外型のショッピングセンター。

PB

プライベートブランド（Private Brand）の略。小売業者や卸売業者などの流通業者が、独自に企画・開発したものをメーカーに生産を委託し、製造した商品。

フランチャイズチェーン

本部企業（フランチャイザー）と契約を結んだ加盟店（フランチャイジー）が販売を行う経営形態。本部は加盟店に対し、商標・商品提供、経営指導などを行い、加盟店は本部に対し、加盟料（イニシャルフィ）や商品売上に基づいた経営指導料（ロイヤリティ）を支払う。コンビニエンスストアやファストフードなどが該当。

ホームミールリプレースメント（HMR）

ミールソリューションの手法の一つ。直訳すると「家庭の食事に代わるもの」を意味し、そのまま食べられたり、下ごしらえがされてセットになっていたりする食材を指す。

POS（Point Of Sales）システム

「販売時点情報管理」の意味。レジに導入されているシステムで、何が、いつ、いくらで売れたかを管理できる。

ミールソリューション（MS）

食事での悩みや問題に解決策を提案するマーケティング戦略。具体的には食事メニューのアイデアの提供、簡便食材の開発、消費者に役立つ情報を掲げたPOP、陳列など。食生活アドバイザー®の重要な役割の一つでもある。

リベート

日本的商慣行の一つで、メーカーが自社商品の取引高や売上高などに応じて、卸売業者や小売業者に対して売上貢献の報酬を支払う制度。取引の報奨金や割戻金のように、契約時に売上実績や販売数量などをあらかじめ設定し、それを超えた分に対して支払う。

流通経路

商品が生産者から消費者に渡るまでの流れ。一般的には、メーカー→卸売業者→小売業者→消費者という道筋。チャネルとも呼ばれる。

レギュラーチェーン

資本や経営に関して、本部が店舗を直営でチェーンオペレーションする本格的なチェーンストア。主に百貨店やスーパーマーケットなどが該当。

ワントゥワンマーケティング

消費者一人ひとりにターゲットを絞り、アプローチするマーケティング手法。購買履歴データや属性を販売に結び付ける。

第６章　社会生活

円　高

相対的に円の価値が高くなること。１ドル＝100円から１ドル＝80円になるような状態を指す。円高になると輸入は有利、輸出は不利になる。

円　安

相対的に円の価値が安くなること。１ドル＝100円から１ドル＝120円になるような状態を指す。円安になると輸入は不利、輸出は有利になる。

オンラインショッピング

インターネットを通して買物をすること。電子商取引（eコマース）の一つで、パソコンやスマートフォン、携帯電話などで、企業のサイトから商品を購入する。代金の支払いは、クレジットカードや代引きが主流。

カロリーベース自給率
食料自給率を表す指標の一つ。「供給熱量自給率」とも呼ばれる。国内の生産量÷国内の消費量×100で計算。

クーリングオフ制度
消費者が一定期間に限り、契約を一方的に撤回、解除ができる制度。原則として契約書面を受け取った日から8日以内に書面で行う。適用外のものもある。

JAS法
正式には「農林物資の規格化等に関する法律」。「JAS規格制度」として、食品安全性確保のために消費者への情報開示を主な目的とする法律。

食品安全基本法
国・地方公共団体・食品事業者・消費者の責務と役割を明らかにするとともに基本的な方針を定め、食品の安全性の確保に関する施策を総合的に推進することを目的とする法律。

食品衛生法
食品の安全性確保のために、飲食に起因する衛生上の危害の発生を防止し、国民の健康増進を目的とする法律。

食料自給率
国内の食料生産で、国内の消費がどれだけ賄えるかを表した指数。通常、カロリーベース自給率を指す。日本の食料自給率は近年40%前後の低水準で横ばい状況が続いている。

スタグフレーション
物価が継続的に上昇していくインフレーションと、経済不況や経済停滞が複合した状態。

デフレスパイラル
物価が継続的に下落していくデフレーションと、経済不況や経済停滞が複合した状態。

PL法
PL（Product Liability）の頭文字で、製造物責任法の通称。商品の欠陥で消費者が生命・身体・財産に損害を受けた場合、消費者の保護と、製造業者の損害賠償の責任について定めた法律。

リサイクル
循環型社会システムを構築していくための3Rの一つ。環境にかかる負荷を抑制し、無駄を取り除くことを目的にし、「再生利用」させること。

リデュース
3Rの一つ。製品の寿命を延ばしたり、製品を部分的に交換したりすることで、「減量」させることを意味している。

リユース
3Rの一つ。使用済みの製品を回収したりして、「再使用」することを指す。

試験直前対策
頻出項目 BEST 10

出る順 第1位

五節句と節供

本冊P.78

月　日	節句名	別　名
1月7日	人日(じんじつ)の節句	七草の節句
3月3日	上巳(じょうし)の節句	桃の節句、雛祭り
5月5日	端午(たんご)の節句	菖蒲(しょうぶ)の節句、あやめの節句、子どもの日
7月7日	七夕(たなばた)（七夕(しちせき)）の節句	七夕祭り、笹の節句
9月9日	重陽(ちょうよう)の節句	菊の節句

試験ではこう出る！　予想問題にchallenge

次の五節句と関連の深い料理として、最も不適当なものを選びなさい。

（1）人日の節句……七草粥

（2）上巳の節句……ちらし寿司、ハマグリの潮汁

（3）端午の節句……ちまき、柏餅

（4）七夕の節句……そうめん

（5）重陽の節句……精進料理

解答　（5）

重陽の節句は菊に長寿を願うことから、菊を用いた菊酒(きくざけ)、菊寿司などの行事食が食べられる。精進(しょうじん)料理は彼岸、盂蘭盆会(うらぼんえ)の行事食なので、混同しないように注意すること。

近年の出題傾向

五節句は毎回試験で出題されています。出題形式としては、節句とそれに合わせた節供(せちく)の組み合わせの問題が多く見られます。

プラス10点ワンポイント

人日の節句で食べる七草粥：

七草粥(ななくさがゆ)には、季節の変わり目で疲れやすい胃腸を優しくいたわる効能を持つ春の七草が入ります。

春の七草：せり、なずな、ごぎょう、はこべら、ほとけのざ、すずな、すずしろ

出る順 第2位

ビタミンとミネラルの種類と特徴

本冊P.36～44

ビタミンの種類と特徴

	種　類	特徴・働き	過剰症／欠乏症	多く含む主な食品
脂溶性ビタミン	ビタミンA	皮膚や目、鼻、肺などの粘膜を正常に保ち、免疫力を高める。油と一緒に摂取すると吸収率が上昇する。	頭痛、発疹、疲労感など／目の乾燥、夜盲症、肌荒れ、風邪、発育不全	レバー、ウナギ、アンコウの肝、モロヘイヤ、ニンジン、西洋カボチャ、バター、卵
	ビタミンD	カルシウムやリンの働きを助けて骨や歯の形成を促進させる。血液中のカルシウム濃度を一定に保つ。	喉の渇き、かゆみなど／くる病、骨や歯の発育不全、骨密度の減少	アンコウの肝、鮭、サンマ、干ししいたけ、キクラゲ
	ビタミンE	強い抗酸化作用があり、体の老化を防ぐ。血管を強化する。ビタミンCと一緒に摂取すると、抗酸化作用はさらにアップする。	なし／溶血性貧血、冷え性、肩こり、不妊など	アーモンド、クルミ、ゴマ、ヒマワリ油、胚芽
	ビタミンK	血液の凝固にかかわり、腸内細菌によって体内で多く合成される。ビタミンDとともに骨の形成をする作用があり、骨粗鬆症（こつそしょうしょう）予防にも重要。	溶血性貧血／頭蓋内（ずがいない）出血、血が止まりにくくなる	納豆、ヒジキ、緑黄色野菜、チーズ
水溶性ビタミン	ビタミンB_1	成長の促進。心臓や脳神経、手足の神経の働きを正常に保つ。糖質はビタミンB_1を合わせて摂取すると効率よくエネルギーに変わる。	なし／倦怠感、食欲減退、手足のしびれ、脚気（かっけ）、神経障害など	豚ヒレ肉、豚モモ肉、ウナギ、ソラマメ、玄米
	ビタミンB_2	糖質、脂質、たんぱく質の代謝にかかわるビタミンで、細胞の再生や成長を促進する。動脈硬化を予防する。粘膜を保護する。	なし／口内炎、口角炎、口唇炎、目の充血、皮膚炎、子どもの成長障害など	レバー、ウナギ、卵、牛乳、アーモンド
	ビタミンB_6	たんぱく質の代謝に深くかかわるビタミンで、皮膚や歯を作り、成長を促進する。腸内細菌によって合成される。	なし／口内炎、皮膚炎、手足のしびれ、成長障害、貧血など	マグロ、鮭、鶏肉、卵、玄米、ニンニク、キャベツ

水溶性ビタミン	ビタミンB_{12}	成長の促進。**赤血球**の生成を助ける。**神経機能**の維持。アミノ酸の代謝や核酸の合成に関係している。	なし／**悪性貧血**、手足のしびれ、神経症など	アサリ、牡蠣、レバー、サンマ
	ナイアシン	**糖質**、**脂質**、**たんぱく質**の代謝を助ける。**血行**をよくする。体内で必須アミノ酸のトリプトファンから合成される。	手足のほてり、かゆみ、下痢など／食欲不振、口内炎、ペラグラ（日光皮膚炎）、神経障害など	酵母、マグロ、カツオ、レバー、豆類、緑黄色野菜
	葉　酸	**赤血球**や新しい細胞の生成、胎児の**先天異常**の防止など、核酸の合成やアミノ酸の代謝に関係している。	なし／**巨赤芽球性貧血**、口内炎、食欲不振など	大豆、レバー、肉類、卵黄、緑黄色野菜
	ビオチン	**脂肪酸**の合成や**エネルギー代謝**にかかわる。**髪**や**皮膚**を健やかに保つ。腸内細菌によって合成され、食品に広く含まれる。	なし／皮膚炎、食欲不振、白髪、脱毛など	レバー、卵黄、イワシ、クルミ、大豆、牛乳、玄米
	パントテン酸	**糖質**、**脂質**、**たんぱく質**の代謝にかかわる。**HDLコレステロール**を増やす。多種の食品に含まれ、体内でも合成される。	なし／手足の知覚異常、血圧低下、副腎機能低下、成長障害、腰痛など	レバー、子持ちガレイ、ニジマス、納豆、落花生、玄米
	ビタミンC（アスコルビン酸）	強力な**抗酸化作用**があり、**メラニン色素**の合成を抑える。**免疫力**を高める。**コラーゲン**の生成にかかわる。血中コレステロール値を下げる。腸内での**鉄**の吸収を促す。体内で合成することができないため、食物から摂取する必要がある。	なし／**壊血病**、歯ぐきや皮下の出血、疲労感、免疫力低下、色素沈着など	柑橘類、キウイフルーツ、緑黄色野菜、サツマイモ

ミネラルの種類と特徴

	種　類	特徴・働き	過剰症／欠乏症	多く含む主な食品
主要ミネラル	カルシウム（Ca）	骨や歯の構成成分として体を支える。**精神**を安定させる。血を固めて出血を防ぐ。筋肉運動などに重要な働きをする。含まれている食品によって**吸収率**が異なり、**ビタミンD**や**クエン酸**と一緒に摂取すると吸収率が高まる。	マグネシウム・鉄・亜鉛などの吸収抑制の原因となるなど／**骨軟化症**、**骨粗鬆症**などの骨疾患、**不整脈**、**イライラ**など	チリメンジャコ、チーズ、牛乳、シシャモ、海藻、木綿豆腐

主要ミネラル	リン（P）	骨や歯、リン脂質、核酸などを構成する。糖質、たんぱく質、脂質の代謝や体液の浸透圧の調節などに関与している。	骨の**カルシウム**の減少、腎機能低下など／骨折しやすくなる、歯槽膿漏（しそうのうろう）、食欲不振、発育不全など	ワカサギ、シシャモ、チーズ、ヨーグルト、加工食品
	マグネシウム（Mg）	たんぱく質や核酸の合成、糖代謝などに関係している。**筋肉収縮**、**神経伝達**、**精神安定**などにも重要な働きをしている。	軟便、下痢など／**イライラ**、集中力低下、不整脈、**骨粗鬆症**、心臓発作など	ナッツ類、そば、大豆、落花生、納豆、干しヒジキ、玄米
	カリウム（K）	細胞外液の**ナトリウム**とバランスを保って、体液の**浸透圧**を調節する。**血圧の上昇**を抑える。酸やアルカリのバランスを調節する。	高カリウム血症／**血圧上昇**、食欲不振、**不整脈**、心臓病、脳血管障害、夏ばてなど	昆布、ホウレンソウ、干し柿、インゲン、枝豆、バナナ
	ナトリウム（Na）	細胞内液の**カリウム**とバランスを保って、体液の**浸透圧**の調節や**水分量**を調整する。神経に刺激を伝達する。筋肉の**収縮**にかかわる。	**血圧上昇**、胃がん／**脱水症状**、**倦怠感**、めまい、腎臓が弱る、食欲減退、日射病、血圧低下など	カップ麺、味噌（みそ）、梅干し、食塩、醤油（しょうゆ）、漬物
	イオウ（S）	たんぱく質の構成元素として皮膚や髪、爪を作る。	なし／爪がもろくなる、皮膚炎など	チーズ、卵
微量ミネラル	鉄（Fe）	赤血球の**ヘモグロビン**の構成成分として、**酸素**を体内の各組織へ運ぶ。筋肉の**ミオグロビン**の構成成分として疲労を防ぐ。**ビタミンC**と一緒に摂取すると吸収率が高まる。	鉄沈着症、幼児は急性中毒／**鉄欠乏性貧血**、疲労倦怠感、集中力や思考力の低下など	レバー、アサリ、カツオ、ヒジキ、納豆、ホウレンソウ、小松菜
	亜鉛（Zn）	酵素の活性化。糖質の代謝やインスリンの合成。コラーゲンの合成。**味蕾（みらい）細胞**の生成にかかわる。	急性中毒、膵臓（すいぞう）機能の異常／**味覚異常**、情緒不安定、子どもは成長障害、男性は性機能低下、妊婦は胎児の成長不良など	牡蠣、牛肉、ラム肉、豚レバー、ホタテ貝
	マンガン（Mn）	骨の形成や糖質、脂質、たんぱく質の代謝で多くの**酵素**の働きを活性化する。疲労回復効果や血糖値を下げる作用もある。	なし／疲れやすい、平衡感覚の低下など	玄米、大豆、アーモンド
	ヨウ素（I）	**甲状腺ホルモン**を作る。成長を促進する。	甲状腺肥大／**甲状腺腫**、疲れやすい、機敏さを欠くなど	昆布、ワカメ、海苔（のり）、ヒジキ

試験ではこう出る！ 予想問題にchallenge

ビタミンの特徴について、最も適当なものを選びなさい。

（1）水に溶けやすい水溶性ビタミンと、水に溶けにくい不溶性ビタミンがある。
（2）ビタミンの必要量はごく微量で、そのほとんどが体内で合成できる。
（3）水溶性ビタミンは不足すると欠乏症を起こすが、とりすぎても過剰症となる。
（4）ビタミンEは、皮膚や目・鼻・喉などの粘膜を正常に保ち、免疫力を高める。
（5）発育不全や夜盲症、肌荒れなどの欠乏症状は、ビタミンAの不足が原因である。

解答（5）

（1）水溶性ビタミンと脂溶性ビタミン　（2）体内で合成できない。
（3）尿と一緒に排泄（はいせつ）されるため過剰症にはならない。　（4）ビタミンA

マグネシウムの特徴について、最も適当なものを選びなさい。

（1）体液の浸透圧を調節し、血圧の上昇を抑える。
（2）加工食品の過剰摂取が原因で不足しやすく、味覚異常になりやすい。
（3）神経伝達、精神安定に関与し、欠乏するとイライラ、不整脈の原因となる。
（4）体液の浸透圧の調節や水分量の調節をする。
（5）骨や歯を構成するが、とりすぎると骨のカルシウムが減少する。

解答（3）

（1）カリウム　（2）亜鉛　（4）ナトリウム　（5）リン

近年の出題傾向

ビタミンは、毎回試験で出題されています。各種ビタミンの働きと欠乏症について覚えましょう。また、ミネラルも毎回出題されています。ミネラルとそれらを多く含む食品名だけでなく、その特徴（働きと欠乏症）と関連するミネラル名を選び出す問題が多くなっています。

出る順 第3位

主な病気の特徴

本冊P.57～64

病名	症状	原因	予防・改善の留意点
高血圧	自覚症状はほとんどないが、頭痛、肩こり、めまい、耳鳴り、手足のしびれなどがある場合がある。	遺伝や塩分の高い食事、喫煙、肥満、アルコール、ストレス、運動不足など	・塩分を控える。 ・漬物、汁物の量をとりすぎない。 ・練り製品、加工食品、酒の肴には塩分が多く含まれているので注意する。 ・カリウム、カルシウムの豊富な野菜や海藻をたっぷり添える。 ・食べすぎないようにする。
糖尿病	喉の渇き、水分を多くとる、尿の回数や量が多い、体重の増加または減少、疲れやすい、目のかすみ、皮膚の乾燥やかゆみなど。	食べすぎ、飲みすぎ、運動不足などの生活習慣や精神的ストレス、過労や病気からくる身体的ストレス	・砂糖を控える。 ・ご飯は玄米や胚芽米に。 ・脂肪分、塩分に気を付ける。 ・食物繊維をたっぷりとる。 ・１日の摂取エネルギーを守り、いろいろな食品をバランスよく食べる。 ・どか食い、ながら食いをしない。
脂質異常症	自覚症状がなく、検査して初めてわかるということが多いので、定期的に検査を受ける必要がある。	過食、動物性脂肪やコレステロールの高い食品、アルコール、糖質の過剰摂取、運動不足、肥満など	・コレステロールを多く含む食品、増やす食品を控える。 ・コレステロールを下げる食品を増やす。 ・禁煙する。 ・動物性食品を控える。 ・水溶性食物繊維を増やす。 ・外食は定食スタイルの和食に、中食はおむすびやインスタントの味噌汁に。 ・摂取エネルギーを抑えて、適正な体重を保つ。
動脈硬化	脳梗塞、狭心症、心筋梗塞、大動脈瘤など、表面的な自覚症状はなくても放置すると生死に直結する病気に結び付く。	高血圧、脂質異常症、肥満、痛風、遺伝、ストレス、喫煙など	・塩分を控える。 ・脂肪やコレステロールの多い食品を控える。 ・内臓類、甘いもの、アルコールを控える。 ・摂取エネルギーを抑え、適正体重を保つ。 ・規則正しく、ゆとりのある生活を。

胆石症	食後30分から1時間ほどで、みぞおちから右の肋骨(ろっこつ)下あたりから右肩、背中までに激痛が生じる。しかし無症状の場合もある。	脂肪やコレステロールのとりすぎ	・規則正しい食生活を送り、肥満に注意する。 ・脂肪やコレステロールの多い食品は控える。 ・食物繊維を十分にとる。 ・アルコール、コーヒー、炭酸飲料、香辛料などは制限する。
貧　血	各臓器の酸素不足のため頭痛、めまい、疲労感、動悸(どうき)、息切れ、肩こり、消化不良、顔色が悪い、寒気、イライラなど	鉄の吸収障害、食物からの鉄不足、体内の鉄需要の増大、胃の切除、欠食、偏食、間違ったダイエット、食生活の乱れなど	・鉄の豊富な食品をとる。 ・鉄＋ビタミンC・たんぱく質で吸収率を上げる。 ・造血作用のあるビタミンB_6、B_{12}、葉酸などを含む食品をとる。 ・食後すぐに、鉄の吸収を妨げるタンニンを含む緑茶、紅茶、コーヒーを飲まない。

試験ではこう出る！ 予想問題にchallenge

生活習慣病についての記述で、最も不適当なものを選びなさい。

（1）高血圧の原因は、遺伝やストレスのほかに塩分のとりすぎによることが大きい。

（2）動脈硬化は、動脈の壁に脂質が付くことで厚く硬くなり、血管の内側が狭くなることにより血液循環が悪くなる。

（3）糖尿病の初期段階ではほとんど自覚症状がなく、ある程度進行すると喉の渇き、皮膚のかゆみ、疲れやすい、視力低下などの症状が出てくる。

（4）若年層では、極端なダイエットなどを原因とする鉄欠乏性貧血が多い。

（5）膵臓から出るタウリンの量や作用が不十分だと血糖値が高くなり、糖尿病の原因となる。

解答（5）

膵臓(すいぞう)からはインスリンが分泌される。タウリンはアミノ酸の一種で貝類、イカ、タコに含まれ、血中コレステロールや血圧の上昇を抑制する働きがある。

近年の出題傾向

糖尿病、肥満、高血圧の問題がよく出題されます。食事療法を含めてチェックしておきましょう。

出る順 第4位

食材の数え方

本冊P.88

数え方	数えるもの	数え方	数えるもの
株（かぶ）	小松菜など、根の付いた葉野菜。	丁（ちょう）	豆腐。
切れ（きれ）	切り身になった魚、一口大の薄い切り身の肉。	粒（つぶ）	穀類、豆類、魚卵（ぎょらん）、イチゴやブドウなどの小さめの球形の果物。
個（こ）	リンゴ、柿、ミカンなどの果物、サトイモなどの球形の野菜。	斗（と）	米、酒、醤油、みりん、油などの液体。1斗＝10升＝18ℓ。
合（ごう）	米、酒。1合は180mℓ。	杯（はい）	イカ、タコ、飲み物やご飯。
棹（さお）	羊羹（ようかん）などの細長い菓子。	腹（はら）	タラや鮭などの魚卵のかたまり。
柵（さく）	刺身用に長方形にさばいた魚。	尾（び）	尾ひれが付いたままの魚。
升（しょう）	米、酒、醤油（しょうゆ）、みりんなどの液体。1升＝10合＝1.8ℓ。10升＝1斗。	匹（ひき）	魚。
帖（じょう）	海苔10枚で1帖。	房（ふさ）	ブドウやバナナなどの果物の実全体。
膳（ぜん）	箸、ご飯が盛られている茶碗。	本（ほん）	細長い野菜や果物。
束（たば）	野菜など束ねられるものすべて。	枚（まい）	油揚げなど薄いもの、薄切り肉、おろした魚。
把（たば）	束ねられる野菜など。	羽（わ）	鶏や鴨（かも）などの鳥類、ウサギ。
玉（たま）	麺類などの細長い乾物、キャベツやレタスなどの結球する野菜。	把（わ）	ホウレンソウや小松菜など根の付いた葉野菜を、売りやすい量にまとめたもの。

試験ではこう出る！ 予想問題にchallenge

食材の数え方の組み合わせで、最も不適当なものを選びなさい。

（1）結球する野菜……玉　（2）飲み物、ご飯……杯　（3）米、酒……合

（4）ウサギ、鶏、鴨……匹　（5）尾ひれが付いたままの魚……尾

解答（4）鶏・鴨だけでなく、ウサギも1羽、2羽と数える。

近年の出題傾向

近年は出題回数が多く、刺身…柵、羊羹…棹、束と株の違いなどをチェックしましょう。

出る順 第5位

食品へのアレルギー表示

本冊P.131～132

原材料	表示方法	症例・症状	食　品
特定原材料8品目	義務表示	症例数が多い	鶏卵、牛乳、小麦、エビ、カニ、クルミ
		症状が重篤（じゅうとく）になる	そば、落花生
特定原材料に準ずるもの20品目	可能な限り表示	症例が少ないか、症状が軽いと思われる	アワビ、イカ、イクラ、オレンジ、キウイフルーツ、牛肉、鮭、サバ、大豆、鶏肉、バナナ、豚肉、桃、山芋、リンゴ、ゼラチン、カシューナッツ、ゴマ、アーモンド、マカダミアナッツ

試験ではこう出る！ 予想問題にchallenge

食物によるアレルギーについて、最も不適当なものを選びなさい。

（1）特定原材料7品目は、容器包装された加工食品にアレルギー表示が義務付けられている。

（2）食物アレルギーの原因となる物質が含まれたものは、加工調理しても除去されない。

（3）食物アレルギーは、消化管が未発達で粘膜の抵抗力の弱い子どもに起こりやすい。

（4）同じ食品を繰り返し大量に摂取することはアレルギーを起こす原因ともなるので、控えるようにする。

（5）牛乳と落花生は症状が重篤になりやすい食品で、死に至る可能性のある深刻なショック症状をアナフィラキシーショックと言う。

解答（5）

症状が重篤になるのはそばと落花生。小麦、鶏卵、牛乳は三大アレルゲンと呼ばれ、エビとカニ、クルミを加えた6品は症例数が多い食品。

近年の出題傾向

近年増加傾向にある子どもの食物アレルギー事故の影響もあり、出題される可能性が高いです。特定原材料8品目だけでなく、特定原材料に準ずるもの20品目も頻出なので、しっかり押さえておきましょう。

出る順 第6位

食品マークの種類

本冊P.134～135

食品マーク		内　容
一般JASマーク	JAS 認定機関名	品位、成分、性能などの品質について**日本農林規格（JAS規格）**を満たす食品や林産物などに付けられる。
有機JASマーク	JAS 認定機関名	**有機JAS規格**を満たす農産物や畜産物、加工食品、飼料に付けられる。有機JASマークが付けられていない農産物と農産物加工食品には「有機○○」などと表示することはできない。
特色JASマーク	JAS	生産情報公表JASマーク、特定JASマーク、定温管理流通JASマークが「特色JASマーク」に統一された。**生産情報公表JASマーク**は、事業者が生産情報を消費者に正確に伝えていることが認定されたものに付けられる。**特定JASマーク**は、特別な方法や原材料で作られた食品、品質などに特色のある食品に付けられる。**定温管理流通JASマーク**は、製造から販売まで一定の温度を保つという流通方法に特色がある加工食品に付けられる。
特別用途食品マーク	消費者庁許可 区分	特別の用途に適すると**消費者庁**が認可した食品に付けられる。**例**：高血圧症患者用にナトリウムを減らしたり、腎臓疾患患者用にたんぱく質を減らしたりした食品、乳児用調製粉乳、妊産婦・授乳婦用粉乳、高齢者用食品（低カロリー甘味料や減塩醤油（しょうゆ）、粉ミルク）など。
特定保健用食品マーク（通称「トクホ」）	消費者庁許可 特定保健用食品	「体脂肪が付きにくい」「おなかの調子を整える」「虫歯の原因になりにくい」など、体の生理的機能などに影響を与える**保健機能**成分を含む食品のうち、その表示を**消費者庁**が許可した食品に付けられる。
公正マーク	公正	同じ種類の事業者で構成する公正取引協議会が作っている表示に関する**公正競争規約**に従い、適正な表示をしていると認められる食品に付けられる。**例**：飲用乳、はちみつ、海苔（のり）、ハム・ソーセージ、コーヒー、チーズなど（左のマークは飲用乳のもの）。
Eマーク		**地域の特色**がある原材料や技術で作られ、品質の優れている**特産品**に付けられる。**各都道府県**が基準を定め、認証している。

試験ではこう出る！ 予想問題にchallenge

次のマークが使用されるものとして、最も適当なものを選びなさい。

（1）地域の特色がある原材料や技術で作られ、品質の優れている特産品に付けられている。

（2）有機JAS規格を満たす農産物や畜産物、加工食品、飼料に付けられている。

（3）特別な基準による方法や原材料で作られた熟成ハム類、地鶏肉などに付けられている。

（4）体の生理的機能などに影響を与える保健機能成分を含む食品として許可された食品に付けられている。

（5）特別の用途に適すると消費者庁が認可した食品に付けられている。

解答（2）

（1）Eマーク　（3）特色JASマーク　（4）特定保健用食品マーク
（5）特定用途食品マーク

近年の出題傾向

食品マークとして、特別用途食品マークと特定保健用食品マークが連続して出題されています。リサイクルの識別マークや遺伝子組換え食品の表示方法もよく出題されているので、マークや名称、内容だけでなく、対象品目も結び付けて整理しましょう。

プラス10点ワンポイント

紙製容器包装

飲料用紙容器

紙容器のリサイクルマークは２種類あるので、しっかり区別しておきましょう。

出る順 第7位

食中毒を引き起こす細菌やウイルスの種類と特徴

本冊P.147～151

種　類	原因食品	特　徴	症状／潜伏期間	予防方法
サルモネラ菌（感染型）	肉、鶏卵など	人や鳥、動物の消化管に存在。熱に弱い。	発熱、腹痛、下痢、嘔吐（おうと）など／8～48時間	手洗い、加熱殺菌、害虫駆除。
腸炎ビブリオ（感染型）	生鮮魚介類	海水中で増殖する。真水・熱に弱い。	激しい腹痛、下痢、発熱、嘔吐など／10～18時間	手洗い、調理器具の洗浄、加熱殺菌。
カンピロバクター（感染型）	加熱不足の肉料理（鶏肉、牛レバー刺し）、飲料水	熱や乾燥に弱い。微好気性（増殖にわずかな酸素を利用する性質）。	腹痛、下痢、発熱、血便／2～7日	手洗い、調理器具の洗浄、加熱殺菌。井戸水は煮沸（しゃふつ）殺菌が必要。
黄色（おうしょく）ブドウ球菌（食品内毒素型）	食品全般	人の皮膚、傷口などに存在。菌は熱に弱いが、毒素は熱に強い。	激しい嘔吐、下痢、腹痛など／1～3時間	手洗い。手に傷があるときは食品に直接触れない。
ボツリヌス菌（食品内毒素型）	びん詰、缶詰、真空パックなど密封された嫌気（けんき）性食品	土壌に存在。嫌気性（増殖に酸素を必要としない性質）で熱に弱いが、毒素の毒性が非常に強い。	嘔吐、下痢、視覚障害、言語障害、呼吸障害。死に至ることもある／12～36時間	100℃で10分以上の加熱。
腸管出血性大腸菌〈O-157、O-111〉（生体内毒素型）	飲料水、加熱不足の肉類、生野菜など	感染力が強い。ベロ毒素を産生し、胃酸中でも生存する。	下痢・腹痛から血便・激しい腹痛に変化。死に至ることもある／1～9日	手洗い、調理器具の洗浄、加熱殺菌。水の使用に注意。
ウェルシュ菌（生体内毒素型）	カレー、シチュー、スープ、グラタンなど、大量調理したもの	生物の消化管に存在。嫌気性。熱に強い芽胞（がほう）を形成すると長期生存。	腹痛、下痢など／8～20時間	手洗い、加熱殺菌。調理後は室温に放置しない。
セレウス菌（食品内毒素型）	チャーハン、ピラフ、スパゲティなど、でんぷんの多い食品	嫌気性で、厳しい環境下で芽胞を形成。熱に強い。日本で多発。	嘔吐、腹痛／1～5時間	調理後は室温に放置しない。再加熱を十分に行う。

セレウス菌（生体内毒素型）	肉製品、プリン、スープ、ソース	嫌気性で、厳しい環境下で芽胞を形成。熱に弱い。欧米で集団発生。	腹痛、下痢／8～16時間	調理後は室温に放置しない。再加熱を十分に行う。
ノロウイルス	生牡蠣などの貝類（加熱が十分でないもの）、生野菜など	人から人への感染。飛沫感染など感染力が強い。低温に強い。	腹痛、下痢、発熱、嘔吐など／24～48時間	手洗い、加熱殺菌（中心部を85～90℃以上で90秒以上）、漂白消毒。

試験ではこう出る！ 予想問題にchallenge

ノロウイルスについて、最も不適当なものを選びなさい。

（1）生牡蠣などの貝類（加熱が十分でないもの）や生野菜などが主な原因である。

（2）人から人への感染はなく、潜伏期間は10～18時間である。

（3）免疫力の低下した高齢者や乳幼児が感染すると、死に至ることもある。

（4）夏季よりも冬季に発生することが多く、12～１月にかけて最も多い。

（5）かつては小型球形ウイルスと呼ばれ、飛沫感染など感染力が強く、低温に強い。

解答　（2）

人から人へ感染する。人のみが対象のウイルス性食中毒で、症状は腹痛、下痢、嘔吐、微熱など風邪の症状に似ている。潜伏期間は24～48時間。予防方法は手洗いと漂白消毒、加熱殺菌（中心部を85～90℃以上で90秒以上）。

近年の出題傾向

近年増加している細菌やウイルスによる食中毒の発生により、食中毒に関する問題もよく出題されています。それぞれの原因食品と症状について覚えておきましょう。

プラス10点ワンポイント

食中毒の発生時期：

食中毒の主な原因として、細菌、自然毒、ウイルス、化学物質、カビがありますが、特に細菌とウイルスは感染力が強く食中毒を多く引き起こします。それぞれが発生しやすい時期（細菌性食中毒：６～10月、ウイルスによる食中毒：11～３月）は、殺菌・除菌による予防や自らの免疫力を高めるよう心がけましょう。

出る順 第8位

賀寿

本冊P.79

還暦（かんれき）	61歳を祝う。60年で十干十二支（じっかんじゅうにし）が一巡するため、人生を再び始める節目の年として祝う。
古稀（こき）	70歳を祝う。杜甫（とほ）の詩「人生七十古来稀」より。
喜寿（きじゅ）	77歳を祝う。「喜」の草書体「㐂」は七が重なるため。
傘寿（さんじゅ）	80歳を祝う。「傘」の俗字が「仐」になるため。
米寿（べいじゅ）	88歳を祝う。米を分解すると八十八になるため。
卒寿（そつじゅ）	90歳を祝う。「卒」の俗字が「卆」になるため。
白寿（はくじゅ）	99歳を祝う。「百」の字から「一」を除くと「白」になるため。
その他	上寿（100歳）、茶寿（108歳）、皇寿（111歳）となる。

試験ではこう出る！ 予想問題にchallenge

賀寿について年齢の若い順に並べたものとして、最も適当なものを選びなさい。

（1）還暦 ──→ 喜寿 ──→ 古稀　（2）米寿 ──→ 白寿 ──→ 喜寿

（3）傘寿 ──→ 古稀 ──→ 卒寿　（4）卒寿 ──→ 白寿 ──→ 米寿

（5）古稀 ──→ 傘寿 ──→ 卒寿

解答 （5）

（1）61→77→70　（2）88→99→77　（3）80→70→90

（4）90→99→88　（5）70→80→90

近年の出題傾向

賀寿（がじゅ）は単純に出題されるのではなく、年齢の正しい順番はどれか、年齢を合わせていくつになるか、という少し変わった出題形式も見られるようになりました。確実に年齢を覚えておくようにしましょう。

出る順 第9位

箸使いのタブー（嫌い箸）

本冊P.106

移り箸	料理をとりかけてから、ほかの皿の料理をとること。	涙　箸	箸先から汁を垂らすこと。
かき箸	茶碗の縁に口を付けて、箸で口の中にかき込むこと。	握り箸	箸を握って使うこと。
込み箸	箸で料理を口の中いっぱいに詰め込んで、ほおばること。	ねぶり箸	箸を口の中に入れてなめること。
逆さ箸	自分の箸を逆さにして使うこと。	二人箸	二人で一つのものを、箸と箸で受け渡すこと。
探り箸	箸で器をかき混ぜて、料理の中身を探ること。	迷い箸	どれにしようかと、箸を宙に迷わせること。
刺し箸	フォークのように食べ物を箸で突き刺して食べること。	もぎ箸	箸の先にくっついた飯粒を口でもぎとること。
せせり箸	箸を爪楊枝の代わりに使って歯をほじること。	持ち箸	汁を飲むときなどに、箸を持ったまま椀に口を付けること。
空（そら）　箸（ばし）	料理をとろうとして一度箸を付けたものをとらないこと。	横　箸	箸を２本合わせて、スプーンのように使うこと。
ちぎり箸	箸を１本ずつ両手に持って、料理をちぎること。	渡し箸	箸を茶碗などの器の上に置くこと。

試験ではこう出る！ 予想問題にchallenge

空箸の説明として、最も適当なものを選びなさい。

（１）とりかけてからほかの皿の料理をとる。　（２）箸を茶碗などの器の上に置く。

（３）とろうとして一度箸を付けたものをとらない。

（４）どれにしようかと、箸を宙に迷わせる。　（５）器をかき混ぜて料理の中身を探る。

解答　（３）

（１）移り箸　（２）渡し箸　（４）迷い箸　（５）探り箸

近年の出題傾向

試験では毎回、箸使いのマナーに反した嫌い箸が出題されるので押さえておきましょう。

出る順 第10位

トラブルになりやすい販売手法

本冊P.206

アポイントメントセールス	「あなたが選ばれました！」と電話や郵便などで連絡し、カフェなどに呼び出し、絵画や宝石など高額な商品を購入させる。
キャッチセールス	街頭や路上で「アンケートにご協力ください」などと声をかけ、営業所やカフェに同行し化粧品や宝石、エステ会員権などを購入させる。
SF商法（新製品普及商法）	会場に人を集め、日用品の無料配布や格安販売でお得さを感じさせて雰囲気を盛り上げておき、羽毛布団など高額商品を購入させる。
マルチ商法	「会員になって商品を購入し、家族や友人を紹介すれば簡単に利益が得られる」などの勧誘で、健康食品や化粧品などを購入させる。
ネガティブオプション（送り付け商法）	注文していないのに一方的に商品を送り付け、断りの意思を示さない場合は商品代金の請求をしてくる。
振り込め詐欺	身内を装い「緊急でお金が必要だ」と言い、現金を振り込ませる。

試験ではこう出る！ 予想問題にchallenge

振り込め詐欺に関する記載として、最も適当なものを選びなさい。

（1）日用品の無料配布などで会場の雰囲気を盛り上げて、高額商品を購入させる。

（2）水道局員や消防署員を装って訪問し、浄水器や消火器などを購入させる。

（3）霊感があるように装い、「悪霊を祓（はら）うために必要」と高額な商品を購入させる。

（4）街頭や路上で「アンケートにご協力ください」と声をかけ、営業所やカフェに同行し、化粧品や宝石、エステ会員権などを購入させる。

（5）身内を装い、「緊急でお金が必要」と指定した口座へ現金を振り込ませる。

解答（5）

（1）ＳＦ商法　（2）かたり商法　（3）霊感商法　（4）キャッチセールス

近年の出題傾向

様々な販売手法の中から、毎回種類を変えて出題される傾向にあります。巧妙になっていく販売手法とその手口を、しっかり関連付けて覚えましょう。

memo

矢印の方向に引くと、取り外すことができます。